Christian Haasz
Handbuch Digitale Fotografie

Der umfassende Ratgeber zur Digitalen Fotografie

Handbuch
Digitale
Fotografie

Mit 428 Abbildungen

Über den Autor

Christian Haasz, Jahrgang 1967, arbeitete nach dem Studium bis 1999 als Redakteur, Chef vom Dienst und stellvertretender Chefredakteur für ein Computermagazin. Heute ist er selbstständiger Medienschaffender. Digitale Fotos macht Christian Haasz seit Ende der 90er und er setzte dabei von Anfang an konsequent auf die Möglichkeiten, die der Computer dem Digitalfotografen bietet. Er hat mehrere erfolgreiche Fachbücher zu Photoshop und Digitalfotografie geschrieben und publiziert in verschiedenen Fachmagazinen. Die Fotos von Christian Haasz werden regelmäßig in der Tagespresse veröffentlicht.

Satz: G&U Language & Publishing Services GmbH, Flensburg
art & design: www.ideehoch2.de
Druck: Westermann Druck GmbH, 38039 Braunschweig
Printed in Germany

Inhaltsverzeichnis

2 Digicams – leistungsstarke Pixelkünstler 103

Kapitel 1 Inhalt

1 Digitales Fotografieren

1.1 Die Revolution der Bilder

Seit der Erfindung der Kleinbildfotografie im letzten Jahrhundert hat wohl keine technische Entwicklung die Fotografie so revolutioniert, wie es die Digitaltechnik derzeit tut. Der Wechsel von der analogen zur digitalen Aufnahmetechnik hat zwar nicht die Sichtweise für gute oder schlechte Bilder verändert, wohl aber die Unmittelbarkeit und Geschwindigkeit, mit der Motive festgehalten werden. Darüber hinaus hat neben der Zahl der Fotos auch deren Präsentation extrem zugenommen, wie man unter anderem an der ständig wachsenden Zahl privater Bildergalerien im Internet sehen kann.

Bild 1.1   Mit einer Digitalkamera eröffnen sich Möglichkeiten, die Sie mit der analogen Fotografie nicht hatten. Sie können die Fotos sofort auf dem Display der Kamera begutachten. Fehlbelichtungen können mit anderen Einstellungen wiederholt werden. So sind selbst solche gestalterisch sowie belichtungstechnisch komplizierten Motive kein Problem mehr. Beispielsweise sind Action und Sport sind in der analogen Fotografie die Domäne von Profis mit sehr viel Erfahrung. Mit der Digitalkamera können Sie jetzt sorglos Hunderte von Bildern zum Üben schießen und müssen sich keine Gedanken mehr über verschwendetes teures Filmmaterial machen.

Im Internet gibt es inzwischen beliebte Fotoseiten mit Galeriecharakter. Wer Mitglied der jeweiligen Fotogemeinde ist, kann seine Arbeiten auf die Homepage übertragen, mit Informationen zur Entstehung versehen und Tausende andere Mitglieder dazu aufrufen,

Bewertung und Meinung abzugeben. Als es nur die analoge Fotografie und ihre Papierabzüge gab, war der Meinungsaustausch auf eine kleine Runde von Enthusiasten beschränkt, die ein Foto in geselliger Runde herumreichten oder auf die Möglichkeit der Ausstellung ihrer besten Bilder hofften. Heute können sich über das Internet in kurzer Zeit viele weit voneinander entfernt lebende Menschen ein Foto oder eine ganze Fotoreihe ansehen. Auch per E-Mail können Digitalfotos schnell und unkompliziert verschickt werden.

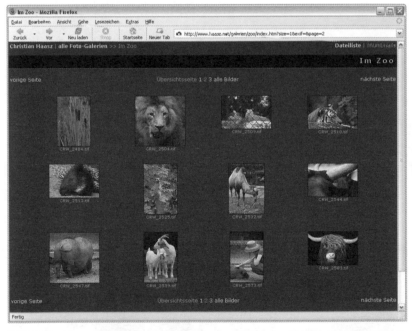

Bild 1.2　Eine der beliebtesten Arten, der Welt seine Fotos zu zeigen, ist die Gestaltung einer eigenen Homepage samt Online-Fotoalbum. Verwandte und Bekannte, die über Computer und Internetanschluss verfügen, können die Bilder jederzeit ansehen.

1.1.1   Einstieg in die digitale Fotografie

Dieses Buch hat zum Ziel, Ihnen einen fachlich fundierten und dennoch verständlichen und leichten Einstieg in die digitale Fotografie und die Bildbearbeitung zu geben. Sie erfahren hier alles über die Grundlagen, die für die Praxis der Digitalfotografie notwendig sind. Der Schwerpunkt dieses Ratgebers liegt auf den Schritt-für-Schritt-Anleitungen zur Arbeit mit Digitalkamera, Zubehör und Computer. Auf unnötige technische Details und Fachterminologien wurde dabei ganz bewusst verzichtet, da sie für das Hobby Fotografie unnötig sind. Ist die Verwendung von Fachbegriffen notwendig, werden sie dort präzise und verständlich erklärt, wo sie verwendet werden.

Im ersten Kapitel werden Sie über die Grundlagen der Digitalfotografie, über die neuen Bedienkonzepte, die Unterschiede zur analogen Fotografie sowie über sinnvolles Zubehör informiert. Was Digitalkameras alles können sowie Tipps zur Motivsuche und zur Bildgestaltung erfahren Sie in den beiden folgenden Kapiteln. Hier geht es ganz konkret darum, wie man mit der Digitalkamera umgeht und damit tolle Fotos macht.

1.1.2   Bildbearbeitung: Fotos am PC optimieren

Wenn Sie Ihre Fotos noch verändern wollen, sprich z. B. Nachschärfen, Kontrast und Helligkeit optimieren, störende Bildelemente entfernen, ist ein Bildbearbeitungsprogramm für den Computer das richtige Werkzeug. Bildbearbeitungsprogramme gibt es viele, hier die wichtigsten mit ihren Vor- und Nachteilen:

- **Ulead PhotoImpact:** Für Einsteiger geeignet, deckt die wichtigsten Funktionen ab, nur für Windows. Preis: je nach Version zwischen 10 und 40 €.

- **Corel PaintShop Pro:** Für Einsteiger geeignet, etwas mehr Leistungsumfang als PhotoImpact, nur für Windows. Preis: je nach Version zwischen 20 und 80 €.

- **Adobe Photoshop Elements:** Für Einsteiger geeignet, Leistungsumfang vergleichbar mit PaintShop Pro, für Windows und Mac. Preis: je nach Version zwischen 30 und 90 €.

- **GIMP:** Für Fortgeschrittene, gewöhnungsbedürftige und komplexe Bedienung, großer Leistungsumfang, für Windows, Mac und Linux. Preis: kostenlos zum Download.

- **Adobe Photoshop:** Das Standard-Bildbearbeitungsprogramm für Profi-Fotografen und -Grafiker, riesiger Leistungsumfang, für Windows und Mac. Preis: je nach Version zwischen 200 und 1.200 €.

In diesem Buch konzentrieren wir uns allerdings auf die Fotografie selbst, sodass Ihnen die nachträgliche Bildbearbeitung möglichst erspart bleibt.

Bild 1.3   Große Probleme in der analogen Fotografie – flaue Farben (oben)
oder Farbstiche (unten) – sind in der Digitalfotografie kaum mehr
der Rede wert. Hier hilft die Bildbearbeitung.

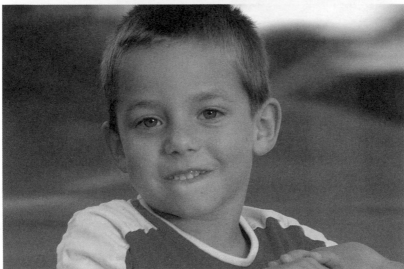

Bild 1.4   Der berüchtigte Rote-Augen-Effekt, der durch den Einsatz von Blitzlicht verursacht wird, tritt auch in der digitalen Fotografie auf. Allerdings sind die Augen per Computer schnell retuschiert.

Da die Bearbeitung nur ein Teil der Digitalfotografie ist, erfahren Sie schließlich im Hauptkapitel *Digitalfotos perfekt drucken* alles über die technischen Hintergründe, um Ihre Digitalbilder für den Druck auf dem eigenen Heimdrucker vorzubereiten. Als Alternative dazu wird außerdem erklärt, wie Sie Ihre Bilddaten an ein Fotolabor übermitteln oder an einem Druckterminal Ihres Fotoladens oder Elektronikmarkts ausgeben lassen können.

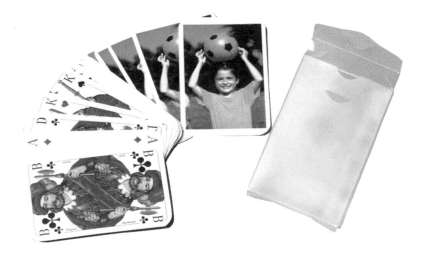

1.1.3 Grenzenlose Kreativität

Mit dem Aufnehmen von Digitalfotos, dem Korrigieren und Retuschieren sowie dem Ausdrucken mithilfe der Software sind die Möglichkeiten der Digitalfotografie noch längst nicht ausgeschöpft. Sie können mit den eigenen Fotos Grußkarten, Kalender und sogar T-Shirts gestalten und dabei Texte und interessante Spezialeffekte einsetzen.

Auch um die sinnvolle Archivierung Ihrer Fotodatenbestände auf CD, DVD oder Festplatte müssen Sie sich kümmern. Sie lernen, wie Sie die Datenbestände in den Griff bekommen, sie sortieren und so archivieren, dass Sie Ihre besten Fotos schnell wieder finden.

Bild 1.5 In jedem neuen PC befindet sich ein Laufwerk, mit dem sich CD-ROMs oder DVDs bespielen (brennen) lassen. Diese Speichermedien sind mittlerweile so günstig, dass sie sich für die Archivierung von Fotobeständen für jedermann hervorragend eignen.

Mit vielen Digitalkameras lassen sich kleine Videos drehen und Sprachinformationen aufnehmen. Sie können Ihre Bilder auf vielfältige Weise auf dem Monitor, dem Fernseher oder mit einem digitalen Projektor präsentieren sowie Bilder und Musik für eine DVD zusammenstellen, sie in einer Fotogalerie im Internet zeigen oder sie per E-Mail an Freunde und Verwandte verschicken.

Das umfassende und praxisnahe Buch informiert über all diese und viele weitere Gelegenheiten, um mit der Digitalkamera kreativ zu werden und die Fotografie so auf interessante Weise völlig neu zu entdecken.

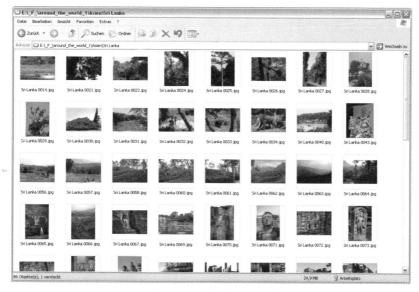

Bild 1.6 Seit es möglich ist, seine Bilddaten nicht mehr nur in Listen von Dateinamen, sondern auch visuell mithilfe von Miniaturen zu suchen, ist die Organisation stark vereinfacht worden. Arbeiten Sie mit einem aktuellen Windows-System, zeigt der Windows Explorer auf Wunsch Miniaturen an.

1.1.4 Möglichkeiten der digitalen Fotografie

Haben Sie die Fotografie schon mit analoger Aufnahmetechnik, Dia und Negativ als Hobby betrieben, sollten Sie sich zur Erweiterung Ihres kreativen Horizonts auf jeden Fall mit den Möglichkeiten der digitalen Fotografie vertraut machen. Viele Motive wurden früher nicht fotografiert, weil die Lichtverhältnisse zu schwierig schienen und man wegen möglicher Filmverschwendung deshalb nicht auf den Auslöser drückte. Vielleicht war auch der falsche Film eingelegt oder gerade die Filmrolle zu Ende. Da digitale Fotos aus digitalen Informationen bestehen, gibt es keine Verschwendung von Filmmaterial mehr. Wird ein Digitalbild nicht ausgedruckt oder im Labor belichtet, entstehen keine Kosten. Sie können so viel fotografieren, wie auf der Speicherkarte der Kamera Platz hat. Sie können Ihre Digitalkamera also jederzeit einsetzen und zu jedem Zeitpunkt schussbereit dabeihaben.

Bild 1.7 Solche Schnappschüsse unter schwierigen Lichtbedingungen lassen sich mit der Digitalkamera völlig sorglos machen. Kontrollieren Sie Ihren ersten Versuch auf dem Display und wiederholen Sie zur Not die Aufnahme mit anderen Belichtungseinstellungen und anderem Bildausschnitt.

1.1.5   Einschränkungen

Natürlich gibt es ein paar Einschränkungen in Bezug auf die Kapazitäten der Speicherkarten und den Ladezustand der Akkus, die die Kamera mit Strom versorgen. Aber grundsätzlich bietet Ihnen die Digitalkamera ein viel höheres Maß an Flexibilität als die analogen Pendants. Beispielsweise lässt sich der Aufnahmesensor einer Digitalkamera jederzeit auf verschiedene Empfindlichkeiten (ISO, DIN oder ASA) einstellen, um unterschiedlichen Beleuchtungssituationen gewachsen zu sein. Mit einer analogen Kamera haben Sie sich beim Einlegen des Films auf eine Empfindlichkeit z. B. von ISO 200 festgelegt. Kommen Sie in eine Situation mit wenig Licht, würden Sie eigentlich einen Film höherer Empfindlichkeit von ISO 800 oder noch mehr benötigen. Mit einer Digitalkamera kein Problem. Allerdings gelten hier einige Einschränkungen in Bezug auf die Bildqualität, da höhere Empfindlichkeit zu mehr Bildrauschen führt.

Bild 1.8   Feuerwerke zu fotografieren erfordert ein wenig Planung und Geduld. Das gilt sowohl für die analoge als auch für die digitale Fotografie.

Ein weiterer Vorteil einer Digitalkamera ist die Anzahl der Fotos, die auf eine Speicherkarte passen. Bei einer angenommenen Bilddateigröße von 3 MByte (Megabyte) – ein realistischer Wert, wenn die Kameraeinstellung für die Bildqualität auf »hoch« steht – passen auf eine Speicherkarte mit einer Kapazität von 512 MByte rund 170 Fotos. Mittlerweile gibt es sogar Speicherkarten mit bis zu 4 GByte (Gigabyte). So eine Karte hätte unter oben genannten Bedingungen Platz für rund 1300 (!) Bilder – genug also für jeden Urlaub.

1.1.6   Analoges Bildmaterial digitalisieren

Wenn Sie die faszinierenden Möglichkeiten der Nachbearbeitung, Ausgabe und Verwendung digitaler Bilder, die dieses Buch beschreibt, schätzen gelernt haben, werden Sie bestimmt auch noch ein paar analoge Aufnahmen oder Dias haben, mit denen Sie sich Ähnliches vorstellen können. Das ist kein Problem. Es gibt mehrere Wege, um analoges Material in die digitale Welt zu überführen. Sie können Ihre Negative und Dias an ein Labor schicken, das die Originale scannt und auf CD-ROM speichert. Das kann je nach Anzahl der Vorlagen und der gewünschten Scanqualität relativ teuer werden. Ein Tipp dazu: Falls Sie zusätzlich zur digitalen Ihre analoge Kamera benutzen, können Sie sich parallel zum Entwickeln der Filme vom Labor Foto-CDs der Bilder anfertigen lassen. Der geringe Aufpreis für eine CD lohnt sich, wenn Sie Ihre Bilder am PC weiterbearbeiten möchten und die Negative und Dias nicht selbst einscannen.

Bild 1.9   Mit einem einfachen Flachbettscanner können Sie Ihre Abzüge ganz unkompliziert digitalisieren, um sie danach am Computer zu bearbeiten oder sie für grafische Projekte zu verwenden.

Haben Sie einen großen Bestand an analogem Bildmaterial, sollten Sie über die Anschaffung eines leistungsfähigen Scanners nachdenken. Für das Scannen von Papierabzügen genügt ein preiswerter Flachbettscanner, wenn Sie keine großformatigen Ausdrucke von Ihren Bildern machen wollen.

Das Papierbild wird auf die Glasfläche des Scanners gelegt, die Steuersoftware des Scanners am Computer gestartet, das Bild gescannt und gespeichert. Für Negative oder Dias benötigen Sie einen speziellen Scanner mit Durchlichteinheit oder gleich einen (relativ teuren) Filmscanner. Hier spielt die Auflösung wegen der geringeren Größe der Vorlage noch eine weitaus größere Rolle.

Flachbettscanner mit Durchlichteinheit haben den Vorteil, dass man mit ihnen sowohl Papierfotos und andere gedruckte Vorlagen als auch Dias und Negative, die von der Durchlichteinheit beim Scanvorgang beleuchtet werden, verarbeiten kann. Spezielle Filmscanner für Dias und Negative sind unflexibler und teurer. Sie bringen aber die weitaus bessere Qualität beim Digitalisieren von analogem Filmmaterial, weil sie mit entsprechend hohen Auflösungen arbeiten.

Sind Ihre analogen Aufnahmen auf der Festplatte des Computers gespeichert, können Sie die Bilddaten ebenso behandeln wie Fotos einer Digitalkamera. Neben den Möglichkeiten der Bildretusche und Gestaltung von Karten, Plakaten, bebilderten Texten oder Präsentationen ist es vor allem die Vereinfachung der Archivierung und die Suche, die das Digitalisieren von analogem Material so interessant für den Fotoenthusiasten macht.

TIPP **Digitalisieren mit Diakopiervorsatz**

Eine Alternative zum Digitalisieren von Dias mit einem (Film-) Scanner bieten spezielle Diakopiervorsätze. Diese Geräte kann man an Digitalkameras anbringen. Sie ähneln den Wechselobjektiven für Spiegelreflexkameras. Ein Diakopiervorsatz hat am hinteren Ende einen Schieber, in den man ein Dia einlegt. Das Dia wird in die Mitte des Kopiervorsatzes geschoben und mit der Digitalkamera fotografiert. Die Digitalkamera sollte dazu natürlich eine möglichst gute Bildqualität liefern. Ob und welche Diakopiervorsätze es für Ihr Kameramodell gibt, erfahren Sie bei Ihrem Fotofachhändler.

Bild 1.10 Filmscanner sind etwas für Fotografen, die auf besonders hochwertige Scans von analogem Film- und Diamaterial Wert legen.
Die Preise für spezielle Filmscanner liegen deutlich über denen
von normalen Flachbettscannern mit Durchlichteinheit.

1.2   Gute Fotos in jeder Situation

*Alles, was man mit der analogen Kamera aufnehmen kann, lässt sich
auch mit einer Digitalkamera festhalten. Besonders bei den kleinen,
handlichen Kompaktkameras bringen die digitalen und die analogen
Geräte qualitativ vergleichbare Ergebnisse. Ob Schnappschüsse, Porträts, Landschaften, Gebäude oder Stillleben – Sie sehen durch den
Sucher oder auf das Display der Kamera, legen den Bildausschnitt fest
und drücken nach der manuellen oder automatischen Einstellung von
Belichtung und Schärfe auf den Auslöser. Wie gut das Foto wird, also
welchen ästhetischen Wert es erreicht, entscheidet allein Ihr Blick für die
Gestaltung eines interessanten Motivs und nicht, ob es analog oder digital aufgenommen wurde.*

Bild 1.11 Ob die Weitwinkelaufnahme dieser Pferdeweide mit einer digitalen oder mit einer analogen Kamera aufgenommen wurde, spielt für die Stimmung, die das Motiv transportiert, keine Rolle. Erst bei extremer Vergrößerung würde man sehen können, ob die feinsten Strukturen vom Filmkorn oder den Bildpunkten (Pixeln) einer Digitalaufnahme stammen.

1.2.1 Qualität auf hohem Niveau

Die Qualität von Digitalkameras hat heute ein Niveau erreicht, das dem analoger Kleinbildfotografie praktisch in nichts mehr nachsteht. Das vor einigen Jahren immer wieder in die Diskussion geworfene Argument, die Auflösung einer Digitalkamera sei viel kleiner als die eines Negativs oder eines Dias und daher minderwertiger, stimmt angesichts der heutigen Qualität digitaler Bilddaten nicht mehr. Und außerdem: Ein einzelner vom Kamerasensor erfasster Bildpunkt ist nicht mit einem Silberhalogenidkristall auf dem konventionellen Filmmaterial zu vergleichen. Selbst wenn auf einem Stück Filmstreifen im Kleinbildformat rund 20 Millionen mikroskopisch kleine Punkte sichtbar sein können, sind diese Punkte auf einem Laborabzug von 13 x 18 cm ebenso wenig zu sehen wie die 5 Millionen Bildpunkte, die der Sensor einer 5-Megapixel-Kamera aufgenommen hat.

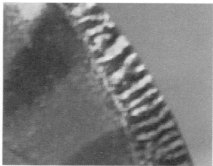

Bild 1.12 Die Vergrößerung links zeigt, dass diese Aufnahme analog gemacht wurde. Die feinen, punktartigen Strukturen haben weiche Kanten. Würde es sich bei diesem Foto um eine Digitalaufnahme handeln, wären in der unbearbeiteten Originaldatei eckige Strukturen wie auf dem Ausschnitt rechts sichtbar.

Lediglich eine Einschränkung sollte in Bezug auf die Qualitätsunterschiede zwischen analoger und digitaler Fotografie erwähnt werden, die noch immer gilt: Die Präsentation eines Dias unter professionellen Bedingungen ist immer noch wesentlich brillanter als die Projektion eines Digitalfotos mit einem digitalen Projektor (Beamer), denn die Auflösung von (erschwinglichen) Beamern ist längst noch nicht groß genug. Außerdem hat ein perfekt belichtetes Dia einen Farb- und Kontrastumfang, der mit einer Digitalkamera allein noch nicht zu erreichen ist.

1.2.2   Vorteile der Digitaltechnik

Bei der digitalen Fotografie fällt die Beschränkung auf 36 (oder 24) Aufnahmen pro Kleinbildfilm weg. Je nach Speicherkapazität können Sie mit Ihrer Digitalkamera Hunderte von Fotos machen, ohne die Speicherkarte wechseln zu müssen. Nächster wichtiger Unterschied: Ein Film ist auf eine Empfindlichkeit (z. B. ISO 100) beschränkt, wohingegen der Sensor einer Digitalkamera per Knopfdruck auf verschiedene Empfindlichkeiten eingestellt werden kann. Ein Vorteil besonders bei schnell wechselnden Lichtverhältnissen.

Bild 1.13 Auf dem Display vieler Digitalkameras erscheint nach einem Knopfdruck das Menü zum Einstellen der ISO-Empfindlichkeit zwischen ISO 50 und ISO 400. Bei analogen Kameras muss man den Film wechseln, um mit anderer Empfindlichkeit zu fotografieren, hier genügt ein Tastendruck.

Kaum Auslöseverzögerung

Ältere Digitalkameras litten noch unter recht deutlichen Verzögerungen beim Auslösen. Zwischen dem Druck auf den Auslöser und der eigentlichen Aufnahme verging so viel Zeit, dass gerade bewegte Motive längst nicht mehr dort waren, wo sie beim Blick durch den Sucher oder auf das Display noch gewesen waren. Neuere Kameras sind mittlerweile so schnell geworden, dass Sie genauso wie bei Analogkameras nur noch das Motiv wählen und auslösen müssen. Der

Autofokus stellt automatisch scharf und dann wird die Aufnahme gemacht. Selbst beim Einschalten sind die digitalen inzwischen auf dem Niveau der Analogkameras und nur Sekundenbruchteile nach dem Drücken des Einschaltknopfs ist die Kamera aufnahmebereit.

Wenn Sie noch eine Kamera mit deutlich »spürbarer« Auslöseverzögerung haben, gibt es leider keine Möglichkeit, die Zeitspanne zu verkürzen. Es ist eine Frage der Gewöhnung, bei bestimmten bewegten Motiven ein wenig vorauszuberechnen. Wahrscheinlich werden Sie aber schon bei der Motivauswahl daran denken und seltener kritische Motive suchen.

Angesichts des raschen Fortschritts in der Digitalkameratechnik haben die Kameras im Vergleich zum Analogzeitalter eine geringere Nutzungsdauer. Sie werden also, wenn Ihnen die Digitalfotografie Spaß macht, die Auslöseverzögerung Sie aber einschränkt, mittelfristig über eine Neuanschaffung nachdenken.

Nach rund sechs Jahren populärer Digitalfotografie zeigt sich nicht nur in dieser Hinsicht: Die Kameras der ersten Stunde sind inzwischen technisch so weit zurück, dass sie entweder bereits ausgetauscht worden sind oder aber eine Neuanschaffung demnächst ansteht.

Aufnahmen sofort beurteilen

Der größte Unterschied zwischen analoger und digitaler Technik dürfte jedoch in der sofortigen Überprüfbarkeit einer Aufnahme liegen. Ähnlich wie die altbekannten Sofortbildkameras, jedoch deutlich schneller, funktioniert eine Digitalkamera: auslösen und das Bild auf dem Display sofort beurteilen. Zur schnellen Motiv- und Belichtungskontrolle gibt es nichts Besseres als eine Digitalkamera, auf deren Display das Foto mit vielen relevanten Informationen zur Belichtung (Blende, Verschlusszeit, Empfindlichkeit etc.) angezeigt wird. Einige Kameras blenden zu den Belichtungswerten sogar noch ein so genanntes Histogramm – ein Diagramm zur Tonwertverteilung – ein. So kann man auf den ersten Blick erkennen, ob ein Bild aus technischer Sicht korrekt belichtet ist oder man die Aufnahme mit anderen Belichtungswerten wiederholen sollte. Wenn die Anzeige auf dem Display zu klein erscheint, also wichtige Bilddetails nicht beurteilt werden können, ist es häufig möglich, die Darstellung zu vergrößern. Auf das Bild hat das keinen Einfluss.

Bild 1.14 Nach der Aufnahme kann auf dem Display einer Digitalkamera das gerade aufgenommene Foto mit vielen Zusatzinformationen begutachtet werden. Sie können sofort sehen, ob die Belichtung korrekt war oder Sie das Foto mit anderen Belichtungseinstellungen wiederholen sollten.

Fotos schnell in alle Welt versenden

Zu dieser Erleichterung beim Beurteilen von Belichtung und Bildgestaltung kommt ein weiterer Unterschied: Ein digitales Bild kann auf elektronischem Weg per E-Mail, Internet oder Funk (WLAN, Bluetooth, Infrarot) gleich nach der Aufnahme verschickt werden. Sind Sie im Urlaub am anderen Ende der Welt und haben Sie dort Zugang zum Internet, können Sie Ihre Bilddateien von der Speicherkarte auf den Rechner übertragen und verschicken. Oder Sie wählen die Homepage Ihres Fotolabors an, schicken die Bilder dorthin und lassen sie in einem von den meisten Laboren angebotenen Online-Fotoalbum ausstellen. Dann teilen Sie Ihren Verwandten und Freunden nur noch mit, unter welcher Internetadresse Ihre Bilder zu finden sind, und diese können sich Ihre Urlaubseindrücke ansehen, noch ehe Sie selbst wieder zu Hause sind.

Machen Sie nicht mit einer Digitalkamera, sondern mit einem Kamera-
Handy Schnappschüsse, brauchen
Sie noch nicht einmal mehr einen PC
zum Verschicken der Fotos. Das Ka-
mera-Handy versendet die Bilder auf
Knopfdruck über das normale Han-
dy-Netz – allerdings je nach Größe
der Bilddateien zu teilweise erhebli-
chen Gebühren.

Die Möglichkeit, digitale Fotos unmittelbar nach der Aufnahme schnell
in alle Welt zu versenden, hat dazu geführt, dass sich die Digitalfotografie
bei Fotojournalisten immer mehr
durchgesetzt hat. Mit digitaler Spiegelreflexkamera, Handy und Note-
book können aktuelle Fotos innerhalb
von Minuten in den Redaktionen von
Tageszeitungen und Nachrichten-
diensten sein und dort sofort weiter-
verarbeitet und veröffentlicht werden.

Bild 1.15 Heute kann man auch mit vielen Mobiltelefonen Fotos ma-
chen. Zwar kommt die Bildqualität nicht an die von
hochwertigen Digitalkameras
heran, für spontane Schnappschüsse, die schnell an Freunde und Bekannte verschickt
werden sollen, reicht die Qualität aber allemal.

HINWEIS **Schnappschüsse vom Handy auf den PC**

Um Handy-Bilder auf den PC zu übertragen, benötigen Sie eine Software, die die Übertragung steuert. Benötigt wird meist ein

USB-Kabel, das Handy und PC-Anschluss verbindet (das Kabel muss im Allgemeinen zusätzlich erworben werden). Viele Handys verfügen auch über Infrarot- oder Bluetooth-Verbindungen, die der PC unterstützen muss. Meist ist dies nur bei Notebooks der Fall.

Verwendet Ihr Handy Multimedia-Karten (MMC) zur Datenspeicherung, können Sie Bilder auf der Karte ablegen und die Karte dann über einen Kartenleser auf den PC übertragen, allerdings müssen Sie dazu in vielen Fällen das Handy öffnen.

Wenn Ihr Handy keine der genannten Anschlussmöglichkeiten bietet, können Sie die Bilder entweder an einen Bild-Server des Herstellers schicken und von dort herunterladen oder sich besonders gute Bilder selbst als MMS an ein Webmail-Konto, das MMS unterstützt, schicken. Welche Übertragungskosten bei diesen Varianten anfallen, hängt von den genutzten Anbietern ab.

1.2.3 Motive, Situationen und deren Anforderungen

Einschränkungen in Bezug auf Arbeitsgeschwindigkeit, Qualität des Objektivs oder Bedienungsfreundlichkeit der Kamera gelten bei analoger und digitaler Fotografie in gleicher Weise. Ist das Objektiv verschmutzt, leidet die Bildqualität immer. Ist die Bedienung zu kompliziert, macht das Fotografieren weder analog noch digital viel Freude. Und benötigt die Kamera mehrere Sekunden, bis sie für eine Aufnahme bereit ist, sind die Möglichkeiten für spontane Schnappschüsse eingeschränkt. Je nach Motiv wirken sich die technischen und optischen Einschränkungen mehr oder weniger stark auf das Fotografieren aus.

Landschaftsfotografie

Die Landschaftsfotografie lebt von der bewussten Bildgestaltung. Auf eine hohe Arbeitsgeschwindigkeit kommt es nicht an. Wichtig dagegen: Display oder Sucher der Kamera sollten den Bildausschnitt, der später auf dem Foto zu sehen ist, möglichst exakt wiedergeben.

Profis, die sich auf die Landschaftsfotografie spezialisiert haben, arbeiten nach wie vor meist mit Filmmaterial – allerdings weniger mit Kleinbild- als mit Mittel- bzw. Großformatfilm. Diese Bildqualität ist gegenüber digitalen Aufnahmen deutlich besser, weil das Mittel- und Großformat weitaus mehr Details erfassen kann als der Kleinbildfilm oder die Aufnahmesensoren einer Digitalkamera. Der Unterschied zwischen Kleinbildnegativ und digitaler Aufnahme hingegen ist relativ gering. Das Dia hat gegenüber der Digitalfotografie in Bezug auf die Projektion allerdings immer noch einen deutlichen Qualitätsvorsprung, weil Dias detailreicher sind und einen weitaus größeren Umfang an Farben und Helligkeitsabstufungen aufweisen.

Durch die unmittelbare Bildkontrolle und die Möglichkeiten zur Nachbearbeitung sind Digitalkameras den analogen gegenüber im Vorteil. Hier kann man sich an die richtigen Belichtungswerte herantasten und jedes Foto am Display kontrollieren, bei falscher Belichtung löschen und mit neuen Werten wiederholen. Dias müssen dagegen äußerst exakt belichtet werden. Deshalb können in schwierigen Lichtsituationen mehrere Aufnahmen mit unterschiedlichen Belichtungen (so genannte Belichtungsreihen) notwendig sein. Filmverbrauch und Kosten steigen schnell an.

Bild 1.16 Obwohl die professionelle Landschaftsfotografie noch immer eine Domäne von Mittel- und Großformatkameras ist, können auch mit Digitalkameras stimmungsvolle Fotos gelingen. Für einen Ausdruck oder Abzug in Größen bis zu A4 ist die Qualität der meisten Digitalkameras auf jeden Fall ausreichend.

Porträtfotografie

Für rasche Schnappschüsse sind Sie mit einer schnellen Digitalkamera ohne große Auslöseverzögerung gut gerüstet. Sie können sorglos drauflos fotografieren, bis die Speicherkarte voll ist. Einfach Belichtungs- und Schärfeautomatik einschalten, draufhalten und den Auslöser drücken. Sind die Bilder nichts geworden (Kontrolle am Display), werden sie gelöscht. Kleine Belichtungsfehler lassen sich mithilfe der Bildbearbeitung auch noch korrigieren.

Nicht nur Schnappschüsse, gerade auch geplante Porträts profitieren von der neuen Arbeitsweise mit der Digitalkamera. Sie können die Beleuchtung so oft verändern und Probefotos schießen, bis die Bilder hinsichtlich Aufbau, Hintergrund und Licht genau so sind, wie Sie sie gern haben wollen. Diese Kontrollfunktion war bislang die Domäne von Sofortbildkameras. Jetzt benötigt man dazu nur noch seine Digitalkamera.

Bild 1.17 Bei jeder Gelegenheit ergeben sich Situationen, die zu einem attraktiven Porträtfoto führen können. Die Spontaneität, mit der digital fotografiert werden kann, unterstützt Sie dabei, einzigartige Situationen nicht zu verpassen.

Bild 1.18 Viele kompakte Digitalkameras besitzen ein Programmwahlrad, mit dem man automatische Belichtungsprogramme z. B. für Landschaften, Sport oder Porträts auswählen kann.

Bewegung festhalten

Weil das Fotografieren mit der Digitalkamera so viel unbeschwerter ist und Sie nicht auf die Kosten für Filmmaterial Rücksicht nehmen müssen, können Sie bei bewegten Motiven so viel ausprobieren, wie Sie möchten. Gerade hier ist Übung wichtig – wenn Sie sich nicht auf Ihr Glück verlassen möchten. Sie sollten sich mit der Kamera vertraut machen und lernen, wie sie am besten für bewegte Motive einzustellen ist. Falls Sie nicht manuell in Fokussierung und Belichtung eingreifen können oder wollen, stellen Sie ein Aufnahmeprogramm ein, dass für schnelle Bewegungen ausgelegt ist. Die meisten Digitalkameras haben ein Einstellrad, auf dem Symbole für die verschiedenen Programme zu sehen sind. Das für Bewegungen geeignete Programm wird meistens durch einen Läufer symbolisiert. Ist die Kamera richtig eingestellt, halten Sie drauf und drücken im richtigen Moment – z. B. wenn ein Radfahrer, Auto oder Motorrad an Ihnen vorbeikommt – den Auslöser. Die Ausbeute an brauchbaren Bildern wird anfangs ziemlich gering sein. Da die Daten jederzeit von der Speicherkarte oder dem Computer gelöscht werden können, entsteht kein materieller Schaden durch fehlgeschlagene Versuche.

Um wirklich professionelle Fotos etwa von Rennwagen, 100-Meter-Läufern oder Schwimmern hinzubekommen, benötigen Sie wie in der analogen Fotografie eine professionelle Ausrüstung. Weder die kleine digitale noch die analoge Kompaktkamera ist dafür ausgelegt, schnelle Bewegungen perfekt scharf und in Topqualität auf den Film oder den Sensor zu bannen.

Bild 1.19 Einfach die Kamera in eine Szene halten und abdrücken: Experimentieren Sie mit den unterschiedlichen Aufnahmeprogrammen Ihrer Digitalkamera, um bewegte Motive auf unkonventionelle Art einzufangen.

Mit Blitz fotografieren

Eines der häufigsten Probleme beim Blitzen zeigt sich in den leuchtend roten Augen der Fotografierten. Während man bei analog aufgenommenen Fotografien den roten Augen trotz des Vorblitzes im Allgemeinen relativ machtlos gegenübersteht, kann dieser Fehler bei der digitalen Bildbearbeitung am Computer korrigiert werden. Auch die Blitzfotos mit viel zu kräftigen Schlagschatten hinter dem Motiv und überstrahlten Gesichtern lassen sich mithilfe des Computers und einem Programm zur Bildbearbeitung ausgleichen. Analog entstandene, verunglückte Blitzfotos wanderten in vielen Fällen in den Papierkorb, auch wenn das Motiv an sich gar nicht so schlecht war. Die Digitalfotografie bietet die Möglichkeit, jedes Foto in Ruhe am Computer zu beurteilen und dann zu entscheiden, ob sich die Retusche eines deutlichen Schattens oder eine Nachbearbeitung lohnt.

Nah- und Makrofotografie

Nahaufnahmen sind eine Stärke digitaler Kompaktkameras. Aufgrund der kleinen Sensoren und der Tatsache, dass die Aufnahmen mit Digitalkameras im Vergleich zu analogen Bildern eine viel größere Schärfentiefe aufweisen, sind perfekte Nah- und Makroaufnahmen oft ganz ohne Zubehör möglich. Der Grund für so viel Schärfentiefe bei digitalen Kompakten: Weil die Sensoren im Vergleich zum Kleinbildfilm viel kleiner sind, kommen in Digitalkameras kleinere Objektive mit entsprechend kleineren Brennweiten zum Einsatz. Die Schärfentiefe hängt von der Brennweite ab und ist umso größer, je kleiner die Brennweite ist, mit der fotografiert wird.

Für gelungene Nahaufnahmen brauchen Sie ein Stativ weil die Verwacklungsgefahr bei solchen Bildern sehr hoch ist. Bedingt durch die Bauart können Sie sich mit Ihrer Digitalkamera kleinen Motiven bis auf wenige Zentimeter nähern. Hat Ihre Digitalkamera zusätzlich noch ein ausklappbares Display, müssen Sie sich beim Blick durch den Sucher nicht unnötig verrenken, um den Bildausschnitt zu beurteilen. Ein Blick auf das Display genügt und selbst ungewöhnliche Aufnahmewinkel – z. B. direkt vom Boden aus schräg nach oben – sind kein Problem.

Am Zubehör für die Nah- und Makrofotografie hat sich von der analogen zur digitalen Fotografie nichts geändert: Nahlinsen zum Aufschrauben oder Aufstecken, für die Spiegelreflexkamera Balgengeräte,

Spezialobjektive oder Zwischenringe. Sie können häufig sogar nach einem Wechsel von analoger zur digitalen Fotografie das bereits vorhandene Nahzubehör weiterhin einsetzen. Bei Kompaktkameras ist dieses Zubehör allerdings oft nur eingeschränkt einsetzbar. Da bei ihnen die Objektive komplett im Gehäuse verschwinden müssen, können nur bei wenigen Geräten Zubehörteile angeschlossen werden.

Bild 1.20 Besitzt Ihre Digitalkamera ein schwenkbares Display, sind Nahaufnahmen aus den interessantesten Perspektiven möglich, weil Sie nicht durch den Sucher blicken müssen.

Auf Reisen fotografieren

Noch vor ein paar Jahren war die Digitalfotografie nicht besonders für den Urlaub geeignet, weil die Bildqualität und die Kapazitäten von Speicherkarten zu gering waren. Mit modernen Digitalkameras sind Abzüge fürs Fotoalbum in der Größe von 13 x 18 cm kein Problem mehr. Auch die Speicherkarten wurden so weiterentwickelt, dass je nach Modell Hunderte von Fotos auf eine Karte passen können. Dazu kommen Geräte wie mobile Festplatten oder CD-Brenner, die per Akku betrieben und gleich an die Digitalkamera angeschlossen werden können. Oder die Speicherkarte wird direkt in einen Schacht im Gerät geschoben und ausgelesen. Die Fotos können dann auf Festplatte oder CD-ROM gespeichert werden und die Speicherkarte ist für neue Bilder wieder frei.

Bild 1.21 Ob selbst gestaltete Urlaubskarten (im Labor zu bestellen), die Fotoshow nach der Heimkehr oder ein Fotoalbum mit den besten Motiven als Papierabzüge oder als Komplettdruck – auf Reisen sind Digitalkameras nicht zuletzt wegen der großen Speicherkapazität enorm praktisch. Besitzen Sie dazu noch ein Zoomobjektiv, sind Sie für fast alle Situationen gut gerüstet.

Durch den Einsatz von Zoomobjektiven sind digitale und analoge Kompaktkameras für Reisen besonders geeignet. Musste man sonst mehrere Objektive für unterschiedliche Brennweiten mit sich herumschleppen, können Sie sich mit einer digitalen Kompakten mit Zoomobjektiv das Gewicht einer Spiegelreflexausrüstung sparen. Die Brennweiten von Zoomobjektiven reichen je nach Kameramodell vom leichten Weitwinkel für Landschafts-, Gebäude- und Gruppenfotos bis hin zu mittleren oder langen Telebrennweiten zum Heranholen einzelner Details. Generell ist bei Kompaktkameras dieser Brennweitenbereich aber beschränkt. Es gilt: Je größer er ist, desto teurer ist auch die Kamera.

Perfekte Familienschnappschüsse

Noch nie war es einfacher, das Leben mit all seinen aufregenden und alltäglichen Momenten dokumentarisch festzuhalten, als heute mit einer digitalen Kamera. Ob Sie mit einer kompakten oder mit einer Spiegelreflexkamera fotografieren – halten Sie Ihren Fotoapparat immer griffbereit, um nichts zu verpassen. Auch bei Familienschnappschüssen sind es vor allem die Kosten für Filmmaterial und Entwicklung sowie die begrenzte Anzahl möglicher Aufnahmen, die das spontane Fotografieren in der analogen Zeit verhindert haben. Digitalkameras schalten sich nach einer gewissen Zeit, in denen sie nicht benutzt werden, automatisch ab. Meist sind sie durch einen kurzen Druck auf den Auslöser wieder aufnahmebereit. Nur ein paar Sekunden vergehen also, bis Sie wieder auslösen können. Steht die Kamera auf Automatik, müssen Sie dank Autofokus und Belichtungsprogramm nur noch abdrücken, die Bilder am Display kontrollieren oder gleich zum Rechner übertragen. Mit einem Fotodrucker lassen sich die Fotos sofort ausdrucken.

Bild 1.22 Gerade in der Familie ergeben sich ständig Situationen und Motive, die fotografiert werden wollen. Ist ein Foto mal nicht perfekt
belichtet, hilft die Bildbearbeitung am PC weiter.

Raffinierte Bilderschauen

Obwohl das Fotoalbum noch längst nicht out ist – ein Papierabzug sieht immer noch besser aus als ein flüchtiges Foto auf dem Computerbildschirm –, sind mit der Digitalisierung der Fotografie neue Möglichkeiten entstanden, seine Fotos anderen zu präsentieren. Neben Fotoalbum und Diashow gibt es die digitalen Fotoalben im Internet. Außerdem lassen sich Fotoreihen zu raffinierten Bilderschauen arrangieren, auf CD-ROM oder DVD brennen und am Fernsehgerät oder mit einem Beamer in Großformat vorführen. Weil die Formate für Bilder-CDs und -DVDs genormt sind, ist es auch kein Problem, mehrere Kopien einer Foto-CD zu erstellen und diese weiterzugeben. Wer einen Computer besitzt, kann die Datenträger jederzeit abspielen.

Foto-CDs und Online-Fotoalben

Das kreative Potenzial beim Herstellen von Bilder-CDs oder eines Online-Fotoalbums ist riesig. Von der einfachen Diashow (Bild für Bild läuft die Präsentation automatisch in gleichen Intervallen ab) bis hin zur komplexen Multimedia-Präsentation mit Bildern, Texten, Musik und sogar Videos ist alles möglich. Mit den von den Kameraherstellern beigelegten Programmen zum Betrachten und Verwalten von Digitalbildern können Sie neben einfachen Diashows meistens schon simple Präsentationen erstellen. Ob Ihre Software auch für die Gestaltung von Internetseiten oder Bilder-Shows auf CD-ROM geeignet ist, erfahren Sie im Handbuch.

Fotobücher als Geschenkidee

Wenn Sie Ihre digitalen Fotoalben als Geschenk oder Erinnerung nicht missen möchten, können Sie komplette Fotobücher mit Ihren Digitalbildern gestalten und dann drucken lassen. Im Internet finden Sie verschiedene Anbieter zur Erstellung solcher Alben.

1.2.4 Bildmassen optimal verwalten

Neben Flexibilität und Geschwindigkeit bringt die Digitalfotografie eine echte Erleichterung mit sich: Bilder, die auf einem Computer gespeichert sind, lassen sich weitaus besser als Papierabzüge oder Dias archivieren, sortieren und wieder finden. Einzige Voraussetzung: Sie müssen wie bei Ihren Dias und Negativen auch konsequent bei Beschriftung und Ablage der Dateien in Ordnern und auf Sicherungsmedien sein. Halten Sie sich an ein paar Grundregeln und benennen Ihre Fotos nach einem einheitlichen Schema, finden Sie mithilfe entsprechender, einfach zu bedienender Datenbankprogramme für die Bildverwaltung jedes Foto schnell wieder.

Bild 1.23 Mit dem kostenlosen Google Picasa bekommen Sie Ordnung ins Bilderchaos auf Ihrer Festplatte. Download unter www.google.de.

1.3   Grundlagen

Befasst man sich näher mit der Digitalfotografie und sucht allgemeine Informationen z. B. im Internet, wird man von technischen Details und Fachbegriffen förmlich erschlagen. Damit Sie sich nicht erst durch ein undurchdringliches Dickicht an wichtigen und unwichtigen Fakten kämpfen müssen, erhalten Sie auf den nächsten Seiten die wichtigsten Informationen über die relativ junge Technologie, die für den erfolgreichen Um- und Einstieg in die Digitalfotografie nötig sind.

Sie erfahren die prinzipiellen Unterschiede zwischen digitaler und analoger Aufnahmetechnik und welche Vorteile ein Sensor gegenüber einem Stück Kleinbildfilm hat. Außerdem werden kurz die verschiedenen zurzeit in Digitalkameras verwendeten Sensortypen mit ihren Stärken und Schwächen vorgestellt. Über die technischen Aspekte hinaus können Sie nachlesen, ob und inwieweit die Bildqualität von Kleinbild- und Diafilmen mit Digitalfotos vergleichbar ist und von welchen Faktoren die Bildqualität eines Digitalfotos abhängt. Und schließlich werden der grundsätzliche Aufbau, die allgemein üblichen Bedienelemente und Anschlüsse einer Digitalkamera sowie deren Funktionen erklärt.

1.3.1   Der Kamerasensor

Wer analog fotografiert, verwendet lichtempfindliche Filme. Öffnet sich der Verschluss der analogen Kamera für den Bruchteil einer Sekunde, wird der Film belichtet. Seine Struktur verändert sich. Das eigentliche Foto entsteht im Entwicklungsprozess. Filmmaterial ist für den Anfänger relativ kompliziert in der Handhabung, denn vor der Aufnahme ist genau zu überlegen, wie die Belichtungswerte sein müssen. Zwar gibt es auch in der analogen Fotografie Kameras, die vollautomatisch die Einstellungen festlegen. Solche Automatismen funktionieren aber nur in einer (relativ großen) Bandbreite von Standardszenen. Fotos in schwierigen Lichtsituationen (Gegenlicht, Nachtaufnahmen, Fotos mit Blitz) können ohne manuelles Eingreifen schnell danebengehen. Stimmt Verschlusszeit oder Blende nicht und wird ein Foto über- oder unterbelichtet, ist kaum etwas zu retten.

Bild 1.24 Der Sensor einer Digitalkamera sitzt im Gehäuse hinter dem Objektiv. Auf der Abbildung ist ein CCD-Sensor zu sehen, der in einer digitalen Spiegelreflexkamera verwendet wird.

Sensortypen: CCD und CMOS-APS

In der Digitalfotografie wird anstelle des hinter dem Objektiv liegenden Films ein elektronisches Bauteil eingesetzt, welches das durch die Linsen in die Kamera einfallende Licht verarbeitet. Es gibt zwei grundsätzlich unterschiedliche Arten dieser optischen Sensoren, die für die gängigen Digitalkameras verwendet werden: den CCD-Sensor (Charged Coupled Device – ladungsgekoppeltes Halbleiterelement) und den CMOS-APS (Complementary Metal Oxide Semiconductor Active Pixel Sensor – aktives Bildpunkterfassungselement auf Basis eines komplementären Metall-Oxid-Halbleiters). Jeder der beiden optischen Sensortypen liefert ein von der auftreffenden Lichtmenge abhängiges elektrisches Signal als Grundlage für die Digitalisierung von Bildinformationen. Ein so genannter A/D-Wandler (Analog-Digital-Wandler) digitalisiert diese elektrischen Impulse. CCD- und CMOS-Elemente in Digitalkameras sind Flächensensoren – beim Belichtungsvorgang wird in einem kurzen Augenblick eine rechteckige Fläche erfasst. CCD-Sensoren sind die mit Abstand am häufigsten in Digitalkameras eingesetzten Sensortypen, unter anderem weil CCDs in den Anfängen der Digitalfotografie eine deutlich bessere Bildqualität erbrachten. Heute sind die Unterschiede zwischen CCD- und CMOS-Sensoren praktisch nicht mehr vorhanden. Inzwischen wird auch in hochwertige digitale Profi-Spiegelreflexkameras der CMOS-APS mit hervorragender Bildqualität eingebaut.

HINWEIS   **CCD vs. CMOS**

Das Herstellungsverfahren von CMOS-Sensoren ist im Vergleich zu dem von CCD-Elementen kostengünstiger. CMOS-Sensoren benötigen weniger Strom, sie werden weniger warm und sind weniger störanfällig. Der grundsätzliche Unterschied zwischen den beiden Sensortypen besteht darin, wie Bildsignale verarbeitet werden. Im CMOS-APS erfolgt die Verarbeitung schneller. Jeder einzelne Bildpunkt kann direkt ausgelesen werden. Der größte Vorteil des CMOS-APS ist, dass sich direkt in seine Schaltkreise zusätzliche Funktionen wie z. B. Schritte zur automatischen Bildkorrektur und Optimierung integrieren lassen. Dies kann den Aufwand für Nacharbeiten am PC deutlich reduzieren. Die Nachteile des CMOS-Sensors: Sie sind weniger lichtempfindlich, haben einen geringeren Dynamikumfang (Bandbreite zwischen hellsten und dunkelsten erfassbaren Bildbereichen) und sind anfälliger für Bildrauschen (siehe 2.4 Bildrauschen – wahrnehmbar oder nicht?) als CCD-Sensoren. Durch die interne Datenverarbeitung einer Digitalkamera werden diese Nachteile heute weitgehend ausgeglichen.

Belichtung am Display kontrollieren

Ebenso wie in der analogen Fotografie ist ein deutlich über- oder unterbelichtetes Digitalbild schwer oder überhaupt nicht zu retten. In der digitalen Fotografie ist das Ergebnis einer Belichtung sofort am Display der Kamera kontrollierbar und die Aufnahme kann bei falschen Einstellungen für Blende und Verschlusszeit mit anderen Belichtungswerten wiederholt werden. Dies ist ein deutlicher Vorteil des digitalen Sensors gegenüber analogem Filmmaterial. Um ihn nutzen zu können, muss die Kamera allerdings den manuellen Eingriff in die Belichtungswerte zulassen. Ähnlich wie bei analogen Kompaktkameras gibt es auch digitale Kameramodelle, bei denen man Belichtung und Fokussierung nicht oder nur in geringem Maß beeinflussen kann.

1.3.2   Mosaikfilter zur Farbdarstellung

Ein CCD- oder CMOS-Sensor ist grundsätzlich nur in der Lage, Helligkeiten zwischen dunkel (Schwarz) und hell (Weiß) in festen Stufen zu unterscheiden. Da die Welt aber bunt ist, muss ein Sensor in der Lage sein, die vielen Farben zu differenzieren. Deshalb werden auf die Schutzschicht eines CCD-Sensors und CMOS-APS so genannte Mosaikfilter aufgedampft.

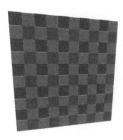

Bild 1.25 Schematische Darstellung des Aufbaus eines Mosaikfilters. Herstellerspezifisch kann die Anordnung der Farbfelder abweichen. Manche Anbieter nehmen zusätzliche Farben auf, was die Farbdifferenzierung verbessert.

Sie lassen für jeden Bildpunkt nur jeweils eine Farbe (Rot, Grün oder Blau) durch, sodass jeder einzelne Lichtsensor eines Sensors den Helligkeitswert von nur je einer Farbe registriert. Farben, die zwischen den drei Grundfarben Rot, Grün und Blau liegen, werden von der Kamerasoftware neu berechnet (interpoliert). Qualitätsunterschiede bei der Farbdarstellung der verschiedenen Digitalkameras liegen unter anderem in der Qualität der Berechnungsmethoden für Zwischenwerte (Interpolationsalgorithmus) begründet.

1.3.3 Anders: der X3-Sensor

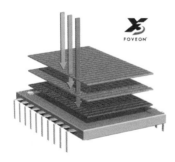

Bild 1.26 Die Farbdarstellung von Fotos, die mit einem X3-Sensor aufgenommen wurden, ist etwas besser als die mit herkömmlichen CCD- oder CMOS-Chips.

Der X3-Sensor von Foveon – ebenfalls ein CMOS-APS – ist mit analogem Filmmaterial vergleichbar, das in drei Schichten für jede der drei Farben Rot, Grün und Blau aufgebaut ist. Der X3-Sensor erfasst für jeden Bildpunkt gleichzeitig alle drei Farbinformationen. Das Prinzip dahinter: Die Fotodioden des Sensors liegen in drei Siliziumschichten übereinander. Die gleichzeitige Erfassung aller drei Farbinformationen eines Bildpunkts funktioniert, weil Licht je nach seiner Wellenlänge unterschiedlich tief in Silizium eindringt. Rot besitzt eine Wellenlänge von ca. 700 nm (Nanometer), Grün von ca. 500 nm und Blau von ca. 400 nm. In Bezug auf die Farbdarstellung ist dieser

Sensor herkömmlichen CMOS- und CCD-Sensoren überlegen. Seine gesamte Auflösung bei gleicher Baugröße ist allerdings ein wenig geringer. Inzwischen wird der Sensor von unterschiedlichen Herstellern im Spiegelreflex- wie im Kompaktbereich eingesetzt.

1.3.4 Faktoren zur Beurteilung der Bildqualität

Wie beurteilt man die Bildqualität eines Fotos? Bei der Einführung der digitalen Fotografie diskutierte man darüber, ob analoge oder digitale Fotos die Wirklichkeit realistischer wiedergeben. Die Bildqualität eines Farbdias ist weniger vom Film als vielmehr von der verwendeten Kamera und deren Objektiv abhängig. Hätte man in der Mitte der 1990er-Jahre den Film einer einfachen analogen Kamera gegen einen Sensor ausgetauscht – die Qualität der digitalen Aufnahme wäre jämmerlich im Vergleich zu einem perfekt belichteten Dia oder Negativ gewesen. Man hätte mit Bildrauschen, geringem Farb- und Kontrastumfang und schlechter Farbwiedergabe leben müssen. Seit dieser Zeit haben sich Sensoren und digitale Kameras enorm weiterentwickelt, sodass die Qualitätsdiskussion unwichtig geworden ist. Der Kampf um das bessere System ist entschieden, wie die ständig steigenden Absatzzahlen für Digitalkameras und die permanent sinkenden Verkäufe analogen Filmmaterials beweisen. Geht es jedoch um Vergrößerungen, bietet die analoge Fotografie nach wie vor Vorteile.

Die Bildqualität einer digitalen Aufnahme hängt immer schon von mehreren Faktoren ab. Neben den technischen wie Auflösung und Datenkompression, die Sie im Kameramenü einstellen können, spielen die Güte des Objektiv und die interne Verarbeitungssoftware der Kamera entscheidende Rollen für Schärfe, Detail- und Farbwiedergabe. Verwenden Sie den Ausschnitt eines Fotos, das mit einer 5-Megapixel-Kamera aufgenommen wurde, für eine Vergrößerung, sind die Grenzen aufgrund immer deutlicher werdender Pixelstrukturen sehr eng gesteckt. Ein Dia oder Negativ hat hier weit mehr Potenzial, wenn es fachmännisch vergrößert wird. Fläche und Pixelzahl der Sensoren von preiswerten Digitalkameras sind momentan noch zu klein, um vergleichbare Ergebnisse zu erzielen. Zwar ist es grundsätzlich möglich, mithilfe des Computers einen Bildausschnitt zu vergrößern. Da aber aus der tatsächlich vorhandenen Anzahl an Bildpunkten nur auf künstlichem Weg neue Zwischenpunkte errechnet werden, leidet mit zunehmendem Vergrößerungsfaktor die Bildqualität überproportional. Während die sichtbar werdenden Pixelstrukturen eines vergrößerten Digitalfotos als störend empfunden werden, wirkt das mit starker Vergrößerung deutlicher werdende Filmkorn aus ästhetischer Sicht angenehmer.

Bild 1.27 Die Ausgabe eines unbearbeiteten Digitalfotos ist nur bis zu einer gewissen Größe sinnvoll. Ab einer bestimmten Grenze sind einzelne rechteckige Pixel zu sehen. In dem auf 1200 % vergrößert dargestellten Ausschnitt der Blume sind die eckigen Strukturen schon deutlich sichtbar.

Viele Profis arbeiten bei Großformatplakaten oder ganzseitigen Werbemotiven daher oft noch mit analogen Mittel- oder sogar Großformatkameras, bei denen genug Bildfläche zur (Ausschnitt-)Vergrößerung zur Verfügung steht. Digital kommen Sie in zweistellige Megapixel-Regionen, um das annähernd zu erreichen. Wenn Sie sich bei Fotoabzügen in den Bereichen bis etwa 20 x 30 cm bewegen, sollte es mit einer guten Kamera der 4- bis 8-Megapixel-Klasse jedoch keine Probleme geben.

1.3.5   Bedienung einer Digitalkamera

Haben Sie bisher mit einer analogen Kamera fotografiert, müssen Sie sich bei der Bedienung einer Digitalkamera ein wenig umstellen. Eine Digitalkamera besitzt zu den aus der analogen Fotografie bekannten Anschlüssen und Bedienelementen je nach Modell zusätzliche Buchsen, Knöpfe und Räder, mit denen Sie sich zunächst vertraut machen müssen. Außerdem werden die Einstellungen zu einem großen Teil über das Display vorgenommen. Bei analogen Kamaras diente zwar der Sucher zur Anzeige wesentlicher Informationen, aber die Einstellungen wurden noch recht konventionell über Einstellräder oder separate Menüdisplays vorgenommen.

Blitzschuh

Pogrammwahlrad

Sucher

Aufnahmepara-
meter editieren,
Aurofokus-Mess-
feld auswählen

Aufnahmeparameter
einstellen

Manuelle Fokussierung,
Audioaufnahme

Messwertspeicherung,
Bilder löschen

Bildinformationen
anzeigen

Makromodus, Mehrfach-
anzeige von Bildern auf
dem Display

1.3.6 Optische und elektronische Sucher

In der Digitalfotografie gibt es optische und elektronische Sucher. Einfache Kompaktkameras (digitale wie analoge) haben oben am Gehäuse eine Linse. Problem: Die optische Achse des Suchers stimmt nicht hundertprozentig mit der des Objektivs überein. Der Sucher zeigt also einen mehr oder weniger falschen Bildausschnitt. Je näher man einem Motiv ist, desto deutlicher wirkt sich dieser so genannte Parallaxenfehler aus.

Auch digitale Spiegelreflexkameras haben einen optischen Sucher, der jedoch völlig anders aufgebaut ist als der von Kompaktkameras. Ein Spiegelreflexsucher zeigt die Ansicht durch das Objektiv. Man sieht also exakt das gleiche Bild, das auch der Sensor bei der Aufnahme erhält.

Bild 1.28 Der elektronische Sucher zeigt den Inhalt des Displays und bietet zusätzlich meist einen Dioptrienausgleich für Brillenträger.

Neu in der Digitalfotografie ist der elektronische Sucher oder EVF (Electronic View Finder – elektronischer Sucher). Sie blicken ebenfalls durch eine Linse am Kameragehäuse, sehen dabei aber ein winziges Monitordisplay. Im elektronischen Sucher sehen Sie das gleiche Bild, wie es das große Display auf der Kamerarückseite zeigt. Die Darstellungsqualität elektronischer Sucher ist geringer und stark abhängig von der Auflösung der in das Kameragehäuse integrierten Minimonitore, die deutlich kleiner als die des Rückseitendisplays ist.

1.3.7 Energiespender Akku

Jede Digitalkamera benötigt elektrischen Strom, den sie üblicherweise aus einer austauschbaren und wieder aufladbaren Energiezelle (Akku) bezieht. Im Lieferumfang der Kamera ist entweder ein Ladegerät enthalten oder der leere Akku muss geladen werden, während er in der Kamera steckt. In dem Fall besitzt die Kamera einen Anschluss für ein Netzgerät. Der Nachteil: Solange die Kamera mit dem Netzteil verbunden ist, ist sie nicht einzusetzen. Mit Ladegerät und Zweitakku können Sie flexibler fotografieren.

Bild 1.29 Vielen Digitalkameras ist ein für den jeweiligen Akkutyp geeignetes Ladegerät beigelegt. Haben Sie einen Zweitakku, können Sie ihn laden, während Sie weiter fotografieren

1.3.8   Fotos per USB auf einen PC überspielen

Damit Sie Ihre Fotos zum Computer übertragen können, verfügt die Kamera über eine Datenschnittstelle. Hier ist der USB-Anschluss (Universal Serial Bus) in der Version 2.0 der Standard. Nicht nur Kameras, sondern auch Drucker, Scanner u. a. lassen sich darüber anschließen. Die beiden Kabelenden unterscheiden sich deutlich voneinander: Das für den Computer ist breit und flach, der Stecker für die Kamera ist kleiner. Die Kamerabuchse wird meist durch eine kleine Klappe verdeckt, damit sie nicht verschmutzt bzw. keine Feuchtigkeit eindringt. Wenn Sie den Anschluss nicht sofort entdecken, sehen Sie im Handbuch Ihrer Kamera nach. Die aktuellen Versionen des Betriebssystems Windows erkennen ein neues Gerät, das an einen USB-Port angeschlossen wird, automatisch. Die Inbetriebnahme ist also auch für unerfahrene Computernutzer völlig unproblematisch.

Bild 1.30 Neben der USB-Buchse (rechts unten) kann hier ein so genanntes A/V-Kabel (Audio/Video) zum Anschluss an einen Fernseher verwendet werden.

1.3.9   Eingebauter Blitz und Zusatzblitzgeräte

Wie analoge Kompaktkameras haben die digitalen meistens einen kleinen eingebauten Blitz, der für viele Situationen ausreichend ist. Genügt die Leistung nicht, benötigen Sie ein Zusatzblitzgerät. Eventuell können Sie ein bereits vorhandenes Blitzgerät aus analogen

Tagen verwenden, wenn die neue Digitalkamera über einen entsprechenden Anschluss verfügt. Welche Blitzfunktionen von Kamera und Blitzgerät unterstützt werden, können Sie den Handbüchern der Geräte entnehmen.

Blitzgeräte können über einen Blitzschuh oder eine Blitzbuchse, die beide jedoch nicht Bestandteile aller Modelle sind, mit der Kamera verbunden werden. Falls Sie mehr als nur Schnappschüsse machen möchten, sollte Ihre Digitalkamera zumindest mit einem Blitzschuh ausgestattet sein, damit Sie einen Zusatzblitz einsetzen können. Die nur in einigen Modellen zu findende Blitzbuchse überträgt lediglich ein Auslösesignal. Diese Buchse wird vor allem bei der Arbeit mit Studioblitzanlagen benötigt.

Bild 1.31 Der Blitzschuh nutzt Kontakte zur Kommunikation mit dem Blitzgerät. Einfache Zusatzblitze von Drittherstellern haben oft nur den Mittelkontakt, der auslöst, aber nicht steuert.

Bild 1.32 Der kleine interne Blitz ist für viele Gelegenheiten ausreichend. Sind Ihre Motive weiter entfernt oder möchten Sie große Räume ausleuchten, benötigen Sie ein Zusatzblitzgerät.

1.3.10 Digitalkamera mit dem Fernseher verbinden

Digitalkameras besitzen normalerweise einen Anschluss für ein so genanntes A/V-Kabel (Audio/Video). Mit diesem Kabel kann die Kamera an einen Fernseher oder Monitor mit entsprechendem Eingang angeschlossen werden. Zwar ist die Bildqualität nicht mit der Darstellung auf einem Computerbildschirm vergleichbar, sie reicht jedoch aus, um Schärfe und Bildaufbau zu kontrollieren. Außerdem kann man auf diese Weise Bilder auch vorführen, wenn kein PC zur Verfügung steht.

1.3.11 Motivprogramme für perfekte Aufnahmen

Jede brauchbare Digitalkamera bietet verschiedene Motivprogramme. Einfachere Modelle haben neben der Vollautomatik, bei der die Kamera sämtliche Aufnahmefaktoren automatisch regelt, zumindest

Einstellungen für Nah- und Weitwinkelfotografien. Je besser das Kameramodell ist, desto mehr Programme für fotografische Standardsituationen können Sie nutzen. Zu Einstellungen für Nah- und Landschaftsmotive kommen Programme für Sport-, Nacht- und Porträtaufnahmen hinzu. Für maximale Kontrolle über die Belichtung gibt es manchmal noch die Zeitautomatik (Bezeichnung auf dem Wahlrad: A, Av), die Blendenautomatik (Bezeichnung auf dem Wahlrad: T, Tv) und eine Einstellung für die freie Auswahl von Belichtungszeit und Blende (Bezeichnung auf dem Wahlrad: M). Bei vielen Kameras finden Sie eine Universaleinstellung, mit der fast alle Alltagssituationen fotografiert werden können. Stellen Sie daran aber nicht zu hohe Ansprüche. Bei kompakten Kameras geht der Trend eher in Richtung Reduzierung der Programme, weil erfahrungsgemäß zu viele Einstellungen nicht mehr genutzt werden. Achten Sie darauf, was Ihre Kamera wirklich bietet. Setzen Sie Spezialprogramme möglichst auch ein – Sie erzielen oft ein entscheidendes Plus an Qualität.

Bild 1.33 Stellen Sie das Programmwahlrad auf Auto, können Sie in den meisten Fällen problemlos fotografieren. Welche anderen Aufnahmeprogramme Ihre Kamera unterstützt, erfahren Sie im Handbuch Ihrer Kamera.

1.3.12 Das Display als zentrales Bedienelement

Displays auf der Rückseite sind das zentrale Bedien- und Kontrollelement der meisten Digitalkameras. Hier werden die Menüs mit sämtlichen möglichen Kameraeinstellungen angezeigt. Außerdem können Sie beim Fotografieren das Motiv begutachten, ohne durch den kleinen Sucher oben an der Kamera blicken zu müssen. Manche Digitalkameras verzichten sogar ganz auf einen optischen oder elektronischen Sucher. Die Kontrolle von Bildausschnitt und Gestaltung erfolgt ausschließlich über den Monitor.

Unmittelbare Bildkontrolle

Bild 1.34 Besonders praktisch, um ungewöhnliche Aufnahmewinkel zu erzielen, sind Displays, die man ausklappen und drehen kann. Sämtliche Kameraeinstellungen, etwa die für die Bildgröße, können über das Display vorgenommen und kontrolliert werden.

Die wichtigste Funktion des Displays besteht darin, Bilder unmittelbar nach der Aufnahme zu kontrollieren. Mit einem kurzen Blick ist erkennbar, ob ein Foto korrekt belichtet wurde oder wiederholt werden muss. Zudem kann man mithilfe des Displays die bereits gespeicherten Fotos sichten, löschen oder zur Ausgabe an einen an die Kamera angeschlossenen Drucker markieren.

Nachteile von Displays

Zwar ist ein Display auf der Rückseite einer Digitalkamera äußerst bequem und verschafft zuweilen Perspektiven, die mit einer Sucherkamera nicht möglich wären. Ein Nachteil ist jedoch der große Energiebedarf. Nicht umsonst können Displays bei Kameras, die einen zusätzlichen Sucher haben, abgeschaltet werden. Mit jeder neuen Kamerageneration wird der Energiehunger jedoch geringer. Zeigt Ihre Kamera aber an, dass die Energie zur Neige geht, sollten Sie nur noch mit dem Sucher fotografieren.

Ein weiterer Nachteil von Displays ist, dass sie stark vom Umgebungslicht abhängig sind. Je mehr Licht auf das Display fällt, desto schlechter ist die Darstellung. Wenn Sie oft in der Sonne fotografieren, sollten Sie sich im Zubehörhandel nach einem Lichtschacht erkundigen. Dieser kleine Kasten wird hinten an die Kamera geklebt, um das Display gegen die Helligkeit abzuschirmen.

TIPP   **Displayfolien und Politur**

Kameradisplays werden von Kunststoff abgedeckt, der anfällig für Kratzer und Schlieren ist. Um das Display vor Kratzern zu schützen, gibt es Schutzfolien. Diese Folien werden auf das Display geklebt und können jederzeit wieder abgezogen und ausgetauscht werden. Falls Sie bereits Kratzer auf dem Display bemerkt haben, bekommen Sie über den Fachhandel Spezialpolituren zur Entfernung kleiner Kratzer.

1.4 Mehr Flexibilität durch neue Bedienkonzepte

Sie haben eine Digitalkamera und wollen sofort loslegen, wie Sie es von der analogen Fotografie gewöhnt sind: einschalten, durch den Sucher blicken, abdrücken, nächstes Foto. Fotografieren Sie mit Negativ- oder Diafilm, können Sie nur hoffen, dass die Fotos etwas geworden sind und vom Fotolabor korrekt entwickelt werden. Die Fotografie mit der Digitalkamera ist bei Bedarf viel flexibler. Etliche Parameter wie Kontrast, Empfindlichkeit oder Schärfe lassen sich vor der Aufnahme festlegen, um die Ergebnisse schon vorab zu beeinflussen. Der Umgang mit der Digitalkamera erfordert deshalb ein wenig Einarbeitung in das jeweilige Bedienkonzept.

Bild 1.35 Mit einem Druck auf den Knopf MENU – bei anderen Kameras kann die Taste zum Aufrufen des Einstellmenüs auch anders benannt sein – erscheint bei eingeschaltetem Kameradisplay eine Menüstruktur mit allen für Betrieb und Aufnahmen relevanten Einstellungen.

Eine Digitalkamera verfügt ebenso wie ein analoges Modell über einen Knopf zum Einschalten. Ist die Kamera aktiviert, können Sie mithilfe des Displays auf der Kamerarückseite oder beim Blick in den elektronischen Sucher verschiedene Einstellungen zu den Kamerafunktionen und Aufnahmeparametern vornehmen. Für die wichtigsten Funktionen sind am Kameragehäuse je nach Modell zusätzlich Knöpfe, Schalter und Räder angebracht, über deren Einsatz Ihr Kamera-Handbuch informiert. Die auf dem Display erscheinenden Einstellmenüs mit den verfügbaren Parametern werden mit einem Druck auf den entsprechenden Knopf zum Navigieren durch das Menü aufgerufen. Welcher das an Ihrer Kamera ist, können Sie ebenfalls im Handbuch Ihrer Kamera nachlesen. In der Regel hat er die Bezeichnung MENU.

1.4.1 Essentielle Einstellungen im Kamera-Menü

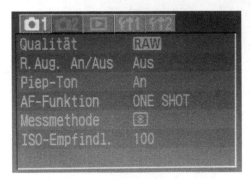

Bild 1.36 Wenn Sie das Kameramenü zum ersten Mal aufrufen, erscheinen zunächst die Einträge für die Verzögerung des Selbstauslösers, die Funktion zur Reduzierung des Rote-Augen-Effekts oder die Einstellung für Datum und Uhrzeit.

Zunächst sollten Sie einige Grundeinstellungen im Kameramenü vornehmen, die mit den eigentlichen Aufnahmen noch nichts zu tun haben. Sie können z. B. die Helligkeit des Displays festlegen, sollten auf jeden Fall Datum und Uhrzeit korrekt einstellen – jedes Digital-foto erhält beim Speichern die Information darüber, wann es gemacht wurde – und die richtige Menüsprache auswählen. Außerdem lässt sich eine Zeitspanne definieren, nach der die Kamera in den Stand-by-Modus gesetzt wird, und die Fernsehnorm (in Mitteleuropa PAL) für den Anschluss der Kamera an einen Fernseher angeben. All diese Vor-einstellungen müssen Sie nur einmal festlegen. Die Kamera merkt sie sich auch in abgeschaltetem Zustand.

Individuelle Zusatzparameter

Je nach Kameramodell lassen sich mehr oder weniger viele Zusatzpa-rameter an die eigenen Bedürfnisse anpassen, die auch einen direk-ten Einfluss auf Ihre Fotos haben. Einstellungen, die nicht in jeder Kamera verfügbar sind, betreffen z. B. den verwendeten Farbraum (sRGB ist die Standardeinstellung, AdobeRGB ist für professionelle Nachbearbeitung am PC gedacht – mehr dazu in Kapitel 4.5 Tipps für hochwertige Fotodrucke) oder die Geschwindigkeit bei Serien-aufnahmen. Weit verbreitet sind dagegen Wahlmöglichkeiten zu Blitztechniken wie Rote-Augen-Reduktion oder die Blitzsynchroni-sation auf den 1. oder 2. Verschlussvorhang.

An jeder Kamera lassen sich die Bildqualität und – falls die Kamera nicht ausschließlich JPG-Dateien speichert – das Dateiformat für die Fotos einstellen. Gerade über die Qualitätsstufe sollten Sie sich vor den Aufnahmen Gedanken machen. Zwar passen umso mehr Fotos auf eine Speicherkarte, je niedriger die Bildqualität und je höher die Datenkompression eingestellt ist. Für die Bildbearbeitung oder für großformatige Ausdrucke haben Sie dann aber weniger Potenzial. Nur wenn es sich garantiert um Bilder für das Internet handelt, sind die Minimaleinstellungen zu empfehlen. Soll aber aus dem Schnapp-schuss vom Sportturnier ein Bild für die Vereinszeitung werden, ärgern Sie sich garantiert.

Datenformate

Wenn Sie zwischen den Datenformaten JPGund TIF wählen können –
nicht alle Kameras können Bilder im TIF-Format speichern –, ist das
JPG-Format (beste Qualität) ein guter Kompromiss zwischen Dateigröße und Bildqualität. Zwar werden Bilder beim Speichern im JPG-
Format komprimiert, wobei auf Pixel-Ebene Qualitätsverluste entstehen. Diese Einbußen werden jedoch erst sichtbar, wenn die Bilder
extrem vergrößert ausgedruckt werden. Haben Sie nur eine recht kleine Speicherkarte, werden Sie am JPG-Format nicht vorbeikommen,
denn eine deutliche Einschränkung bei der Bildanzahl möchte man
eigentlich nicht hinnehmen. Eine Tabelle mit einer Übersicht über die
möglichen Kapazitäten einer Speicherkarte bei unterschiedlicher Auflösung finden Sie in Kapitel 1.5.1.

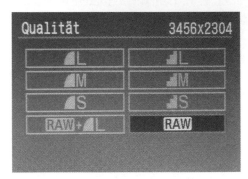

Bild 1.37 In diesem Kameramenü wird festgelegt, mit welcher Bildqualität
die Digitalfotos auf der Speicherkarte abgelegt werden. Die hier
verwendete Kamera bietet verschiedene JPG-Qualitätsstufen und
auch RAW-Dateien. RAW-Daten werden gemeinhin als digitale
Negative bezeichnet. Sie können nur mit spezieller Software, die
der Kamera beiliegt, geöffnet werden, bieten dafür aber die
größte Flexibilität bei der Nachbearbeitung am PC.

1.4.2   Nützliche Voreinstellungen

Im Einstellmenü einer Digitalkamera können Sie schon vor der Aufnahme angeben, ob und wie stark ein Foto bereits beim Speichern nachgeschärft werden soll. Die Schärfung von Digitalfotos ist in gewissem Umfang notwendig, weil bei der Aufzeichnung einzelner Bildpunkte technisch bedingt leichte Unschärfen entstehen. Diese werden durch die Scharfzeichnung von der Kamerasoftware ausgeglichen. Wenn Sie Ihre Fotos nicht am PC nachbearbeiten, sondern direkt z. B. an einem geeigneten Tintenstrahldrucker ausgeben, sollten Sie die Nachschärfung einstellen.

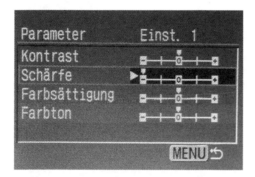

Bild 1.38 Wenn Sie Ihre Fotos selbst nachbearbeiten, stellen Sie im entsprechenden Menü die Schärfung durch die Kamera auf den niedrigsten Wert.

Möchten Sie Ihre Fotos dagegen noch am Computer korrigieren, stellen Sie die automatische Scharfzeichnung der Kamera ab. Nach der Korrektur von Helligkeit, Kontrast, Farben etc. mithilfe eines Bildbearbeitungsprogramms sollte immer die gezielte Scharfzeichnung stehen, weil der Grad der Scharfzeichnung von der Ausgabegröße eines Fotos abhängt. Digitalfotos sollten jeweils nur einmal künstlich geschärft werden, da sie sonst »pixelig« werden.

Neben der Schärfe lässt sich an den meisten Digitalkameras auch der Kontrast in gewissen Grenzen einstellen. Dies ist vor allem bei kontrastreichen Motiven (z. B. einem im Schatten liegenden Gebäude vor hellem Himmel) sinnvoll. Für ein solches Motiv sollte an der Kamera ein niedriger Kontrastwert ausgewählt sein, da ansonsten beim Speichern sehr dunkle und sehr helle Bereiche wegfallen würden. Fotografieren Sie dagegen ein kontrastarmes Motiv, wählen Sie im Kameramenü einen hohen Kontrastwert aus. Auch diese Einstellung ist vor allem dann sinnvoll, wenn Sie Ihre Fotos ohne Nachbearbeitung gleich ans Labor schicken oder selbst an Ihrem Drucker ausgeben.

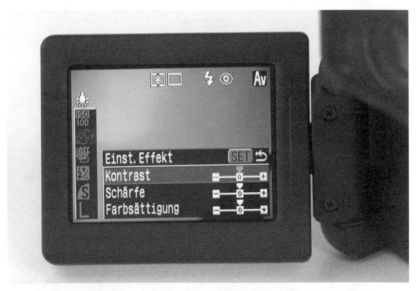

Bild 1.39 Je höher der an der Kamera eingestellte Kontrast ist, desto schärfer und »knackiger« wirken Ihre Fotos.

Digitalzoom – Brennweite künstlich vergrößert

Bild 1.40 Das Foto bzw. die beiden Ausschnittvergrößerungen verdeutlichen den Unterschied zwischen digitalem (links) und optischem (rechts) Zoom. Der digitale Zoom erhöht die Motivgröße nur rechnerisch. Die Ergebnisse entsprechen ungefähr der künstlichen Vergrößerung durch die Bildbearbeitung am PC. Wenn es Ihnen jedoch auf Qualität ankommt, sollten Sie auf den digitalen Zoom verzichten.

Eine recht praktische Errungenschaft der Digitalfotografie ist der so genannte Digitalzoom. Verwechseln Sie ihn nicht mit dem optischen Zoom, mit dem weit entfernte Motive durch das Verstellen des Objektivs »herangeholt« werden können. Die meisten Digitalkameras verfügen über ein traditionelles optisches Zoomobjektiv. Durch diese speziellen Objektivkonstruktionen wird der Brennweitenbereich einer Kamera ausgedehnt. Je nach Kameratyp liefert ein Zoomobjektiv Brennweiten zwischen leichtem Weitwinkel- und leichtem bis großem Telebereich. Der Digitalzoom setzt dort an, wo die maximale optische Brennweite endet. Die Brennweite wird mithilfe der Kamerasoftware künstlich vergrößert. Grundsätzlich entspricht diese künstliche Vergrößerung exakt der Bilddatenvergrößerung, wie sie mithilfe einer Software zur Bildbearbeitung am Computer erreicht werden kann. Hier wie dort ist eine künstliche Vergrößerung jedoch mit Qualitätseinbußen verbunden. Sie sollten also den Digitalzoom nur dann nutzen, wenn Sie nicht unbedingt auf eine maximale Bildqualität Wert legen und die so entstandenen Fotos nicht später weiter bearbeiten wollen. Haben Sie vor, Ihre Bilder am Computer zu optimieren, sollten Sie auf den Digitalzoom verzichten und den jeweiligen Bildausschnitt am PC auswählen und vergrößern. Mit der Bildbearbeitungssoftware lassen sich die Ergebnisse der künstlichen Vergrößerung auch nachträglich noch rückgängig machen, die Vergrößerung durch die Kamera dagegen nicht.

1.4.3   Weißabgleich für farbneutrale Fotos

Wer Erfahrung in der analogen Fotografie hat, kennt das Problem nur zu gut: Die Farbe des in einer Situation vorherrschenden Lichts kann Bilder mit kräftigen Farbstichen versehen. Kerzenlicht führt zu rotstichigen Fotos, das Licht mancher Straßenlaternen ist grün. Ebenfalls als diffizil erweisen sich unterschiedlich farbige Lichtquellen, die eine

Szene beleuchten. Kein Farbfilm ist dann in der Lage, z. B. die weiße Weste eines Bräutigams absolut farbneutral wiederzugeben.

Bei einer Digitalkamera kann der so genannte Weißabgleich genutzt werden, um farbneutrale Fotos zu erzeugen. Normalerweise wird der Weißabgleich von der Kamera automatisch vorgenommen. Das von einer Szene reflektierte Licht wird analysiert und die Aufnahmen werden je nach Qualität der automatischen Analyse farblich neutral wiedergegeben. Darüber hinaus gibt es je nach Kamera für eindeutige Lichtsituationen mehrere Standardeinstellungen. Sie können Ihre Digitalkamera auf das Licht z. B. von Glühbirnen, Tageslicht oder bewölkten Himmel voreinstellen.

Für schwierige Mischlichtsituationen bieten viele Kameras den manuellen Weißabgleich. Hierbei fotografiert man eine eigentlich farblich neutrale Stelle, z. B. eine weiße Wand, grauen Asphalt oder eine so genannte Graukarte, die Sie im Fotofachhandel erwerben können. Anhand des gemachten Referenzfotos erkennt die Kamera dann, was für einen Farbstich sie ausgleichen muss.

So sehr der automatische oder manuelle Weißabgleich das Fotografieren auch vereinfacht – in manchen Situationen sollten Sie den Weißabgleich ganz bewusst einstellen. Denn schließlich lebt die Fotografie davon, Stimmungen zu transportieren. Das rote Licht eines Sonnenuntergangs oder der Schein von Kerzen auf einem festlich gedeckten Tisch sind wichtig, um dem Betrachter eine bestimmte Atmosphäre zu vermitteln. Verwenden Sie in so einer Situation jedoch die Weißabgleichsautomatik, können bestimmte Motive ihren Charme verlieren. Hier hilft nur die Wahl einer Weißabgleichsvoreinstellung, die das gewünschte Ergebnis bringt. Machen Sie am besten einige Probeaufnahmen mit den verschiedenen Voreinstellungen und kontrollieren Sie die Bilder am Display. Man kann hier keine generelle Empfehlung geben, da die Einstellungen der unterschiedlichen Kameras auf jeweils anderen Farbtemperaturen basieren.

HINWEIS **Farbtemperatur von Lichtquellen**

Welche Farbe ein Objekt hat, hängt davon ab, in welchem Wellenlängenbereich sich das von ihm reflektierte Licht bewegt. Das für Menschen sichtbare Farbspektrum liegt zwischen ca. 380 (Violett) und 760 (Dunkelrot) Nanometern. Die Farben eines Objekts sind unter anderem abhängig von den Farben des Lichts, mit dem das Objekt beschienen wird.

Die Farbe von Licht bzw. die Farbtemperatur einer Lichtquelle wird in Kelvin angeben. Von Farbtemperatur spricht man, weil beispielsweise Metall bei verschiedenen Temperaturen unterschiedliche Farben annimmt. Je heißer ein Körper wird, desto mehr geht seine Farbe in Richtung Blau. Das heißt für die Farbtemperatur von Licht: Je höher der Blauanteil einer Lichtquelle ist, desto höher wird der Wert in Kelvin.

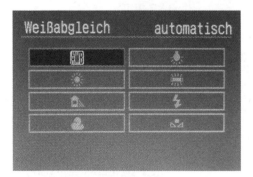

Bild 1.41 Für jede Lichtsituation der richtige Weißabgleich: Stellen Sie im Weißabgleichsmenü Tageslicht ein, wird das relativ blaue Tageslicht mit Rot ausgeglichen. Die Einstellung Kunstlicht fügt einer von rötlichen Lampen beschienenen Szene zum Ausgleich Blau hinzu. In Standardeinstellung nimmt die Kamera den Weißabgleich automatisch vor.

Und noch ein Tipp: Wenn Sie kreativ werden möchten, setzen Sie einmal ganz bewusst den falschen Weißabgleich ein. Stellen Sie z. B. bei hellem Tageslicht mit wolkenlosem Himmel den Weißabgleich auf Glühlampenlicht. Die Bilder werden dann knallig blau, was bei manchen Motiven, wie Architekturdetails, sehr reizvoll sein kann.

Bild 1.42 Für das Porträt wurde der Weißabgleich auf Kunstlicht gestellt – das Resultat ist ein kräftiger Blaustich. Allerdings funktionieren solche Farbexperimente nicht mit jedem Motiv. Machen Sie, wenn Ihnen ein Motiv wichtig ist, zur Sicherheit auch Aufnahmen mit korrektem Weißabgleich.

1.4.4 Bildrauschen durch richtige ISO-Einstellungen verringern

In der analogen Fotografie braucht man für wechselnde Lichtverhältnisse unterschiedliche Filme mit jeweils anderer Empfindlichkeit (ISO, ASA DIN). Dieser Aufwand erübrigt sich in der Digitalfotografie, weil Sie den Sensor je nach Lichtsituation auf verschiedene ISO-Stufen einstellen können. Meistens liegen die möglichen Werte zwischen ISO 100 und ISO 400. Je niedriger die Einstellung ist, desto besser wird die Bildqualität.

Mit höheren ISO-Werten – je höher die Empfindlichkeit, desto weniger Licht ist für korrekt belichtete Aufnahmen nötig – nimmt jedoch das so genannte Bildrauschen deutlich zu. Bildrauschen entsteht, weil sich Sensoren bei der Aufnahme erwärmen: je höher die Empfindlichkeit, desto höher der Strom, der am Sensor anliegt und ihn erwärmt. Das gleiche Problem stellt sich übrigens bei Langzeitaufnahmen, bei denen der Verschluss mehrere Sekunden lang geöffnet ist. Auch hier wird das Bildrauschen stärker, je länger der Sensor arbeitet.

In der Praxis zeigt sich, dass Empfindlichkeiten über ISO 200 noch bei den wenigsten kompakten Digitalkameras zu wirklich guten Bildern führen. In Schnappschüssen, bei denen es ausschließlich aufs Motiv ankommt, mag das Rauschen nicht stören. Die Ästhetik bewusst gestalteter Fotografien leidet jedoch stark unter dem Phänomen.

Besser als digitale Kompaktkameras in Bezug auf das Bildrauschen arbeiten digitale Spiegelreflexmodelle. Die hier eingesetzten Sensoren sind größer als die kleinen Chips von Kompaktkameras. Die Chipgröße ist ein Faktor, der das Bildrauschen beeinflusst. Die neuesten Modelle der bekannten Hersteller liefern auch mit ISO 800 bis ISO 1600 noch Fotos, auf denen das Rauschen kaum wahrzunehmen ist. Allerdings sind digitale Spiegelreflexkameras entsprechend teuer.

Bild 1.43 Wegen des trüben Lichts musste hier mit hoher Empfindlichkeit von ISO 400 fotografiert werden. Zwar hat das Bild Stimmung, das Bildrauschen ist aber bei der Vergrößerung nicht zu übersehen.

Bild 1.44 Hier wurde mit einer digitalen Spiegelreflexkamera mit einer Empfindlichkeit von ISO 3200 fotografiert. Trotz des extrem hohen
ISO-Werts, den keine einfache Kompaktkamera erreicht, hält sich
das Bildrauschen auch bei der Vergrößerung noch in Grenzen.

Ausgedehnte Schärfentiefe erzielen

Als Schärfentiefe bezeichnet man die Distanz zwischen dem nächsten
und dem am weitesten entfernten Punkt vom Standort des Fotografen aus, der auf einem Foto scharf abgebildet wird. Die Schärfentiefe
ist unter anderem abhängig von der eingestellten Brennweite. Je kleiner die Brennweite ist, desto ausgedehnter ist die Schärfentiefe. Digitale Kompaktkameras haben Sensoren, die im Vergleich zum Kleinbildformat von Filmen für analoge Kameras viel kleiner sind. Um die
gleiche Bildwirkung wie auf einem Kleinbildfoto zu erzielen und den
gleichen Bildausschnitt zu erhalten, besitzen die in Digitalkameras
eingebauten Objektive viel kleinere Brennweiten. Schauen Sie einmal
in Ihrem Kamera-Handbuch bei den technischen Daten nach. Dort

wird der Brennweitenbereich Ihrer Kamera angegeben und dazu der zur Kleinbildfotografie äquivalente Wert. Die tatsächliche Brennweite ist weitaus geringer als das Kleinbildäquivalent. Dies führt dazu, dass bei Fotos mit einer Digitalkamera die Schärfentiefe viel ausgedehnter ist. Konkret: Fotografieren Sie von einem festen Standpunkt aus eine Szene mit der analogen und der digitalen Kompaktkamera, erfassen dabei jeweils den gleichen Bildausschnitt und fotografieren mit der gleichen Blende, zeigt die digitale Aufnahme eine größere Schärfentiefe.

Dieser Effekt kann z. B. bei Nahaufnahmen, bei denen es auf Schärfentiefe ankommt, wünschenswert sein. Möchten Sie dagegen ein Motiv vom Hintergrund lösen, indem der Hintergrund in Unschärfe verschwindet, kann das mit einer Digitalkamera schwierig werden. Hier hilft nur – wenn einstellbar –, mit möglichst großer Blende (kleinem Blendenwert) zu arbeiten, wodurch die Schärfentiefe reduziert wird.

Bild 1.45 Beim Einsatz von Weitwinkelbrennweiten und relativ kleinen Blenden (großer Blendenwert) werden Vorder- und Hintergrund dieser Außenaufnahmen gleichermaßen scharf. Mit einer Kompaktkamera ist eine solche Schärfentiefe wegen der winzigen Brennweiten kein Problem. Bei Nahaufnahmen stoßen aber auch Digitalkameras an ihre Grenzen.

1.5 Zubehör für bessere Fotos

Verwenden Sie Ihre Digitalkamera zu mehr als nur für Schnappschüsse, stoßen Sie irgendwann einmal an Grenzen, die ohne Zubehör nicht zu überwinden sind. Tauchen Sie z. B. gern und möchten bei Ihrem nächsten Tauchgang Korallenriff und Riffbewohner fotografieren, brauchen Sie für die Kamera ein Unterwassergehäuse. Neben solch ausgefallenen Anwendungen, für die man auch Zubehör kaufen kann, gibt es eine ganze Reihe an Hilfsmitteln, die Sie beim ganz alltäglichen Fotografieren unterstützen und dazu beitragen, dass Sie bessere Fotos machen.

Für Zubehör kann man viel Geld ausgeben. Aber was braucht man wirklich? Muss es eine Kameratasche für 200 Euro und Platz für eine mittlere Spiegelreflexausrüstung sein, wenn man »nur« mit einer Kompaktkamera, Zusatzakkus und einer mobilen Festplatte unterwegs ist? Sicher ist, dass Sie mit der Zeit immer mehr an Zubehör anschaffen werden. Trotzdem sollten Sie einen Ratschlag von Anfang an beherzigen: Wenn Sie Zubehör wie einen Konverter zur Erweiterung der Brennweite, ein mobiles Speichergerät oder einen Kamerarucksack benötigen, sollten Sie nicht am falschen Ende sparen. Denn je länger Sie fotografieren, desto höher werden auch Ihre Ansprüche an die Qualität Ihrer Ausrüstung. Deshalb werden Sie Billigzubehör garantiert über kurz oder lang gegen hochwertigere Geräte austauschen.

1.5.1 Immer dabei – eine zusätzliche Speicherkarte

Nichts ist ärgerlicher als eine volle Speicherkarte, wenn gerade etwas wirklich Aufregendes passiert. Deshalb der wichtigste Rat gleich zu Beginn: Kaufen Sie sich mindestens eine zusätzliche Speicherkarte für Ihre Kamera. Welche Speicherkapazität die Karte haben sollte, hängt davon ab, wie viel Sie fotografieren, welche Auflösung Ihre Kamera ermöglicht und welche Bildqualität Sie an Ihrer Digitalkamera eingestellt haben. Je höher die Bildqualität ist, desto weniger Bilder passen auf eine Karte, weil bei höherer Bildqualität die Dateien entsprechend größer werden. In jedem Fall ist es besser, zu viel Speicher zur Verfügung zu haben als zu wenig.

HINWEIS **Kapazität einer 512-MByte-Speicherkarte bei unterschiedlichen Kameraauflösungen**

Kamera-auflösung	Eingestellte JPG-Qualtiät					
	Hoch		Mittel		Niedrig	
	Datei-größe	Bild-anzahl	Datei-größe	Bild-anzahl	Datei-größe	Bild anzahl
2 Megapixel	1,5	340	0,8	640	0,2	2500
3 Megapixel	2,5	200	1,2	420	0,4	1250
5 Megapixel	4	130	2	250	0,8	640
8 Megapixel	6,5	80	3	170	1,5	340

Welche Speicherkarten Sie brauchen, bestimmt Ihre Digitalkamera. Digitale Kompaktkameras unterstützen meist nur eine einzige Speicherart. Nur wenige Modelle sind mit zwei verschiedenen Karteneinschüben ausgestattet. Am weitesten verbreitet sind CompactFlash-Karten, die es in zwei Ausführungen (Typ I und Typ II) gibt. Die bekannten Microdrives – Festplatten im Miniaturformat – entsprechen der Baugröße des CompactFlash-Typs II. Sie sind etwas dicker als Karten des Typs I. CompactFlash-Karten des Typs I sind äußerst robust und es gibt sie in Kapazitäten bis zu mehreren Gigabyte (zurzeit bis 4 GByte). Weitere Speicherarten sind Multi-Media- und SD-Card, SmartMediaCard, MemoryStick, MemoryStick Pro oder xD-Picture-Card.

Sobald auf einer Speicherkarte – egal welchen Typs – Daten abgelegt sind, bleiben sie auch beim Entfernen der Karte aus der Kamera oder beim Ausschalten der Kamera bzw. beim Entfernen des Akkus erhalten. Daten werden erst durch das so genannte **Formatieren** oder durch gezieltes Löschen einzelner Dateien entfernt.

HINWEIS   **Formatieren**

Anlegen einer Datenstruktur, die nötig ist, damit die Kamera, ein Kartenlesegerät oder der Computer Informationen auf dem Speicher finden und lesen kann. In den Einstellmenüs von Digitalkameras gibt es den Eintrag Formatieren. Im Handbuch der Kamera wird erklärt, wie Sie eine Speicherkarte vor den ersten Aufnahmen durch das Formatieren vorbereiten müssen. Aber Vorsicht! Beim Formatieren werden alle bereits auf der Karte befindlichen Daten gelöscht.

Mit jeder neuen Generation von Speicherkarten werden die Kapazitäten, aber auch Lese- und Schreibgeschwindigkeit optimiert. Für besonders hochwertige Kameras mit schneller Serienbildfunktion – also mit der Möglichkeit, schnell hintereinander einzelne Bilder aufzunehmen, ohne erneut auf den Auslöser drücken zu müssen – sind möglichst schnelle Speicherkarten wichtig. Machen Sie in erster Linie Einzelaufnahmen, müssen Sie sich um die Geschwindigkeit der Speicherkarte keine Gedanken machen. Besonders schnelle Speicherkarten erkennen Sie vor allem daran, dass sie bei gleicher Kapazität deutlich teurer als ihre gleich großen Pendants sind. Die Hersteller bezeichnen solche Karten gern mit den Begriffen High-Speed, Ultra oder Extreme. Welche Lese- und Schreibgeschwindigkeit eine Speicherkarte hat, steht auf der Verpackung. Professionelle Speicherkarten haben zurzeit Geschwindigkeiten von ca. 20 MByte/s. Schnelle Karten für den Amateureinsatz liegen um 10 MByte/s, was für digitale Kompaktkameras völlig ausreichend ist.

Bild 1.46 Je nach Kameramodell benötigen Sie eine andere Speicherform. Am weitesten verbreitet bei Digitalkameras sind zurzeit CompactFlash-Karten. Besonders klein und sparsam im Verbrauch sind SD-Cards und xD-Picture-Cards.

HINWEIS **Finger weg von vermeintlichen Schnäppchen**

Immer wieder werden Billigkameras als vermeintliche Schnäppchen angeboten, die keinen austauschbaren und manchmal sogar nur einen so genannten flüchtigen Speicher haben. Bei Ersteren müssen Sie die Daten immer direkt von der Kamera auf den Computer überspielen. Beim zweiten Kameratyp müssen Sie die gemachten Fotos sogar vor dem Ausschalten der Kamera auf einen Computer überspielen, weil der interne Speicher die Daten nur so lange speichert, wie die Kamera eingeschaltet ist. Unser Rat: Finger weg von solchen Billigangeboten. Eine Digitalkamera muss mit austauschbaren Speicherkarten ausgestattet sein.

1.5.2   Kartenlesegeräte für die Bildübertragung zum PC

Eine echte Erleichterung beim Übertragen von Digitalbildern zum Computer sind Kartenlesegeräte. Diese kleinen Boxen werden per Kabel (USB 2.0, FireWire) oder Funk (Bluetooth, Infrarot) mit dem PC verbunden. Viele Computer sind heute allerdings mit fest eingebauten Kartenlesern ausgestattet.

Meistens sind die Kartenleser gleich für eine ganze Reihe verschiedener Speicherkartentypen ausgelegt. Großer Vorteil der Kartenleser: Sie müssen Ihre Kamera nicht an den Rechner anschließen und schonen damit den Akku. Außerdem lässt sich ein externer Kartenleser an jedem beliebigen Computer betreiben, sobald die für das Gerät notwendige Software installiert ist.

Bild 1.47 Wenn Sie sich einen Kartenleser kaufen, um den Datentransfer von der Speicherkarte zum Computer zu vereinfachen, achten Sie darauf, dass möglichst alle zurzeit aktuellen Speicherkarten unterstützt werden. Dann können Sie den Kartenleser auch noch verwenden, wenn Sie Ihr Kamerasystem wechseln.

Automatische Erkennung des Kartenlesers

Arbeiten Sie an einem Computer mit dem Betriebssystem Windows 2000, XP oder Vista, müssen Sie sich um die Installation eines Kartenlesers mit USB-Anschluss keine Gedanken machen. Das Gerät wird an den laufenden Rechner angeschlossen und automatisch erkannt. Schieben Sie dann eine Speicherkarte in den Leser, erscheint deren Inhalt ganz automatisch im Windows-Explorer, und Sie können die Daten von der Karte auf die Festplatte kopieren. In der Regel ist die für den Betrieb des Kartenlesers nötige Software – ein so genannter Gerätetreiber – bereits zusammen mit Ihrem Windows-Betriebssystem vorhanden. Falls der Kartenleser dennoch einen speziellen Treiber benötigt, werden Sie während der Installation darauf hingewiesen und müssen den Treiber von einer dem Kartenleser beiliegenden CD-ROM installieren.

Wie Sie einen Kartenleser mit einer anderen als der USB-Schnittstelle installieren, erfahren Sie im Handbuch des Geräts. Der Betrieb dieser Geräte ist ebenso problemlos möglich wie der eines USB-Kartenlesers.

1.5.3   Image Tanks – Mobile Bildspeicher

Steht Ihnen für längere Zeit Ihr Computer zum Speichern Ihrer Bilddaten nicht zur Verfügung (etwa auf Reisen) und haben Sie trotzdem vor, eine Menge zu fotografieren, sind tragbare Speichergeräte eine Alternative zu einer großen Zahl von Speicherkarten. Diese handlichen Geräte werden in der Regel durch einen Akku mit Energie versorgt, sind also zumindest eine gewisse Zeit lang unabhängig von einer Stromquelle. Mobile Speichergeräte sind in zwei unterschiedlichen Varianten für die Digitalfotografie sinnvoll: als mobiler Brenner für CD-ROMs oder als Gerät, das mit einer Festplatte ausgestattet ist. Hierzu zählen mobile, in speziellen Gehäusen untergebrachte Festplatten, die zum Teil sogar mit einem Display zur Bildkontrolle ausgestattet sind. Außerdem können einige MP3-Player als mobile Speicher genutzt werden.

Bild 1.48 MP3-Player und mobiler Fotospeicher in einem: Viele MP3-Player lassen sich dazu nutzen, Digitalbilder von der Kamera zu übertragen und zu speichern.

Bild 1.49 Im Urlaub eine tolle, allerdings auch etwas kostspielige Sache: Mobile Speicher mit integrierter Festplatte fassen tausende von Bildern.

Die Handhabung ist bei CD/DVD-Brennern und mobilen Festplatten ähnlich. Sie schließen entweder Ihre Kamera direkt an das Gerät an oder stecken die Speicherkarte in einen dafür vorgesehenen Schacht. Danach werden die in der Kamera bzw. auf der Speicherkarte abgelegten Fotos entweder auf CD/DVD-ROM gebrannt oder auf die Festplatte des mobilen Geräts kopiert. Einige mobile Datenträger haben ein kleines Display, auf dem Sie die Fotos sichten können, andere nehmen die Daten ohne Kontrollmöglichkeit auf. Sind die Daten auf CD, DVD oder Festplatte gespeichert, können Sie die Bilder von der Speicherkarte löschen und weiter fotografieren.

Die Kapazität von CD-ROMs ist auf rund 700 MByte beschränkt, Sie benötigen also für größere Bildmengen gleich mehrere CD-Rohlinge zum Sichern der Fotos. Allerdings gibt es CD-Rohlinge mittlerweile in jedem Supermarkt, sodass Sie auch auf Reisen schnell Ersatz beschaffen können. DVDs fassen bis zu acht Gbyte, moderne Blu-Ray-Disks bis zu 20 Gbyte an Daten. Mobile Speichergeräte mit integrierter Festplatte gibt es mit unterschiedlichen Speicherkapazitäten. Und es gilt: Je mehr Platz sie bieten, desto kostspieliger sind die Geräte. Allerdings benötigen Sie je nach Größe der Festplatte – zurzeit werden speziell für die Digitalfotografie konzipierte mobile Datenträger mit rund 120 GByte angeboten – auch auf längeren Fototouren nur ein Gerät zum Sichern Ihrer Bilder.

1.5.4 Unterschiedliche Akkutypen

Digitalkameras benötigen zum Betrieb Strom. Und ihr Verbrauch ist bedeutend höher als der von Kleinbildkameras. Batterien und Akkus einer Digitalkamera sind weit schneller erschöpft, als Sie es von Ihrer analogen Kamera gewöhnt sind. Aufgrund des Stromverbrauchs werden praktisch alle Digitalkameras mit wieder aufladbaren Akkus betrieben. In die meisten Modelle können nur Akkus einer bestimmten Bauform eingelegt werden, Standardbatterien z. B. der Größe AA

sind dann nicht verwendbar. Besitzen Sie eine Digitalkamera mit
einer speziellen Akkuform, sollten Sie sich einen Zweitakku zulegen.
Da Akkus nur eine begrenzte Lebensdauer haben, ist der (Nach-)
Kauf über den Fachhandel kein Problem. Rechnen Sie aber bei solchen Bauformen mit hohen Kosten, wenn Sie die Akkus vom Hersteller der Kamera erwerben müssen. Häufig gibt es Spezialanbieter
(besonders im Internet), die baugleiche, aber deutlich günstigere
Modelle verkaufen.

TIPP **Damit der Akku möglichst lange hält**

Um die Ladung und Leistung eines Akkus möglichst lange zu
erhalten, gibt es einige Tricks:

• Schützen Sie den Akku vor Kälte, da seine Leistung bei Kälte
  schnell abnimmt. Wenn Sie im Winter draußen fotografieren,
  stecken Sie den Akku so oft wie möglich in die Tasche, um ihn
  warm zu halten.

• Wenn Sie die Kamera längere Zeit nicht benutzen, entnehmen
  Sie die Akkus. Da sich Akkus bei Nichtbenutzung entleeren,
  sollten Sie sie alle paar Wochen aufladen.

• Laden Sie Ihren Akku immer erst auf, wenn die Kamera meldet,
  dass er leer sei. Verwenden Sie Nickel-Cadmium-Akkus
  (NiCd-Akkus), ist das besonders wichtig. Wird ein nur halb leerer
  NiCd-Akku aufgeladen, führt der so genannte Memory-Effekt
  dazu, dass die Kapazität des Akkus drastisch verringert wird, er
  also nicht mehr seine volle Leistung bringt. Andere Akkus (Lithi-
  umIonen, Nickel-Metallhydrid) haben keinen Memory-Effekt,
  sodass man diese Akkus getrost vor dem nächsten Fotoausflug
  aufladen kann, auch wenn ihre Energie noch nicht ganz aufge-
  braucht ist.

- Digitalkameras lassen sich in der Regel so einstellen, dass sie nach ein paar Minuten Zeit in den Strom sparenden Stand-by-Modus schalten oder sich ganz ausschalten. Stellen Sie einen möglichst geringen Wert im Kameramenü ein. Bedenken Sie aber dabei, dass das komplette Einfahren eines Objektivs auch Energie kostet. Sinnvoll ist die kurze Stand-by-Phase also nur, wenn die Kamera nicht alle mechanischen Komponenten ein- bzw. ausfährt.

- Das Display einer Digitalkamera verbraucht besonders viel Strom. Schalten Sie es deshalb nur ein, wenn Sie es wirklich benötigen. Hat Ihre Kamera einen elektronischen Sucher, der das gleiche Bild zeigt wie das Display, lassen sich sämtliche Einstellungen der Kamera auch mit einem Blick in den Sucher vornehmen. Hat Ihre Kamera keinen oder nur einen optischen Sucher, reduzieren Sie zumindest die Display-Helligkeit.

- Setzen Sie den Kamerablitz nur ein, wenn es wirklich notwendig ist. Ein externes Zusatzblitzgerät zum Auf- oder Anstecken ist vorteilhaft, weil es immer über eine eigene Energieversorgung verfügt.

Oft muss man Akkus aufladen, während sie in der Kamera stecken und die Kamera per Netzkabel an die Steckdose angeschlossen ist. Bei einigen Kameramodellen ist ein separates Ladegerät im Lieferumfang enthalten, in das der Akku eingelegt wird. Haben Sie einen Zweitakku, ist ein Ladegerät sinnvoll, damit Sie während des Ladens weiter fotografieren können.

1.5.5 Kameratasche für bestmöglichen Schutz

Bild 1.50 Wer viel unterwegs fotografiert, sollte sich auf jeden Fall eine gute Kameratasche anschaffen, um Kamera und Zubehör zu schützen.

Um Kamera und Ausrüstung vor Stößen, Regen und Staub zu schützen, sollten Sie generell eine Kameratasche verwenden. Möchten Sie nur die Kamera verstauen, können Sie eine Tasche kaufen, die speziell für Ihr Kameramodell ausgelegt ist. Universaltaschen sind jedoch meist deutlich preiswerter und vielseitiger einsetzbar. Ist die Ausrüstung umfangreicher, haben Sie die Wahl zwischen kleinen Fototaschen zum Umhängen, gepolsterten Fotokoffern und Fotorucksäcken. Sogar wasserdichte Taschen sind verfügbar, die aber aufgrund des hohen Preises eher etwas für Profis und engagierte Fotoamateure sind.

1.5.6 Typgerechte Unterwassergehäuse

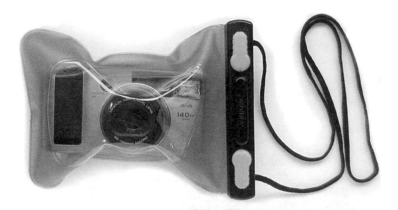

Bild 1.51 Für viele Digitalkameras gibt es mittlerweile Unterwassergehäuse aus Hartplastik. Aber auch wenn für Ihr Kameramodell kein spezielles Gehäuse verfügbar ist, können Sie unter Wasser fotografieren. Ein für Digitalkameras geeigneter Spezialplastikbeutel reicht für kleinere Tauchgänge bis 5 m Tiefe aus.

Digitalkameras sind wegen ihrer geringen Größe und des geringen Gewichts ideale Reisebegleiter. Auch für kleinere Tauchgänge reicht die Qualität der meisten digitalen Kompaktkameras aus. Speziell hierfür gibt es häufig Unterwassergehäuse, die genau an das jeweilige Kameramodell angepasst sind. Mit einem guten Unterwassergehäuse lässt sich eine Digitalkamera wie gewohnt bedienen. Die Knöpfe des Gehäuses sind mit den entsprechenden Bedienelementen der Kamera verbunden.

Alternativ gibt es einfache Kunststofftaschen, die aber weniger für das Fotografieren beim Tauchen als vielmehr für den Schutz gegen Regen oder Staub gedacht sind. Fragen Sie im Zweifel beim Händler nach, bevor Sie Ihre Kamera mit unter Wasser nehmen.

1.5.7 Stativ als Bildstabilisator nutzen

Wenn Sie sichergehen möchten, dass Ihre Aufnahmen nicht verwackeln, ist ein Stativ samt Kugelkopf oder Neiger unverzichtbar. Die Stabilität und das Gewicht des Stativs hängen vom Gewicht Ihrer Kamera ab. Als Faustregel gilt: Ein Stativ sollte ungefähr so schwer sein wie die Kamera, die es tragen muss. Einfache Kunststoffstative sind nur für digitale Kompaktkameras geeignet. Fotografieren Sie mit einer digitalen Spiegelreflexkamera, benötigen Sie ein stabileres Stativ aus Aluminium oder Kohlefaser, wobei Letzteres bei gleicher Stabilität viel teurer als ein Aluminiumstativ ist. Sind Sie häufig auch längere Strecken mit dem Stativ zu Fuß unterwegs, kann die Gewichtsersparnis durch ein Kohlefaserstativ relevant sein. Ansonsten haben Alustative das bessere Preis-Leistungs-Verhältnis.

Bild 1.52 Kugelköpfe, die sich stufenlos in jede Richtung drehen lassen, sind im Vergleich zu Neigern relativ leicht und kompakt und können bequem über einen einzigen Drehknopf arretiert werden.

Zu einem Stativ gehört ein Kugelkopf bzw. ein 2- oder 3-Wege-Neiger, auf den die Kamera geschraubt wird. Je nach Kameragewicht muss es auch hier eine mehr oder weniger schwere Variante sein, um für verwacklungsfreie Fotos zu sorgen. Kugelköpfe lassen sich mit einem Griff in verschiedene Richtungen bewegen. Sie sind relativ leicht und kompakt und deshalb ideal für unterwegs. Neiger besitzen mehrere Einstellgriffe. Für jede Verstellrichtung muss ein separater Griff betätigt werden. Für besonders präzise Ausrichtungen von schweren Kameras sind Neiger besser geeignet als Kugelköpfe.

Bild 1.53 Ein stabiles Stativ ist für Landschafts-, Nah- und Makroaufnahmen unverzichtbar. Aber auch bei Stillleben oder Porträts fördert ein Stativ das bewusste Fotografieren, weil man sein Motiv in Ruhe ansehen kann, ohne die Kamera in der Hand zu halten.

1.5.8   Kamerafilter für spezielle Effekte

Filter beeinflussen das Foto in verschiedener Weise: UV-Sperrfilter filtern ultraviolettes Licht, das ansonsten zu Farbstichen führen kann. Neutraldichtefilter sind grau und reduzieren die Lichtmenge, die durch das Objektiv fällt. Das kann z. B. dann sinnvoll sein, wenn man bei hellem Tageslicht mit langen Verschlusszeiten arbeiten möchte, um besondere Effekte wie Bewegungsunschärfen zu erhalten. Mit Polfiltern können Reflexe auf nicht metallischen Oberflächen reduziert werden; dadurch wird die Farbsättigung eines Motivs deutlich erhöht. Effekt-, Farb- und Verlaufsfilter lassen sich für die kreative Fotografie einsetzen.

Bild 1.54 Hier sieht man den klassischen Einsatzbereich für einen Grau-ver-
laufsfilter: Der Himmel ist so hell, dass er bei einer normalen Aufnahme völlig ausbleichen würde. Mit dem Grauverlaufs-filter
wird nur der obere Bereich des Motivs abgedunkelt, wodurch die
korrekte Belichtung möglich gemacht wird.

Für Kameras, die am Objektiv kein Filtergewinde besitzen und auch
nicht mit einem Tubus ausgerüstet werden können, werden Filterhalter angeboten, die an das Stativgewinde am Boden der Kamera
geschraubt werden. In diese Filterhalter können rechteckige Filter-
scheiben eingesteckt werden.

Besitzt das Objektiv Ihrer Kamera ein Filtergewinde, benötigen Sie
runde Aufschraubfilter, die den gleichen Durchmesser wie das
Objektiv haben. Für einige Kameras, deren Objektiv nach dem Einschalten aus dem Gehäuse ausfährt, benötigen Sie einen zusätzlichen,
mit einem Filtergewinde versehenen Tubus, der etwas länger als das
ausgefahrene Objektiv ist. Der Tubus wird vorn am Kameragehäuse

an einem dafür vorgesehenen Gewinde angeschraubt. Am Ende des Tubus befindet sich ein Filtergewinde, in das herkömmliche runde Filter eingeschraubt werden können.

Bild 1.55 Besitzt Ihre Digitalkamera kein Filtergewinde zum Aufschrauben von Objektivfiltern, kann ein Haltesystem für rechteckige Filter helfen. Die Haltesysteme werden an den Boden der Kamera ins Stativgewinde geschraubt.

1.5.9   Konverter für einen erweiterten Brennweitenbereich

Ähnlich wie Filter werden auch Konverter in das Filtergewinde des Kameraobjektivs geschraubt. Konverter sind Linsen, die den Brennweitenbereich eines Objektivs erweitern. Wie groß die Auswirkung eines Konverters ist, gibt sein Verlängerungsfaktor an, der üblicherweise zwischen 0,7 und 2 liegt. Multiplizieren Sie die Brennweite Ihrer

Kamera mit dem Verlängerungsfaktor des Konverters, erhalten Sie die veränderte Brennweite. Faktoren unter 1 verkürzen die Brennweite – die kleinste (Weitwinkel-)Brennweite wird nochmals verkleinert –, Faktoren über 1 verlängern die maximale Brennweite. Verwenden Sie z. B. einen Telekonverter mit dem Faktor 2 an einer Kamera, deren maximale Brennweite bei 200 mm liegt, wird diese durch den Konverter auf 400 mm erhöht.

Mit einer Einschränkung müssen Sie allerdings beim Einsatz von Konvertern leben: Die Bildqualität wird je nach Qualität des Konverters reduziert. Besonders günstige Produkte, die nicht speziell für ein bestimmtes Kameramodell konzipiert sind oder besonders extreme Brennweitenverlängerung bzw. -verkürzung bieten, verschlechtern die Bildqualität zum Teil erheblich. Probieren Sie am besten die vom Hersteller Ihrer Kamera empfohlenen Konverter aus, um die Qualitätsverluste möglichst gering zu halten. Im Fachhandel wird man Sie entsprechend beraten.

Bild 1.56 Mit Konvertern erweitern Sie den Brennweitenbereich Ihrer Digitalkamera. Es werden sowohl Weitwinkel- als auch Telekonverter angeboten. Achten Sie beim Kauf darauf, ob diese Zusatzgeräte auch an Ihrer Digitalkamera eingesetzt werden können.

HINWEIS **Sonderfall Kompaktkameras**

Kompaktkameras sind immer dann gut geeignet, wenn man relativ sorglos Schnappschüsse machen möchte, ohne sich allzu viele Gedanken über die technischen Hintergründe und Möglichkeiten machen zu müssen. Ebenso wie analoge Kompaktkameras sind die kompakten Digitalkameras daher in der Regel nicht auf möglichst große fotografische Erweiterbarkeit ausgelegt. Vieles, was man an Zubehör für spezielle Fotosituationen benötigt, ist mit einer Kompaktkamera schlicht nicht nutzbar. Das betrifft vor allem die Auswahl an Spezialobjektiven z. B. für die Architektur- oder Makrofotografie, aber auch modernes Hightechzubehör, beispielsweise zur drahtlosen Bildübertragung. Wenn Sie Spaß an der Astrofotografie haben, sind die Möglichkeiten, Kompaktkameras an ein Fernrohr oder Teleskop anzuschließen, ebenfalls sehr beschränkt. Die hier angesprochenen Einschränkungen beim Verwenden von Kreativfiltern betreffen vor allem die besonders kleinen und günstigen Kompaktkameras, Modelle der mittleren und höheren Preisklasse lassen sich dagegen fast immer für einen Filtereinsatz aufrüsten. Im Zweifel sollten Sie mit Ihrer Kamera zum Fachhändler gehen, sich dort einen Überblick darüber verschaffen, welches Zubehör erhältlich ist, und es vor dem Kauf ausprobieren.

1.5.10 Mehr Aufhellung durch Zusatz- oder Aufsteckblitze

Die meisten Digitalkameras haben einen kleinen eingebauten Blitz mit einer nur relativ geringen Leistung. Mit Reichweiten zwischen 2 und 5 m sind diese Miniblitze für kleinere Aufhellungen gut geeignet.

Benötigen Sie für größere Räume und entfernte Motive mehr Licht, kann ein Zusatz- oder Aufsteckblitz helfen. Dazu muss Ihre Kamera allerdings entweder mit einem Blitzschuh, auf den das Gerät aufgeschoben wird, oder mit einer Anschlussbuchse für externe Blitzgeräte ausgestattet sein. Über diese Verbindung wird das Blitzgerät von der Kamera gesteuert. Um sämtliche Blitzfunktionen der Kamera nutzen zu können, muss das Blitzgerät auf die Möglichkeiten der Kamera abgestimmt werden können. Viele Hersteller bieten deshalb zu ihren Digitalkameras passende Blitzgeräte an. Wenn Sie beim Kauf eines Blitzgeräts Geld sparen möchten, können Sie auch auf Geräte anderer Firmen zurückgreifen, die auf die Herstellung von Blitzgeräten spezialisiert sind. Häufig finden Sie hier Angebote mit einem wesentlich günstigeren Preis-Leistungs-Verhältnis.

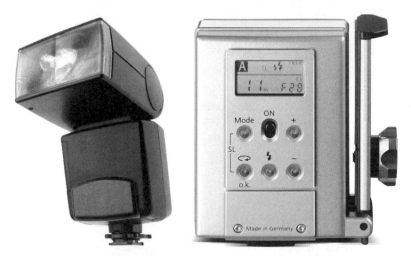

Bild 1.57 Reicht die Leistung des integrierten Blitzgeräts nicht aus, benötigen Sie ein Zusatzblitzgerät. Der links abgebildete Blitz wird auf den Blitzschuh der Kamera aufgesteckt. Hat Ihre Kamera keinen Blitzschuh, kommt eventuell ein Blitzgerät infrage, das nicht mit einem Kabel angeschlossen wird, sondern optisch durch das Zünden des kleinen Kamerablitzes ausgelöst wird (rechts).

1.5.11 Schattenspender für Digitalkameradisplays

Digitalkameradisplays sind bei heller Umgebung meist nicht mehr gut zu erkennen. Aufgrund von Spiegelungen auf der Displayoberfläche muss man mit der Hand für Schatten sorgen oder den eigenen Standort verlagern. Abhilfe schaffen kleine Blenden, die es als Zubehör zu kaufen gibt. Sowohl einige Kamerahersteller als auch Zubehörspezialisten haben solche Blenden oder Lichtschächte im Programm. Die kleinen Schattenspender sind je nach Ausführung bis zu einige Zentimeter lang und werden über dem Display befestigt. Den Lichtschächten liegt immer eine entsprechende Haltevorrichtung wie z. B. ein spezielles Klettband bei. Erkundigen Sie sich am besten bei Ihrem Fachhändler, ob und welche Lichtschächte für Ihre Digitalkamera angeboten werden. Durch die Abdunklung der Monitorfläche ist die Anzeige für Kameraeinstellungen und Bildkontrolle gut zu erkennen. Sie erhalten so alle Informationen, die in der Regel nicht in den Sucher eingeblendet werden.

1.5.12 Verunreinigungen auf der Linse oder am Gehäuse entfernen

Um Ihre Digitalkamera zu reinigen, benötigen Sie kein anderes Zubehör als für eine analoge Kamera. Ein Blasebalg bzw. eine Kombination aus Blasebalg und Pinsel zum Entfernen von Staub auf der Linse oder am Gehäuse ist in den meisten Fällen ausreichend. Falls Objektiv oder Display mit hartnäckig haftenden Partikeln verunreinigt sind, können Sie den Schmutz auch mit antistatischen Brillenputztüchern entfernen.

Besitzer von digitalen Spiegelreflexkameras stehen ab und zu vor dem Problem, dass der Sensor verunreinigt worden ist. Das kann beim Wechsel der Objektive schnell einmal passieren. Ob und wie Sie den Sensor selbst reinigen können, steht im Handbuch der Kamera. Eine generelle Empfehlung zum Reinigen eines Sensors kann nicht gegeben werden. Auf gar keinen Fall sollte er mit normalen Haushaltsreinigern oder mit Wattestäbchen gereinigt werden. Die Oberflächen sind extrem berührungsempfindlich. Im Fachhandel werden spezielle Reinigungsmittel und -werkzeuge angeboten, um an den weit im Gehäuse liegenden Sensor heranzukommen und ihn beim Reinigen nicht zu beschädigen.

Kapitel 2 Inhalt

2 Digicams – leistungs-starke Pixelkünstler

2.1 Weißabgleich für farblich korrekte Fotos

Die Farben eines Motivs sind abhängig von der Farbtemperatur des Lichts, das eine Szene beleuchtet, und von der Objektoberfläche, die bestimmte Wellenlängen reflektiert. In der analogen Fotografie kann die Farbwiedergabe einerseits durch die Wahl der Filmart – Tages- oder Kunstlichtfilm – beeinflusst werden, andererseits mithilfe von Filtern (so genannte Konversionsfilter zum Ausgleich von Farbstichen). Diese helfen dabei, bestimmte Lichtfarben zu neutralisieren oder kreativ zu verstärken. In der Digitalfotografie ist es nicht nötig, verschiedene Filme und Farbfilter einzusetzen, um farblich korrekte Fotos zu erhalten. Eine Technik, die in Videokameras schon länger eingesetzt wird, führt auch in der digitalen Fotografie zur korrekten Farbwiedergabe: der Weißab-gleich.

2.1.1 Automatischer Weißabgleich

Mithilfe des Weißabgleichs erkennt die Kamera auf Wunsch auto-matisch, welche Farbtemperatur, angegeben in Kelvin, das gerade vorherrschende Licht hat, und gleicht mögliche Farbstiche auf den Fotos noch vor der Speicherung der Bilddateien aus. Hierzu wird die

Gewichtung der Farbanteile (Rot, Grün, Blau) eines Digitalfotos von der Kamera verschoben. Der automatische Weißabgleich führt bei der überwiegenden Mehrzahl von Motiven zu natürlichen Farben. Besonders gut klappt er, wenn weiße Motivteile im Bild sind und nur eine Lichtquelle vorhanden ist. Schnappschüsse lassen sich immer mit dem automatischen Weißabgleich machen. In Situationen, in denen es einmal exakt sein soll, ein einfarbiger Hintergrund die Kamera täuscht oder der automatische Weißabgleich nicht ausreichend funktioniert, weil mehrere Lichtquellen eine Szene beleuchten, können Sie auch eine der Weißabgleichvoreinstellungen beispielsweise für Kunstlicht, bewölkten Himmel oder Leuchtstoffröhren an der Kamera einstellen, sofern Ihr Kameramodell diese Einstellungsmöglichkeiten anbietet. Die Digitalkamera zeigt im Sucherbild oder auf dem Display nach einer Umstellung des Weißabgleichs sofort das farblich korrigierte Motiv.

TIPP Einige moderne Digitalkameras können eine Aufnahme automatisch mit verschiedenen Weißabgleicheinstellungen abspeichern (so genanntes Weißabgleich-Bracketing). Das ist besonders in schwierigen Mischlichtsituationen eine gute Möglichkeit, ein farblich befriedigendes Foto zu bekommen, ohne manuell eingreifen zu müssen. Sie drücken bei dieser Methode zwar nur einmal auf den Auslöser, die Kamera speichert jedoch drei Versionen des Fotos mit unterschiedlichen Farbnuancen. Ob Ihre Kamera diese Funktion beherrscht, erfahren Sie im Kamera-Handbuch.

Stimmt die Farbe des neu eingestellten Weißabgleichs nicht, probieren Sie einen anderen aus. Führt keine der Voreinstellungen zu einem befriedigenden Ergebnis, bieten viele Kameras den manuellen Weißabgleich an. Dabei teilen Sie der Kamera durch ein Referenzfoto mit, welchen Farbstich eine weiße Fläche wie eine weiße Wand oder ein weißes Blatt Papier hat.

Bild 2.1 Die Aufnahmen wurden mit einer Kamera gemacht, die neben den Weißabgleichvoreinstellungen für Tageslicht, Schatten etc. erlaubt, die vorherrschende Farbtemperatur in Kelvin anzugeben. Die Farbtemperatureinstellungen waren von links nach rechts 7500 K, 5500 K (Tageslicht), 3800 K, 2500 K gegenüber 4650 K (automatischer Weißabgleich der Kamera) im großen Bild links.

Auf den folgenden Seiten erfahren Sie beispielhaft an den Einstellungen einer Kamera der gehobenen Klasse, wie man den automatischen Weißabgleich oder eine der Voreinstellungen nutzt und wie man den Weißabgleich manuell vornimmt. Außerdem wird gezeigt, wie Sie mit einer Graukarte und Ulead PhotoImpact am PC mit wenigen Mausklicks zu farblich korrekten Digitalfotos kommen.

HINWEIS   **Die Farbtemperatur des Lichts**

Die Farbtemperatur von Licht wird in Kelvin angegeben. Je höher der Wert ist, desto blauer ist auch das Licht. In der Liste sehen Sie einige typische Farbtemperaturen für bestimmte Lichtsituationen.

Tageslicht im Gebirge: ca. 10.000 Kelvin

Bewölkter Himmel: ca. 8.000 Kelvin

Tageslicht: ca. 5.500 Kelvin

Kunstlicht/Fotolampen: ca. 3.500 Kelvin

Glühlampen: ca. 2.500 Kelvin

2.1.2   Auswahl eines festgelegten Weißabgleichs

Die im Folgenden beschriebenen Schritte zur Auswahl eines festgelegten Weißabgleichs gelten prinzipiell für jede Digitalkamera. Zur besseren Darstellung wurde hier das Display auf der Kamerarückseite verwendet. Hat Ihre Kamera einen elektronischen Sucher, können Sie die Einstellungen auch bei einem Blick in den Sucher vornehmen, der die gleiche Ansicht zeigt.

Zunächst wird das Menü für die verschiedenen Weißabgleicheinstellungen über den Wippenschalter aufgerufen. Die untere Position des Schalters ist mit WB beschriftet. Das kann bei Ihrer Kamera anders sein. Sehen Sie dazu bitte im Handbuch nach. Nun kann mithilfe des Wippenschalters eine der Voreinstellungen ausgewählt werden. Beim Wechsel der Einstellung wird die Farbdarstellung auf dem Display automatisch angepasst. Sie sehen sofort, ob der neue Weißabgleich geeignet ist.

Bild 2.2 An dieser Kamera ist es die untere Position des Wippenschalters, der das Menü für den Weißabgleich aufruft. An anderen Kameras gibt es entweder einen Knopf, der mit WB (White Balance – Weißabgleich) bezeichnet ist, oder Sie finden die Einstellungen im Kameramenü.

Bei den meisten Kameras lässt sich das Menü zum Verändern des Weißabgleichs ebenfalls über einen Schalter am Gehäuse aufrufen. Falls das nicht geht, rufen Sie über die Funktions- oder Menütaste das Hauptmenü der Kamera auf, in dem Sie die Weißabgleicheinstellungen finden. Wenn die Einstellung bei Ihnen über das Menü gesteuert wird, müssen Sie in der Regel zunächst das Menü komplett verlassen, bevor Sie eine Veränderung des Weißabgleichs sehen.

Bild 2.3   Welche Weißabgleicheinstellungen zur Verfügung stehen, hängt vom Kameramodell ab. Einstellungen für Automatik, Tageslicht, Wolken, Blitzlicht und Halogenlampen werden immer angeboten.

2.1.3   Einstellungen für den Weißabgleich manuell festlegen

Beim manuellen Weißabgleich, den nicht jede Digitalkamera unterstützt, wird zunächst die entsprechende Einstellung im Menü ausgewählt. Anschließend wird die Kamera auf eine weiße Fläche (Blatt Papier, weiße Wand) gerichtet. Durch das Drücken des Auslösers erhält die Digitalkamera eine Referenz, anhand derer sie die nächsten Fotos ausgleichen kann. Bei manchen Kameras ist es nötig, zunächst die weiße Referenzfläche zu fotografieren und erst dann im Menü den manuellen Weißabgleich auszuwählen. Ob und wie der manuelle Weißabgleich mit Ihrer Kamera möglich ist, steht in Ihrem Kamera-Handbuch.

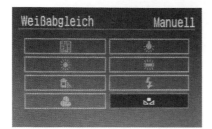

Bild 2.4   Mithilfe des manuellen Weißabgleichs (im Bild die Einstellung rechts unten) lässt sich eine weiße Referenzfläche festlegen. Die Kamera muss dazu auf eine weiße Fläche gerichtet werden, die abfotografiert wird und dann als Referenz dient.

2.1.4   Besondere Lichtstimmungen erzielen

Es gibt fotografische Situationen, in denen Sie sich nicht auf den automatischen Weißabgleich Ihrer Digitalkamera verlassen sollten. Auch die Voreinstellungen oder der manuelle Weißabgleich können manchmal dazu führen, dass ein Foto jede Stimmung verliert. Wenn Sie etwa eine in das rote Licht der untergehenden Sonne getauchte Szenerie mit einer Weißabgleicheinstellung fotografieren, die die rote Lichtfarbe ausgleicht, wird Ihr Foto recht langweilig. Die Abendstimmung lebt gerade vom Licht der roten, untergehenden Sonne.

Die Stimmung im Licht grünlicher Leuchtstoffröhren in einem Café ist genauso schwierig: Dieses Kunstlicht können Sie mit dem automatischen Weißabgleich nicht problemlos einfangen. Mit der Voreinstellung für Leuchtstoffröhren dürften Ihre Fotos jedoch farblich neutral werden.

Der automatische Weißabgleich Ihrer Kamera kann bei farbintensiven Motiven tatsächlich zum Problem werden, wenn er die Farben neutralisiert. Hier müssen Sie die Weißabgleichvoreinstellungen durchprobieren, um die beste Lichtstimmung zu erzielen.

2.1.5   Mit Farben experimentieren

Mit Farben zu experimentieren ist eine tolle Möglichkeit, seiner Fotografie zu einem neuen Ausdruck zu verhelfen. In der analogen Fotografie kann man Farbfilter einsetzen oder bewusst den falschen Film – Tageslichtfilm für Kunstlichtbeleuchtung und umgekehrt – verwenden. Die Fotos zeigen dann unnatürliche, ungewöhnliche Farben, die den Blick des Betrachters zunächst anziehen. Stimmen neben der ungewöhnlichen Farbgebung auch noch Motiv und Bildaufbau, fesseln solche Bilder gerade wegen der »falschen« Farben.

Bild 2.5   Die grünliche Beleuchtung des Raums könnte mit dem manuellen Weißabgleich zwar ausgeglichen werden, das Foto wirkt aber gerade wegen des ungewöhnlichen grünen Lichts.

Die Möglichkeiten, mit Farben zu experimentieren, sind mit der digitalen Fotografie ins Unermessliche gestiegen. Bei der Bildbearbeitung am PC kann man jedem Bild mit ein wenig Know-how jeden beliebigen Farbcharakter verleihen. Auch ein mit einem Rotfilter digital aufgenommenes Foto, das einen dementsprechenden Rotstich hat, kann am Computer nachträglich jede nur erdenkliche Farbnuance annehmen.

Ähnlich kreativ wie mit Filter und Bildbearbeitung lässt sich mit dem Weißabgleich arbeiten. Stellen Sie den Weißabgleich für eine Sonnenuntergangsaufnahme auf *Tageslicht*, wird das Rot der Szene noch verstärkt. Stellen Sie auf *Kunstlicht*, neutralisiert die Kamera die Farben weitgehend.

Bild 2.6 Würde man so ein Motiv farblich neutralisieren und das rötliche Licht des Sonnenuntergangs ausgleichen, wäre die Stimmung dahin. Achten Sie bei so einer Szene ganz besonders auf die richtige Voreinstellung.

Bietet Ihre Kamera die Option, eine Farbtemperatur in Kelvin anzugeben – meist in 100cr-Schritten –, haben Sie einen noch größeren gestalterischen Spielraum und können jede Szene mit vielen verschiedenen Farbstimmungen fotografieren. Durch den bewusst falschen Weißabgleich können fast schon einfarbige (monochrome) Fotos entstehen.

Besonders interessant ist diese Technik bei Motiven, die auch in Schwarz-Weiß gut wirken und eher vom Bildaufbau leben. Architektur, klar strukturierte Stillleben oder Abstraktionen sind immer einen Versuch mit falschem Weißabgleich wert.

Bild 2.7   Manchmal lohnt es sich, mit dem Weißabgleich zu experimentieren. Die Szene wirkt im blauen und im rötlichen Farbton völlig unterschiedlich. Das blaue Bild mutet eher kühl, das rötliche eher warm und gemütlich an.

HINWEIS **Auf was Sie beim Festlegen des Weißabgleichs achten sollten**

• Prüfen Sie bei kritischen Farben wie Sonnenuntergängen, Neonlicht etc. nach der Aufnahme das Ergebnis im Display. Dann können Sie notfalls die Einstellungen noch einmal korrigieren.

• Probieren Sie die Kamera bei unterschiedlichen Lichtstimmungen aus. So bekommen Sie schnell ein Gefühl dafür, wann dem Weißabgleich nicht zu trauen ist.

• Wenn Sie öfter mal Probleme mit dem automatischen Weißabgleich haben, sollten Sie – wenn möglich – die Funktion Autobracketing nutzen. Das verdreifacht zwar die Zahl der Bilder, erhöht aber die Wahrscheinlichkeit, farblich passende Bilder zu bekommen.

2.1.6 Graukarte für den Ausgleich von Farbstichen

Wenn Sie sich ein wenig mit der Bildbearbeitung auseinander setzen oder die entsprechenden Anleitungen zum Ausgleich von Farbstichen in diesem Buch nutzen möchten, besorgen Sie sich bei Ihrem Fotohändler eine 18%-Graukarte. Gerade wenn nicht viel Zeit bleibt, den manuellen Weißabgleich der Kamera zu benutzen oder Ihre Kamera den manuellen Weißabgleich nicht unterstützt, ist der Einsatz dieser neutral grauen Fläche eine hervorragende Möglichkeit, die Bildbearbeitung am Computer zu vereinfachen und farbneutrale Bilder zu erzielen.

Bild 2.8 Beachten Sie die Graukarte, die vor der Kerze steht. Mit ihrer Hilfe ist es bei der Bildbearbeitung möglich, die Farben vollkommen neutral wiederzugeben. Der Trick: Man macht ein Foto mit und ein weiteres Foto ohne Graukarte, korrigiert dann das erste Bild und merkt oder speichert sich für die Korrektur des Zweiten die Einstellungen. Auch für die natürliche Wiedergabe von schwierigen Farben wie Hauttönen kann eine Graukarte enorm hilfreich sein – wenn Zeit bleibt, sie einzusetzen.

Zur Vorbereitung der Arbeit am PC machen Sie zunächst ein Foto. Stellen oder halten Sie beim Fotografieren die Graukarte an eine Ecke des Bildausschnitts, sodass sie auf dem Foto gerade noch zu sehen ist. Der Bildrand mit der Graukarte wird bei der Bildbearbeitung weggeschnitten. Achten Sie darauf, dass auf der Karte keine Lichtreflexe zu sehen sind, und kippen oder drehen Sie sie, falls nötig. Auf die Graukarte sollte das gleiche Licht fallen, das auch das Hauptmotiv beleuchtet. Machen Sie Ihr Foto entweder mit dem automatischen Weißabgleich oder einer seiner Voreinstellungen, die der neutralen Farbwiedergabe am nächsten kommt. Wenn Sie das Foto am Computer mit einem Bildbearbeitungsprogramm öffnen, können Sie mit dem Befehl Grad die abgebildete Graukarte als Referenz nutzen.

2.1.7 Step by Step – Eine Graukarte verwenden

1 Dialogfenster Grad vorbereiten

Rufen Sie im Menü *Format* den Befehl *Grad* auf. Klicken Sie im nun erscheinenden Dialogfenster auf die Schaltfläche *1:1*, um das Bild in den Vorschaufenstern in Originalgröße anzuzeigen. Verschieben Sie das Bild mit gedrückter linker Maustaste im rechten Vorschaufenster so, dass Sie die Graukarte sehen können.

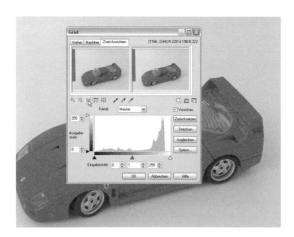

2 Pipette einsetzen

Aktivieren Sie mit einem Klick der linken Maustaste die mittlere
der drei Pipetten unter dem rechten Vorschaufenster. Jeder Punkt
im linken Vorschaufenster, den Sie mit der Pipette nun anklicken,
wird in neutrales Grau umgewandelt. PhotoImpact gleicht also
die gesamten Farbinformationen im Bild so aus, dass die mit der
Pipette angeklickte Stelle gleiche Anteile an Rot, Grün und Blau
erhält. (Hat ein Bildpunkt gleiche Farbanteile der drei Grundfarben, ist er grau.) Alle anderen Farben im Bild werden ebenfalls
entsprechend angeglichen, wodurch ein Farbstich automatisch
entfernt wird. Sie können die zu erwartende Änderung im rechten Vorschaufenster und auch am Originalbild im Hintergrund
des Dialogfensters beobachten. Ein Mausklick auf **OK** berechnet
Ihr Foto mit den neuen Farbeinstellungen neu. Speichern Sie Ihr
Foto mit dem **Befehl Datei/Speichern unter** mit einem neuen
Dateinamen, um das Originalbild zu erhalten.

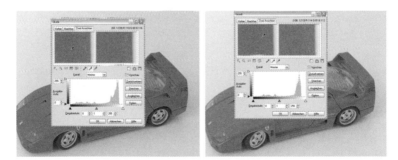

Bild 2.9   Vor dem Klick (links) mit der Pipette ist der Farbstich auch in
der Vorschau zu sehen. Nach dem Klick (rechts) zeigt die Vorschau 18% Grau.

2.2 Perfekte Belichtung verschiedener Motive

Bild 2.10 Hochwertige Digitalkameras haben Einstellungsmöglichkeiten für verschiedene Aufnahmeprogramme. Beim Foto des Skaters wurde das Automatikprogramm für Sportbilder eingestellt. Für die richtige Belichtung sorgte die Kamera dann selbsttätig.

Je intensiver Sie die digitale Fotografie betreiben, desto mehr Möglichkeiten zur Beeinflussung der Kamera für gelungene Aufnahmen brauchen Sie. Mit einer vollautomatischen Kompakt- oder Spiegelreflexkamera ist es in den meisten Fällen kein Problem, korrekt belichtete Fotos zu machen. Es gibt jedoch Situationen, in denen Sie manuell eingreifen müssen, um gute Bilder zu bekommen. Dazu bieten fast alle Kameras so genannte Motivprogramme, die Verschlusszeit und Blende zwar auch automatisch, aber immerhin auf ein bestimmtes Motiv abgestimmt regeln. An leistungsfähigeren (und teureren) Digitalkameras lassen sich über die Motivprogramme hinaus Blende und Verschlusszeit auch manuell auswählen. Erst damit haben Sie die volle Kontrolle über die gestalterischen Möglichkeiten.

2.2.1 Bewusster Einsatz von Blende und Verschlusszeit

Sobald Sie auf den Auslöser Ihrer Digitalkamera drücken, wird der Verschluss geöffnet und durch die Blende hindurch fällt Licht auf den Sensor. Dieser nimmt das auftreffende Licht für jeden einzelnen Bildpunkt auf und leitet es an den Prozessor der Kamera zur Aufbereitung und Speicherung weiter. Um ein korrekt belichtetes Foto zu bekommen, müssen Verschlusszeit (das Zeitintervall, in dem Licht durch das Objektiv auf den Sensor fallen kann) und Blende (Öffnung mit bestimmtem Durchmesser, durch die Licht einfällt) präzise aufeinander abgestimmt sein. Nur bei jeweils ganz bestimmten Blende-Verschlusszeit-Paaren stimmt die Belichtung. Das bedeutet für den bewussten Einsatz von Blende und Verschlusszeit: Wird einer der beiden Werte für gestalterische Zwecke verändert, muss der andere Wert entsprechend angepasst werden. Ist etwa für die korrekte Belichtung eines Motivs eine Blende von 5,6 bei einer Verschlusszeit von 1/250 sek

nötig und wird die Blende auf 2,8 vergrößert (ein kleinerer Blendenwert bedeutet eine Vergrößerung der Blendenöffnung), muss die Verschlusszeit auf 1/500 sek verringert werden, da die Blende von 2,8
wegen der größeren Öffnung mehr Licht auf den Sensor fallen lässt. In
der Summe muss das auf den Sensor fallende Licht also gleich bleiben.

Bild 2.11 Die beiden Fotos entstanden im Abstand von wenigen Minuten
unter den gleichen Lichtverhältnissen. Für die Darstellung der Bewegung war eine relativ lange Verschlusszeit (1/45 sek, Blende
11) wichtig. Um den vor den Zuschauern vorbeifahrenden Radfahrer einzufrieren, musste mit kleiner Blende und extrem kurzer
Verschlusszeit fotografiert werden (1/750 sek, Blende 2,8). In beiden Fällen war die Belichtung korrekt und jeweils die gleiche
Menge Licht fiel auf den Sensor.

In den beiden Tabellen unten sehen Sie mögliche Werte für Blenden
und Verschlusszeiten. Neben den vollen Blenden- bzw. Verschluss-
werten stehen die Werte für dazwischen liegende 1/3-Stufen. Manche

Kameras lassen sich auch auf 1/2-Stufen einstellen. Diese Werte wurden hier nicht gesondert wiedergegeben, da für die exakte Belichtungssteuerung 1/3-Stufen geeigneter sind.

Tab. 2.1 Blenden

Blende	Drittelstufen	
32	29	25
22	20	18
16	14	13
11	10	9
8	7,1	6,3
5,6	5	4,5
4	3,5	3,2
2,8	2,5	2,2
2	1,8	1,6
1,4	1,2	1,1
1		

Tab. 2.2 Verschlusszeiten

Zeiten	Drittelstufen	
1/1000	1/800	1/640
1/500	1/400	1/320
1/250	1/200	1/160
1/125	1/100	1/80
1/60	1/50	1/40
1/30	1/25	1/20

Tab. 2.2 Verschlusszeiten *(Fortsetzung)*

Zeiten	Drittelstufen	
1/15	1/13	1/10
1/8	1/6	1/5
1/4	0,3	0,4
1/2	0,6	0,8
1	1,3	1,6
2	2,5	3,2
4	5	6
8	10	13
15	20	25
30		

Bild 2.12 Ein Schuss in die Wolken geht aus fotografischer Sicht meistens schief. Der Belichtungsmesser der Kamera glaubt, auch die weißen Wolken hätten die Helligkeit von mittlerem Grau, und belichtet sie deshalb zu dunkel. Das passiert übrigens auch bei weißen Brautkleidern.

2.2.2 So arbeitet der kcamerainterne Belichtungsmesser

Jede Kamera besitzt einen eingebauten Belichtungsmesser, der die Helligkeitsverteilung eines Motivs mehr oder weniger zuverlässig analysiert und entsprechend Blende und Verschlusszeit regelt. Bei manueller Einstellung blendet er einen Hinweis im Display oder Sucher ein, der Ihnen sagt, ob die manuellen Werte zu einer korrekten Belichtung führen. Belichtungsmesser gehen davon aus, dass ein Motiv eine durchschnittliche Helligkeitsverteilung hat, die einem 18-prozentigen Grau entspricht. Asphalt oder eine Wiese haben ungefähr diese Helligkeit. Richten Sie Ihre Kamera also auf eine graue Straße und überlassen dem Belichtungsmesser die automatische Auswahl von Blende und Verschlusszeit, stimmt die Belichtung. Ist Ihre Kamera mit einem Messwertspeicher ausgestattet (siehe Kamera-Handbuch), können Sie die korrekten Werte für den Asphalt oder die Wiese ermitteln, die Werte speichern und die Kamera auf das eigentliche, vielleicht neben der Straße stehende Motiv schwenken und auslösen.

Jeder Belichtungsmesser weist das folgende Problem auf: Fotografieren Sie ein sehr helles oder sehr dunkles Motiv, dessen Helligkeitsverteilung vom Durchschnitt abweicht, wird der Belichtungsmesser irritiert. Um dem entgegenzuwirken, können Sie die Belichtung manuell variieren, was einige Erfahrung erfordert. Sie können auch eine spezielle Messmethode nutzen, um die Helligkeit einer Szene zu analysieren. Sehen Sie im Handbuch Ihrer Kamera nach, welche der verschiedenen Messmethoden diese unterstützt.

Methode der Mehrfeldmessung

Belichtungsmesser teilen das gesamte Bildfeld in Sektionen ein. Die Anzahl der Sektionen oder Messfelder ist je nach Kameramodell unterschiedlich. Aus den Werten für jedes einzelne Messfeld ermittelt die Kamera Mittelwerte für Blende und Verschlusszeit und stellt diese ein. Für Schnappschüsse und Motive mit durchschnittlicher Hellig-keitsverteilung ist diese Messmethode, die bei allen Kameras stan-dardmäßig eingestellt ist, die richtige Wahl.

Methode der mittenbetonten Messung

Auch bei dieser Messmethode ermittelt die Kamera für sämtliche Messfelder Werte, legt aber bei der Berechnung den Schwerpunkt auf die mittleren Bildbereiche. Die mittenbetonte Messung ist für spon-tane Schnappschüsse von Personen, die sich in der Bildmitte befin-den, besonders geeignet. Selbst wenn sich hinter dem Hauptmotiv eine starke Lichtquelle befindet, ermittelt die Kamera durch die Schwerpunktlegung auf die Mitte noch korrekte Belichtungswerte.

Methode der Spotmessung

Bei diesen Messmethoden wird ein mehr oder weniger eng begrenz-ter Bildwinkel von wenigen Grad angemessen, ohne die Außenberei-che des Bildfelds einzurechnen. Der bei der Selektivmessung berück-sichtigte Bildwinkel ist etwas größer als bei der Spotmessung. Die Selektiv- oder Spotmessung ist eher etwas für erfahrene Fotografen, da man mit ihr zwar sehr exakt die wichtigen Bildbereiche anmessen kann, sie aber durch die Eichung auf 18-prozentiges Grau schnell zu Fehlbelichtungen führt. Messen Sie z. B. ein weißes Hemd an, geht die Kamera davon aus, dass dieser Bildteil in der Helligkeit von 18-prozentigem Grau wiedergegeben werden müsse. Das Bild wird ent-sprechend zu dunkel belichtet. Erfahrene Fotografen wissen, wann und wie sie die durch die Spotmessung ermittelten Werte kompen-sieren oder manuell verändern müssen. Für den Einsteiger ist diese Messmethode nur insofern geeignet, als er dadurch lernt, wie der Belichtungsmesser der Kamera arbeitet.

Bild 2.13 Gegenlicht ist für den Belichtungsmesser einer Kamera fast immer eine Überforderung. Richten Sie die Belichtung am dunklen Vordergrund aus, wird der Himmel einfach nur weiß und unrettbar überbelichtet. Die standardmäßige Mehrfeldmessung (Bild oben) führt in diesem Fall zu einer interessanten Gegenlichtaufnahme, weil der Himmel einen Großteil des Bildes ausmacht. Das helle Bild unten entsteht, wenn per Spotmessung die Person im Vordergrund angemessen wird. Die Person wird nahezu korrekt belichtet, der Himmel dann aber zu hell.

2.2.3 Brennweitenbereiche von Digitalkameras

Auf Objektiven ist immer ein Wert bzw. Wertebereich für die Blende in der Form F2,8 oder F2,8–5,6 angegeben. Diese Zahlenwerte variieren je nach Objektiv und geben dessen Lichtstärke und maximale Blendenöffnung bei bestimmten Brennweiten an. Je kleiner die Werte sind, desto lichtstärker ist das Objektiv. Dies bedeutet, dass Sie weniger Licht für korrekt belichtete Fotos benötigen. Die auf dem Objektiv eingravierte Blendenzahl errechnet sich aus dem Verhältnis von tatsächlicher Objektivöffnung zu seiner Brennweite. Der Öffnungsdurchmesser ist also bei eingestellter Blende 2,8 je nach Objektivbrennweite ein anderer. Ein Objektiv mit der Brennweite von 50 mm und einem Öffnungsdurchmesser von 25 mm etwa hätte eine maximale Blende von 2,0. An Digitalkameras mit im Vergleich zu einer analogen Kamera sehr viel kleineren Brennweiten ist die tatsächliche Blendenöffnung entsprechend kleiner, um auf den gleichen maximalen Blendenwert zu kommen. Hat das Objektiv einer Digitalkamera z. B. eine Brennweite von 8 mm, genügt ein tatsächlicher Öffnungsdurchmesser von 4 mm für Blende 2.

Bild 2.14 Das Objektiv dieser Digitalkamera hat einen Brennweitenbereich von 7,2–50,8 mm bei einer Lichtstärke von 1:2,4–3,5. Solche Angaben sind auf jedem Objektiv zu finden.

2.2.4 Manuelle Steuerung von Blende und Verschlusszeit

Wenn Sie kreativ und bewusst fotografieren möchten, sollten Sie ab und zu die Automatik ab und ein Belichtungsprogramm zur manuellen Steuerung von Blende und Verschlusszeit einstellen. Die Automatik führt zwar bei einer modernen Kamera zu guten Fotos. Über den Charakter von dokumentarischen Schnappschüssen werden Ihre Aufnahmen aber auf Dauer nicht hinauskommen. Vergleichen Sie einmal Ihre Bilder mit denen von Profis. Sie werden sehen, dass professionelle Porträts, Landschafts- oder Architekturfotos ganz anders wirken, denn Profis setzen ganz bewusst Blende und Verschlusszeit ein. Hinzu kommen Faktoren wie Licht, Brennweite und Farbgestaltung.

Das Bild zeigt eine Nahansicht eines Kindergesichts. Es ist alles andere als ein Schnappschuss, sondern eine gestaltete und überlegte Darstellung. Solche Fotos erzielen Sie nur, wenn Sie wissen, wie man mit Blende, Brennweite und Verschlusszeit richtig umgeht.

Wie schon gesagt, wird die Blendenöffnung (ihr Durchmesser) vergrößert, je kleiner der Blendenwert ist. Blende 2,8 hat einen größeren Öffnungsdurchmesser als Blende 5,6 oder Blende 11. Wenn davon gesprochen wird, die Blende weiter zu öffnen oder zu vergrößern, bedeutet das also eine Verringerung des Blendenwerts. Eine Digitalkamera, an der sich die Blende manuell festlegen lässt, hat zwei Einstellungen: die manuelle Einstellung (M), bei der sowohl Blende als auch Verschlusszeit individuell gewählt werden, und die Zeitautomatik (A, Av), bei der nur die Blende manuell eingestellt und die Verschlusszeit von der Kamera automatisch berechnet wird.

Mit der bewussten Wahl einer Blende bestimmen Sie die Schärfentiefe eines Fotos. Grundsätzlich gilt: Je kleiner die Blende (großer Blendenwert) ist, desto größer wird die Schärfentiefe. Gerade in der Landschaftsfotografie soll die **Schärfentiefe** in der Regel maximal sein. Dazu müssen Sie kleine Brennweiten (Weitwinkel) und kleine Blenden (11, 16 oder höher) an Ihrer Kamera einstellen. Wenn Sie dann auf einen nah liegenden Punkt scharf stellen, erhält das Foto die gewünschte ausgedehnte Schärfentiefe.

Bild 2.15 Bei Landschaftsaufnahmen kommt es meist darauf an, dass vom Vorder- bis zum Hintergrund alles scharf ist. Mit kleinen Blenden (großem Blendenwert) kein Problem.

HINWEIS **Schärfentiefe**

Der als scharf wahrgenommene Bereich vor und hinter dem Punkt, auf den die Kamera scharf gestellt wurde. Die Schärfentiefe kann sich von wenigen Millimetern bis unendlich erstrecken und ist von den Faktoren Abbildungsmaßstab, Blende und der Entfernung zwischen Kamera und -fokussiertem Punkt abhängig.

Durch die manuelle Festlegung auf einen Blendenwert wird neben der Schärfentiefe auch die Verschlusszeit beeinflusst. Blende und Verschlusszeit müssen aufeinander abgestimmt sein, um eine richtige Belichtung zu gewährleisten. Je kleiner also die Blende ist, desto länger ist die nötige Verschlusszeit. Möchten Sie z. B. die Bewegung fließenden Wassers mit einer langen Verschlusszeit darstellen, wählen Sie eine so kleine Blende (großer Blendenwert) aus, dass die Kamera (bei Zeitautomatik A bzw. Av) eine entsprechend lange Verschlusszeit von z. B. 1/2 oder 1 sek beisteuert. Für derartig lange Verschlusszeiten brauchen Sie natürlich ein Stativ. Das Bild zeigt mit dieser Einstellung eine ausgedehnte Schärfentiefe und das fließende Wasser gleicht verschwommenen hellen »Wolken«.

Ein weiterer Motivbereich für den kreativen Einsatz der Blende sind Porträts. Meistens soll der Hintergrund dabei verschwommen oder unscharf gezeigt werden, damit er nicht vom Hauptmotiv ablenkt. Weil große Blendenöffnungen geringe Schärfentiefe verursachen, stellen Sie die Blende auf einen möglichst kleinen Wert von 2,8 oder noch weniger. Machen Sie dann ein paar Aufnahmen und kontrollieren Sie sie am Computermonitor, um die Schärfentiefe beurteilen zu können. Ist sie zu gering und das Gesicht z. B. nicht ausreichend scharf, stellen Sie eine etwas kleinere Blende (mit größerem Blendenwert) ein, wodurch die Schärfentiefe vergrößert wird.

Bild 2.16 Für den Effekt des rauschenden Wassers war eine lange Verschlusszeit von einer Sekunde nötig. Dazu musste mit Blende 11 fotografiert werden.

Bild 2.17 Porträts werden meistens mit großer Blende (kleinem Blendenwert) fotografiert, weil dadurch der Hintergrund in Unschärfe verschwimmt.

2.2.5 Verschlusszeit immer im Auge behalten

Der Verschluss ist dafür verantwortlich, das Zeitintervall zu steuern, in dem Licht durch Objektiv und Blende auf den Sensor fällt. Spiegelreflexkameras arbeiten in der Regel mit Schlitzverschlüssen, während Kompaktkameras mit Zentralverschlüssen ausgestattet werden. Zentralverschlüsse haben im Vergleich zu Schlitzverschlüssen einen etwas eingeschränkten Spielraum. Der Bereich zwischen maximaler und minimaler Verschlusszeit ist nicht ganz so groß. Bei Spiegelreflexkameras sind Bereiche zwischen 1/4000 und 30 sek üblich. Hinzu kommt eine Einstellung, die es erlaubt, den Verschluss manuell auch über mehrere Minuten offen zu halten.

Wird die Verschlusszeit um eine ganze Stufe erhöht (z. B. von 1/125 sek auf 1/60 sek), gelangt doppelt so viel Licht durch das Objektiv auf den Sensor. Jede volle Verschlusszeitstufe errechnet sich aus der Verdopplung bzw. Halbierung der nächsten Stufe. Sie sollten die Verschlusszeit in zweierlei Hinsicht immer im Auge behalten: Erstens muss die Verschlusszeit so kurz sein, dass Ihre Bilder nicht durch Verwacklungsunschärfe verdorben werden. Zweitens können Sie mit der Veränderung von Verschlusszeiten kreativ werden und z. B. Bewegungen verdeutlichen (lange Verschlusszeit) oder einfrieren (ultrakurze Verschlusszeit). Um die Verschlusszeit manuell festzulegen, muss Ihre Kamera entweder über die Möglichkeit zu manuellen Einstellungen oder über die so genannte Blendenautomatik (Programm T oder Tv) verfügen. Die Blendenautomatik hat den Vorteil, dass die Kamera die für eine korrekte Belichtung notwendige Blende automatisch auswählt, wenn Sie manuell die Verschlusszeit eingestellt haben.

Zum Vermeiden von Verwacklungsunschärfen prägen Sie sich eine einfache Faustregel ein: Die maximale Verschlusszeit sollte immer dem Kehrwert der ausgewählten Brennweite entsprechen. Fotogra-

fieren Sie mit einer Brennweite von 55 mm (analog zum Kleinbildformat), sollte die Verschlusszeit bei maximal 1/50 oder besser noch
bei 1/60 sek liegen. Dazu müssen Sie allerdings wissen, mit welcher
Brennweite analog zur Kleinbildfotografie Sie arbeiten. Die Brennweiten einer digitalen Kompaktkamera sind viel kleiner als die entsprechenden Brennweiten in der Kleinbildfotografie. Sehen Sie in
Ihrem Kamera-Handbuch nach, welche Brennweiten Ihre Kamera
analog zur Kleinbildfotografie unterstützt. Die tatsächlichen Brennweiten werden bei den technischen Daten immer auch in Relation
zur Kleinbildfotografie dargestellt.

TIPP **Verwacklungen vermeiden**

Um Verwacklungen zu vermeiden, sollten Sie Ihre Kamera immer
sicher – am besten mit beiden Händen – festhalten. Halten Sie
das Gewicht der Kamera mit der linken Hand und pressen Sie
den Arm an den Körper. Mit der rechten Hand wird die Kamera
seitlich gestützt und der Auslöser betätigt.

Gewöhnen Sie sich an, beim Drücken des Auslösers kurz die Luft
anzuhalten. Sind längere Verschlusszeiten als 1/30 sek nötig, um
korrekt zu belichten, sollten Sie auf jeden Fall mit einem Stativ
arbeiten.

2.2.6 Bewegung einfrieren oder verdeutlichen

Je nachdem, wie Sie ein bewegtes Motiv festhalten wollen, sind längere oder kürzere Verschlusszeiten nötig. Wollen Sie eine Bewegung
»einfrieren«, muss die Verschlusszeit je nach Motiv bei z. B. 1/250 sek
(Läufer) oder 1/2000 sek (nah vorbeifahrendes Fahrrad, Rennwagen)

liegen. Möchten Sie die Bewegung eines Objekts verdeutlichen, können Sie die Kamera mit dem Motiv bewegen – das so genannte Mitziehen – und mit einer längeren Verschlusszeit von z. B. 1/15 sek arbeiten.

2.2.7 Arbeitsweise von Motivprogrammen

Je nach Kameramodell gibt es neben der voll- und halbautomatischen Belichtungssteuerung, bei der die Kamera die Einstellungen für Blende und Verschlusszeit regelt, so genannte Motivprogramme. Diese Programme sind auf bestimmte Motive wie Landschaft oder Porträt abgestimmt, für die jeweils andere Zeit-Blenden-Kombinationen sinnvoll sind. Sie erhalten hier eine kurze Übersicht darüber, welche grundlegenden Einstellungen die Motivprogramme vornehmen. Wie die Motivprogramme exakt arbeiten und ob sie zusätzlich den integrierten Blitz oder die Empfindlichkeit (ISO) regeln, hängt vom Kameramodell ab.

Nacht

Landschaft

Sport

Porträt

Landschaft

Beim Fotografieren von Landschaften kommt es meistens auf eine ausgedehnte Schärfentiefe an. Da die Schärfentiefe von der Blende abhängig ist (je kleiner die Blende, desto größer die Schärfentiefe), wählt die Kamera im Landschaftsmodus möglichst kleine Blenden (große Blendenzahl) aus. Auch die Verschlusszeit wird dabei beachtet. Ist diese zu lang und würden die Aufnahmen dadurch verwackeln, stellt die Kamera automatisch eine etwas größere Blende ein, um dadurch die Verschlusszeit wieder zu reduzieren.

Bild 2.18 Weil genügend Licht vorhanden war und mit einem Stativ fotografiert wurde, konnte hier auf den Kamerablitz verzichtet werden, um die Lichtstimmung nicht zu zerstören.

Sport

Bei Sportaufnahmen sind kurze Verschlusszeiten wichtig, um die Bewegungen möglichst scharf festzuhalten. Daher regelt die Kamera im Sportmodus die Verschlusszeiten auf möglichst niedrige Werte ein, die in erster Linie vom verfügbaren Licht abhängig sind. Je mehr Licht vorhanden ist, desto kürzer können die Verschlusszeiten sein. Um trotz der kurzen Verschlusszeit genügend Licht auf den Sensor fallen zu lassen, wird eine entsprechend große Blendenöffnung (kleine Blendenzahl) eingestellt. Der Sportmodus leistet übrigens auch dann gute Dienste, wenn Sie durch kurze Verschlusszeiten möglichst sicher vor verwackelten Aufnahmen sein möchten. Er ist also beispielsweise ideal für gelungene Aufnahmen spielender Kinder.

Porträt

Bei Porträts sollte der Hintergrund in Unschärfe verschwimmen. Dazu wird in der Porträtfotografie meistens mit einer sehr großen Blendenöffnung gearbeitet, die für geringe Schärfentiefe sorgt. Deshalb stellt die Kamera im Porträtmodus eine den Lichtverhältnissen entsprechende, möglichst große Blende ein. Die Verschlusszeit wird zur Blende passend automatisch eingestellt.

Nah-/Makromodus

Ähnlich wie bei Landschaftsaufnahmen kommt es bei Nah- und Makroaufnahmen auf maximale Schärfentiefe an. Da der Abbildungsmaßstab bei Nahaufnahmen sehr groß (z. B. 1:2) und die Schärfentiefe entsprechend gering ist, wählt die Kamera im Nahprogramm eine möglichst kleine Blende (großen Blendenwert) aus. Je nach Kamera wird hier auch der integrierte Blitz aktiviert, der im Landschaftsmodus nicht sinnvoll ist. Ihr Kamera-Handbuch informiert Sie darüber, wie dicht Sie an das Motiv herangehen können. Bei Digitalkameras sind inzwischen Abstände bis unterhalb von 10 cm möglich.

Nacht

Bild 2.19 Im Nachtmodus wurde der Blitz automatisch von der Kamera zugeschaltet. Dies führte zu dem interessanten Effekt, dass die Frau
relativ scharf wiedergegeben wird. Die Bewegungsschlieren entstanden, weil die Kamera während der langen Verschlusszeit
leicht bewegt wurde.

TIPP **Motivprogramme, Blende und Verschlusszeitsteuerung optimal nutzen**

- Für Makrobilder sind Pflanzen, kleine Tiere oder Details alltäglicher Gegenstände besonders gut geeignet. Wenn Sie einen blühenden Busch oder eine Blume schon aufgrund ihrer Farben fotografieren möchten, machen Sie am besten gleich einen Versuch mit dem Makromodus. Meist werden Sie mit einem tollen Bild belohnt.

- Wenn Sie hauptsächlich Bilder von lebhaften Kindern machen, sollten Sie den Sportmodus als Standardeinstellung nutzen. Für andere Motive passen Sie die Wahl entsprechend an.

- Trotz des Nachtmodus sollten Sie bei Nachtaufnahmen erst einmal testen, wie stark Ihre Kamera »rauscht«. Bei Neigung zum Rauschen bei hohen ISO-Einstellungen sollten Sie auf Nachtmotive verzichten.

- Wenn Sie noch relativ unerfahren in der Fotografie sind, verwenden Sie bei wichtigen Anlässen ein passendes Motivprogramm oder die Vollautomatik. Die Ausbeute an richtig belichteten Bildern ist dann auf jeden Fall größer, zumal Fotolabore leichte Belichtungsprobleme beim Herstellen der Abzüge automatisch ausgleichen.

- Um ein Gefühl für die Wirkung verschiedener Blenden zu erhalten, können Sie Fotoreihen eines Motivs machen. Besonders geeignet dafür sind Landschaftsaufnahmen, bei denen ein großes Vordergrundmotiv – eine Blume, ein Baum, ein Gartenzaun – dominiert. Fokussieren Sie bei der Fotoserie immer auf den gleichen Punkt am Vordergrundmotiv. Je nach Blende und Schärfentiefe wird die Dominanz des Motivs verstärkt oder abgeschwächt. ▸

- Arbeiten Sie mit dem Landschaftsprogramm, ist die Gefahr größer zu verwackeln, weil die Kamera die Priorität auf kleine Blenden legt und längere Verschlusszeiten einstellt. Bei hellem Tageslicht gibt es keine Probleme. In der Dämmerung sollten Sie unbedingt mit Stativ arbeiten.

Der Nachtmodus ist immer dann sinnvoll, wenn Sie in dunklen Räumen, auf Partys oder in der Disco fotografieren. Die Kamera schaltet automatisch den Blitz ein und stellt zusätzlich eine relativ lange Verschlusszeit ein, um den Hintergrund hinter dem eigentlichen Motiv ebenfalls korrekt belichten zu können. Die Reichweite des Blitzes genügt, um in der Nähe befindliche Motive richtig zu belichten. Die lange Verschlusszeit sorgt für den Hintergrund. Wichtig dabei: Das Blitzlicht zeigt das Hauptmotiv zwar scharf, bewegen Sie die Kamera aber während des Auslösens zu stark, entstehen um das Hauptmotiv herum wegen der langen Verschlusszeit Schlieren.

2.3 Sorglos fotografieren mit dem Autofokus

Die gute Nachricht vorweg: Der Autofokus einer Digitalkamera ist dem menschlichen Auge beim Scharfstellen in den meisten Fällen überlegen. Wollen Sie sorglos fotografieren, nutzen Sie am besten den Autofokus. Lediglich in einigen besonderen Situationen kann es nötig sein, die Automatik abzuschalten und manuell nachzuhelfen – falls Ihre Digitalkamera das erlaubt.

Viele Schnappschussmodelle arbeiten ausschließlich mit dem Auto-fokus. Es gibt auch Kameras mit so genanntem Fix-Fokus, bei denen Brennweite und Fokussierung so fixiert sind, dass praktisch jedes Motiv im Abstand von wenigen Zentimetern bis unendlich vor der Linse scharf abgebildet wird. Solche Kameras bieten jedoch wenig Spielraum für kreative Fotografie.

Bild 2.20 Ein typisches Motiv für Fix-Fokus-Kameras ist diese mit ausge-dehnter Schärfentiefe aufgenommene Strandszene. Eine manuel-le Fokussierung oder ein Autofokus ist bei solchen Motiven nicht nötig.

Bild 2.21 Eine Nahaufnahme wie von diesem Schmetterling ist ohne schnelles Autofokus-System oder manuelle Fokussierung kaum möglich.

2.3.1 Kameras mit aktivem Autofokus

Je nach Kameramodell werden grundsätzlich zwei unterschiedliche Autofokus-Systeme eingesetzt. Man spricht von aktivem und passivem Verfahren. Beim aktiven Autofokus wird von der Kamera ein Infrarotmessstrahl in Richtung Motiv ausgesendet. Bei dieser Art der Messung wird die tatsächliche Entfernung zum Motiv ermittelt und die Fokussierung entsprechend angepasst. Großer Vorteil des aktiven Verfahrens ist die Möglichkeit, auch im Dunkeln zuverlässig automatisch fokussieren zu können. Die aktive Messung wird oft in Kompaktkameras eingesetzt, die vor allem für die spontane Fotografie von Standardmotiven, z. B. Menschen bei Feiern oder im Urlaub, geeignet sind. Ungenau wird der aktive Autofokus bei spiegelnden Oberflächen wie Glas oder Wasser, bei denen der Messstrahl eventuell abgelenkt wird. Auch der Tele- sowie Nahbereich ist problematisch, weil das Hauptmotiv nicht mehr korrekt vom Strahl getroffen wird.

Bild 2.22 Fotografieren Sie Objekte wie diesen Wasserspritzer, müssen Sie manuell fokussieren. Der Autofokus kann bei spiegelnden Oberflächen Probleme bereiten, außerdem wäre er bei schnell spritzenden Wassertropfens natürlich zu langsam.

2.3.2 Kameras mit passivem Autofokus

Professionellere Digitalkameras, etwa digitale Spiegelreflexkameras, arbeiten mit dem passiven Autofokus. Hierbei werden die Entfernung zum Objektiv und die erforderliche Fokussierung durch die Messung von Kontrastkanten festgestellt. Sehr einfach ausgedrückt, ermitteln spezielle Sensoren in der Kamera den maximalen Kontrast an feinen Strukturen innerhalb des Motivs. Das Prinzip dahinter: Je höher der Kontrast an einer Kontur ist, desto schärfer ist die Darstellung. Unschärfe durch falsche Fokussierung verringert nämlich den Kantenkontrast. Schwierigkeiten haben passive Autofokus-Systeme, wenn ein Motiv keine sichtbaren Strukturen oder Details aufweist. Der glatte Lack eines Autos, in dem sich der blaue Himmel spiegelt, ist ein Beispiel, bei dem Sie entweder manuell oder auf ein Objekt im gleichen Abstand wie die Motorhaube fokussieren müssten.

Bild 2.23 Damit der Autofokus korrekt arbeitet, benötigt er Kontrastkanten. Die Kamera auf den völlig kontrastlosen Strand zu richten würde daher nichts nützen.

2.3.3 Autofokus-Messpunkte individuell verschieben

Je hochwertiger eine Digitalkamera ist, desto variabler lässt sich der Autofokus einsetzen. Sie können also den Autofokus-Messpunkt innerhalb des Bildbereichs mehr oder weniger verschieben und einen festen Messpunkt auswählen, um auf ein Motiv außerhalb der Bildmitte zu fokussieren. Spiegelreflexkameras haben drei, fünf oder mehr feste Messpunkte, die im Sucher dargestellt sind.

Bild 2.24 Im Sucher werden die Autofokus-Messfelder von digitalen Spiegelreflexkameras durch Markierungen (hier rechteckig) dargestellt. Über eine Taste am Gehäuse lassen sich die Messfelder einzeln anwählen, um auch auf Motive außerhalb der Mitte scharf zu stellen.

Jeder Messpunkt kann einzeln angewählt werden und ist dann für die Fokussierung zuständig. Gerade bei Motiven, die sich nicht in der Bildmitte befinden, ist die Verschiebung oder Anwahl eines Autofokus-Messpunkts sinnvoll. Wie Sie die Autofokus-Messpunkte auswählen und den Messpunkt einer digitalen Kompaktkamera verschieben, erfahren Sie im Handbuch Ihrer Kamera.

2.3.4 Autofokus für unbewegliche und bewegliche Motive

Bei besser ausgestatteten Digitalkameras können Sie zusätzlich auch die Arbeitsmethode des Autofokus auswählen. Man unterscheidet hier den Autofokus für unbewegliche und für bewegliche Motive.

Die übliche Standardeinstellung für die Arbeitsweise des Autofokus ist dafür vorgesehen, statische oder sich nur langsam bewegende Motive zu fotografieren. Schnappschüsse, aber auch bewusst gestaltete Landschafts- und Gebäudeaufnahmen oder Stillleben lassen sich damit am besten realisieren.

Die zweite Methode ist der nachführende Autofokus, über den nur hochwertige Digitalkameras und Spiegelreflexmodelle verfügen. Sie funktioniert am besten bei Motiven, die sich mit relativ konstanter Geschwindigkeit auf die Kamera zu oder von ihr weg bewegen. Das Autofokus-System passt den Schärfepunkt ständig neu an und berechnet sogar die Zeit zwischen dem Drücken des Auslösers und dem Öffnen des Verschlusses mit ein, um das Hauptmotiv in der Schärfe zu halten. Der Umgang mit dem nachführenden Autofokus kann anfangs ein wenig frustrierend sein, da die Ausbeute an wirklich scharfen Bildern nie so hoch ist, als würden Sie statische Motive fotografieren. Machen Sie beim nächsten Radrennen oder dem nächsten Marathonlauf viele Fotos, um zu üben. Wenn beim Arbeiten mit dem nachführenden Autofokus ein oder zwei perfekte Fotos herausspringen, sollten Sie zufrieden sein. Benutzen Sie bei Sportaufnahmen ein **Einbeinstativ**.

HINWEIS **Einbeinstativ**

Wenn Sie mit dem nachführenden Autofokus arbeiten, sollten Sie ein Stativ benutzen. Für Sportaufnahmen hilfreich ist ein Einbeinstativ, weil Sie damit schnell den Standort wechseln können. Dreibeinstative sind zwar noch stabiler, mit ihnen kann es aber ziemlich schwierig werden, sich durch Zuschauerreihen zu zwängen.

Bild 2.25 Dies ist ein typischer Fall für den nachführenden Autofokus. Wenn Ihre Kamera mit einer solchen Funktion ausgestattet ist, können Sie bewegte Motive leichter in der Schärfe halten.

TIPP **Auf den Autofokus im Nahbereich verzichten**

In der Makrofotografie kann es sinnvoll sein, auf den Autofokus zu verzichten und manuell zu fokussieren. Im Nah- und Makrobereich ist die Schärfentiefe sehr gering und daher die richtige Fokussierung für gelungene Aufnahmen enorm wichtig. Deshalb sollten Sie die Schärfe besser manuell einstellen und zum millimetergenauen Scharfstellen die auf einem Stativ befindliche Kamera vor- und zurückbewegen.

Bild 2.26 Mit der Standardeinstellung des Autofokus wird die Kamera auf das Motiv gerichtet und der Auslöser halb durchgedrückt. Dadurch wird der Autofokus aktiviert. Hat die Kamera scharf gestellt, wird der Auslöser ganz durchgedrückt und die Aufnahme gemacht.

2.3.5 Motive außerhalb der Bildmitte fokussieren

Bild 2.27 Um auf die Frau links zu fokussieren, wurde die Kamera zunächst auf sie gerichtet und der Auslöser halb durchgedrückt. Danach wurde die Kamera geschwenkt, um den gewünschten Bildaufbau mit beiden Frauen, die außerhalb der Bildmitte sitzen, zu erhalten.

Viele Schnappschusskameras verfügen nicht über die Möglichkeit, den Autofokus-Messpunkt zu verschieben. In diesem Fall müssen Sie die Fokuseinstellung speichern, um ein außermittiges Motiv zu fotografieren. Dazu richten Sie die Kamera auf das Hauptmotiv und drücken den Auslöser halb durch. Wird die Kamera im Automatikmodus betrieben, werden dadurch die Belichtungswerte und auch die Fokussierung festgelegt. Wenn Sie den Auslöser halb durchgedrückt halten, verändern sich Belichtungswerte und Fokussierung nicht, und Sie können die Kamera so schwenken, dass sich das Hauptmotiv nicht mehr in der Bildmitte befindet. Klassisches Beispiel: Fotografieren Sie zwei Menschen, die etwas entfernt voneinander stehen, fokussieren Sie zunächst auf eine der Personen mit halb gedrücktem Auslöser, schwenken die Kamera dann auf die Mitte zwischen den beiden und drücken den Auslöser schließlich ganz durch. Würden Sie die Kamera auf den Bereich zwischen den Personen richten, würde der Autofokus auf den Hintergrund scharf stellen.

2.3.6 Arbeiten mit der manuellen Fokussierung

Digitale Kompaktkameras der Mittel- und Oberklasse erlauben es, manuell zu fokussieren. Um auf den manuellen Modus umzustellen, muss entweder ein Knopf am Kameragehäuse gedrückt oder eine entsprechende Einstellung im Kameramenü angewählt werden.

Üblicherweise erscheint der Bereich des Autofokus-Messpunkts im Sucher oder auf dem Display dann vergrößert, damit man das Hauptmotiv etwas besser im Blick hat und die Schärfe kontrollieren kann. Mit einem Wippenschalter oder durch Drehen am Objektiv fokussieren Sie dann.

Fotografieren Sie mit einer digitalen Spiegelreflexkamera, ist die manuelle Fokussierung immer möglich, sobald ein Schalter am Objektiv umgestellt wird. Mit manchen älteren oder Spezialobjektiven lässt sich der Autofokus nicht nutzen. Deshalb müssen Sie hier immer manuell scharf stellen.

Bild 2.28 Bei dieser Kamera muss der Knopf MF gedrückt werden, um vom Autofokus zum manuellen Fokus zu wechseln.

2.3.7 Grundlegende Tipps zur perfekten Fokussierung

- Wenn Ihre Kamera kein spezielles Messfeld bietet, sollten Sie sich angewöhnen, immer zuerst auf Ihr Hauptmotiv zu fokussieren, den Auslöser halb durchzudrücken und dann die Bildgestaltung vorzunehmen. Das erspart Ihnen misslungene Bilder mit unscharfen Personen, aber einem perfekten Hintergrund.

- Die meisten Kameras brauchen ein wenig Zeit, um das Motiv scharf zu stellen. Allerdings können Sie bei vielen Modellen »durchdrücken«, also die Kamera zwingen, den Fokussierungsprozess abzubrechen. Dabei werden die Bilder jedoch mit großer Wahrscheinlichkeit unscharf. Es gibt auch Kameras, die nicht auslösen, wenn der Autofokus nicht meldet, dass korrekt scharf gestellt ist. Hier hilft dann nur, auf manuellen Fokusbetrieb umzustellen.

- Neben der Zeit für die Scharfstellung sollten Sie auch noch die Auslöseverzögerung einplanen. Gerade bei Tieren oder Kindern kann die Kombination beider Wartezeiten kritisch werden. Denn schnell ist eine schöne Fotosituation vorüber.

- Der Autofokus funktioniert besser bei hellem Umgebungslicht. Wenn Sie abends im Freien oder in schlecht beleuchteten Räumen fotografieren, kann dabei der Wechsel zur manuellen Scharfstellung sinnvoll sein.

- Üben Sie die manuelle Fokussierung anhand der Angaben im Handbuch Ihrer Kamera. Stehen Sie vor einer schwierigen Situation und der Autofokus funktioniert nicht, ist es zu spät, sich mit der Handhabung vertraut zu machen.

TIPP **Schnell nähernde Objekte besser manuell fokussieren**

Um ein sich schnell näherndes Objekt scharf zu fotografieren, kann die manuelle Fokussierung manchmal die bessere Lösung sein. Stellen Sie den Fokus dazu manuell auf einen Punkt ein, den das bewegte Objekt passieren wird. Wenn Sie den Verschluss zum richtigen Zeitpunkt, an dem das Motiv den fokussierten Punkt erreicht, auslösen, wird es scharf abgebildet. Vermutlich müssen Sie für diesen Trick ein wenig mit Ihrer Kamera üben, um herauszufinden, wie lange die so genannte Auslöseverzögerung ist. Darunter versteht man die Zeit zwischen dem Betätigen des Auslösers und dem Öffnen des Verschlusses. Bei vielen digitalen Kompaktkameras liegt die Auslöseverzögerung bei einigen Zehntelsekunden. An dieses Zeitintervall müssen Sie sich erst gewöhnen. Der Auslöser wird entsprechend kurz vor dem Zeitpunkt ausgelöst, an dem das Objekt den richtigen Punkt erreicht.

2.4 Bildrauschen – wahrnehmbar oder nicht?

Schnappschüsse aus dem Urlaub haben es, mehr noch Fotos im schummrigen Abendlicht und am meisten Langzeitbelichtungen über mehrere Sekunden – Bildrauschen. Dieses technische Problem jeder Digitalkamera kann nicht völlig unterdrückt werden. Jeder digitale Bildsensor ist von einem gewissen Grundrauschen betroffen. Dessen Intensität ist von verschiedenen Faktoren abhängig und je nach Güte des Sensors und der Kameraelektronik bei normalen Aufnahmen nicht wahrnehmbar. Das Rauschen entsteht bei der Umwandlung des vom

Sensor aufgenommenen Lichtsignals in digitale Werte. Das Grundrauschen kann durch den Fotografen nicht beeinflusst werden, wohl aber die Verstärkung des Rauschens in bestimmten fotografischen Situationen.

Vergleichbar ist das Grundrauschen eines Kamerasensors mit dem mehr oder weniger hörbaren Rauschen eines Mikrofons. Je besser das Mikro ist, desto weniger wahrnehmbar ist das Rauschen aus den Lautsprechern. Das Rauschen hat in beiden Fällen seine Ursache in elektrischen Spannungen und der Umwandlung der von der Aufnahmeeinheit empfangenen Signale Ton (beim Mikrofon) bzw. Licht (bei der Digitalkamera). Das Bildrauschen lässt sich am Computer mithilfe der Bildbearbeitung zwar nicht völlig retuschieren, zumindest aber eindämmen. Diese Korrektur geht allerdings immer mit mehr oder weniger hohen Schärfeverlusten einher.

Bild 2.29 Die Aufnahme des Rennwagens entstand analog mit hoch empfindlichem Filmmaterial. Das Bildrauschen ist dem von digitalen Bildern durchaus ähnlich. Die feinsten Strukturen des groben Filmkorns sind jedoch ein wenig weicher als die eckigen Pixel einer digitalen Aufnahme, wie in der Ausschnittvergrößerung unten zu sehen ist.

Bild 2.30 Das Foto der Lampe wurde mit einer Empfindlichkeit von ISO 1600 aufgenommen und weist das für diese Empfindlichkeit typische starke Bildrauschen auf. In der Ausschnittvergrößerung sind die »pixeligen« Strukturen gut zu erkennen.

2.4.1 Hauptursache für das Bildrauschen

Die in Digitalkameras eingesetzten Sensoren haben sehr kleine Flächen bei immer höher werdenden Auflösungen. Waren noch vor vier Jahren drei Megapixel (entspricht drei Millionen Pixel) ein Maßstab für eine Digitalkamera, sind es heute acht bis zwölf Megapixel, die eine Kamera für ein Foto erfassen und verarbeiten kann. Der Trend geht weiter zu höheren Auflösungen. Bei gestiegener Auflösung sind die Sensorflächen jedoch kaum vergrößert worden, sodass nun auf der gleichen Fläche doppelt so viele Einzelsensoren angeordnet werden müssen. Je kleiner die einzelnen jeweils für einen Bildpunkt zuständigen Sensoren auf einem CCD- oder CMOS-Chip sind, desto weniger Licht bekommt der einzelne Sensorpunkt bei der Belichtung ab. Aus diesem Grund müssen die empfangenen Signale deutlicher als bei größeren Einzelsensoren verstärkt werden. Diese Verstärkung bewirkt – einfach gesagt – mehr Erwärmung, was eine Hauptursache für das von Signalverarbeitungsfehlern verursachte Bildrauschen ist.

Damit wird klar, warum großflächigere (teurere) Chips, wie sie beispielsweise in digitalen Spiegelreflexkameras eingesetzt werden, grundsätzlich eine bessere Bildqualität liefern als die kleinen Chips von Kompaktkameras. Zum Vergleich: Eine oft eingesetzte Sensorgröße in digitalen Kompaktkameras ist der 1/1,8"-Chip (ca. 7 x 5 mm), wogegen der Sensor z. B. einer aktuellen Spiegelreflexkamera -eine Größe von ca. 23 x 16 mm hat. Beide Sensorarten gibt es mit identischer Auflösung, was bedeutet, dass die einzelnen Sensorelemente auf dem großen Chip deutlich größer sind und mehr Licht bei ansonsten gleicher Belichtung empfangen.

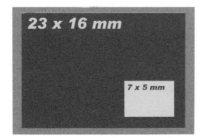

Bild 2.31 Die gelbe Fläche entspricht der Größe eines 1/1,8"-Sensors, die rote der eines so genannten Halbformat-Chips einer digitalen Spiegelreflexkamera. Beide Sensortypen können die gleiche Auflösung von z. B. 8 Megapixeln haben.

2.4.2 Je höher der ISO-Wert, umso höher das Bildrauschen

Haben Sie bisher analog fotografiert, kennen Sie das Phänomen: Je empfindlicher der Film (ISO 400, 800, 1600 etc.) ist, desto deutlicher tritt das Filmkorn bei der Vergrößerung zutage. Der Vorteil hoch empfindlicher Filme bzw. höherer Empfindlichkeit bei einer Digitalkamera ist, dass Sie auch unter widrigen Lichtverhältnissen noch Fotos machen können. Diesen Vorteil erkauft man sich mit grobkörnigeren Aufnahmen (Film) bzw. höherem Bildrauschen (digital). Bei der Erhöhung der Empfindlichkeit werden die Signale, die vom Aufnahme-Chip der Digitalkamera erfasst werden, elektronisch verstärkt – die Ursache für stärkeres Bildrauschen, da das oben angesprochene Grundrauschen ebenfalls verstärkt wird.

Obwohl Filmkorn und Bildrauschen jeweils auf höhere (Film-)Empfindlichkeit zurückgehen, sehen die störenden Strukturen beim Vergleich digitaler und analoger Fotos völlig anders aus. Dennoch hat sich im Fachjargon eingebürgert, das Bildrauschen mit grobem Filmkorn gleichzusetzen. Hier wie dort entstehen feinste sichtbare Strukturen, die die Qualität eines Bildes beeinträchtigen.

2.4.3 Aufhellung deutlich unterbelichteter Aufnahmen

Einen ähnlichen Effekt wie durch hoch empfindliches Filmmaterial erhält man in der analogen Fotografie, wenn man seinen Film bei der Entwicklung **pushen** lässt. Auch hier tritt das **Filmkorn** deutlich hervor und die Kontraste werden stärker. Ganz ähnlich in der Digitalfotografie: Hellen Sie ein Digitalfoto, das deutlich unterbelichtet wurde, bei der Bildbearbeitung auf, wird das vor allem in den Tiefen

(Schattenpartien) des Bildes vorhandene Bildrauschen verstärkt. Eigentlich homogene Flächen zeigen dabei Helligkeits- und Farbrauschen. Je mehr Sie aufhellen, desto schlimmer werden diese ungewollten Strukturen und desto schlechter lassen sie sich mithilfe der Bildbearbeitung korrigieren.

Bild 2.32 In dem Bildausschnitt links sieht man deutlich die eckigen Pixel des Digitalfotos. Die schattigen Bereiche des Originals wurden per Bildbearbeitung aufgehellt. So eine künstliche Aufhellung bewirkt immer, dass die für Digitalfotos typischen Pixel-Strukturen sehr deutlich hervorgehoben werden.

HINWEIS Pushen

Eine Technik, bei der analoges Filmmaterial anders als eigentlich vorgeschrieben entwickelt wird, weil der Fotograf die Kamera auf eine andere als die für den Film vorgeschriebene Empfindlichkeit eingestellt hatte.

Filmkorn

Ähnlich den Pixeln in der Digitalfotografie besteht die Bildinformation auf einem Stück analogen Films aus kleinsten Punkten bzw. Körnern. Wird ein analoges Foto stark vergrößert, werden diese Strukturen, die man als Filmkorn bezeichnet, sichtbar.

Bild 2.33 Das Foto des Bibers ist um drei Stufen unterbelichtet. Wenn man es bei der Bildbearbeitung aufhellt, wird das in jedem Digitalfoto vorhandene Grundrauschen deutlich sichtbar. Achten Sie deshalb darauf, immer möglichst korrekt zu belichten, da der Korrektur per Computer Grenzen gesetzt sind.

2.4.4 Falsch gespeicherte Farbinformationen einzelner Bildpunkte

Wenn man im Zusammenhang mit Digitalkameras von Bildrauschen spricht, meint man in erster Linie das Helligkeitsrauschen. Dabei werden Motivbereiche, die in natura eigentlich gleichmäßig hell sind, mit einer Struktur von unterschiedlich hellen Bildpunkten dargestellt. Der Sensor der Digitalkamera gibt also die Pixel-Informationen für die Helligkeit falsch weiter. Die Ursachen für das Farbrauschen sind die gleichen. Beim Farbrauschen werden nicht nur die Helligkeits-, sondern auch die Farbinformationen von einzelnen Bildpunkten falsch gespeichert.

2.4.5 Bildrauschen in Abhängigkeit der Bildgröße

Bild 2.34 In der großen Aufnahme ist das Bildrauschen noch deutlich zu sehen, beim kleinen Bild fällt es nicht mehr ins Gewicht. Seien Sie also nicht voreilig beim Löschen verrauschter Bilder: Für das Internet oder als Teil einer Bildcollage sind verrauschte Aufnahmen vielleicht noch zu gebrauchen.

Da sich Bildrauschen in winzigen Strukturen zeigt, hängt der optische Eindruck eines verrauschten Bildes von der Größe des gezeigten Motivs ab. Reduzieren Sie z. B. bei der Bildbearbeitung eine 8-Megapixel-Aufnahme, die problemlos in einer Größe von 20 x 30 cm in Fotoqualität ausgedruckt werden kann, auf eine Fläche von 200 x 300 Bildpunkten für die Präsentation auf einer Internetseite, bleibt von leichtem Bildrauschen nichts mehr übrig. Die Strukturen sind einfach zu klein, um bei einer derart verringerten Bildfläche noch als störend empfunden zu werden. Vergrößern Sie umgekehrt eine verrauschte Bilddatei mit beispielsweise 2000 x 1500 (3 Megapixel) auf etwa 6 Megapixel für den Ausdruck im Format A4, wird das Bildrauschen mit vergrößert und dadurch noch klarer erkennbar.

2.4.6 Zu hohe Arbeitstemperaturen tragen zu Bildrauschen bei

Wie schon erwähnt, wird Bildrauschen durch die Erwärmung des Aufnahme-Chips verstärkt. Aber auch die Umgebungs- und die Arbeitstemperatur der Kamera haben Einfluss darauf. Je wärmer die Umgebung ist, in der Sie fotografieren, desto größer ist auch die Gefahr des Bildrauschens etwa in den Schattenpartien eines Motivs. Es gibt übrigens digitale Profikameras für den Studiobereich, deren Betriebstemperaturen künstlich extrem reduziert werden (um -100 °C), um das Bildrauschen effektiv zu unterdrücken.

Ein weiterer Faktor, der zur Erhöhung der Betriebstemperatur des Sensors führt: Die auf dem Kameradisplay gezeigte Vorschau wird ebenfalls durch den Sensor erzeugt. Je länger Sie vor einer Aufnahme mit dem Display oder dem elektronischen Sucher (**EVF**) arbeiten, desto stärker heizt sich der Chip auf, weil er dabei Licht empfängt und in Bildsignale umwandelt. Um die Erhitzung des Sensors vor der Aufnahme zu verhindern, müsste Ihre Kamera über einen optischen

Sucher verfügen. Eine andere Möglichkeit ist es, die Kamera erst kurz vor der Aufnahme einzuschalten und sich beim Festlegen des Bildausschnitts und beim Auslösen zu beeilen. Da viele digitale Kompaktkameras elektronische Sucher verwenden und keine optischen Sucher haben, sollte bei kritischen Motiven und Einstellungen (Dunkelheit/Nacht, hohe ISO-Empfindlichkeit) zwischen dem Einschalten der Kamera und dem Auslösen nicht zu viel Zeit vergehen.

HINWEIS **Rauschen in Schatten**

Viele Digitalkameras sind so eingestellt, dass sie eher zu dunkel als zu hell belichten. Das ist insofern sinnvoll, als sich aus dunklen Bereichen bei der Bildbearbeitung noch Informationen herausholen lassen, aus zu hellen (weißen) Bildstellen dagegen nicht. Leider wird durch die Aufhellung dunkler Bildbereiche mithilfe der Bildbearbeitung das dort vorhandene Rauschen verstärkt. Versuchen Sie deshalb immer, ein Foto möglichst exakt zu belichten, damit eine künstliche Aufhellung nicht nötig ist.

HINWEIS **EVF**

Electronic View Finder, zu Deutsch elektronischer Sucher. Der Mini-Monitor ersetzt bei vielen Digitalkameras den optischen Sucher. Der Vorteil: Er präsentiert einen Blick durch das Objektiv, weil die Darstellung vom Kamerasensor generiert wird. Die Darstellung im elektronischen Sucher ist identisch mit dem Bild auf dem Display auf der Kamerarückseite. Der Nachteil: Weil der Sensor permanent aufnimmt, um das Sucherbild zu erzeugen, wird er erwärmt. Dies verstärkt das Bildrauschen.

TIPP **Rauschen visuell kontrollieren**

Leider ist die Kontrolle der Intensität des Bildrauschens auf den kleinen Kameradisplays mit ihren niedrigen Auflösungen nur sehr unzureichend möglich. Selbst wenn Ihre Kamera über eine Lupenfunktion zur Vergrößerung der aufgenommenen Bilder verfügt, sieht man auf dem Display nicht genügend Details. Für eine wirklich exakte Kontrolle sollten Sie Ihre Fotos immer am Computermonitor begutachten.

2.4.7 Bildrauschen in Abhängigkeit der Motivsituation

Es gibt einige Motivsituationen, bei denen die Gefahr von Bildrauschen ganz besonders gegeben ist. Allerdings lassen sich fast immer Tricks anwenden, um das Rauschen zumindest in Grenzen zu halten.

HINWEIS **Integrierte Rauschunterdrückung**

Manche Digitalkameras entfernen bis zu einem gewissen Grad schon während der Bildverarbeitung durch die Kamerasoftware störendes Bildrauschen. Diese internen Filtermechanismen sind je nach Qualität der Kamera mehr oder weniger erfolgreich. Einer mit hoher Empfindlichkeit von z. B. ISO 800 gemachten Aufnahme sieht man auch trotz integriertem Rauschfilter immer die typischen Rauschstrukturen an.

Innenaufnahmen

Bild 2.35 Orchestergräben sind meist dunkel und nur vom Licht der Notenpulte beleuchtet, sodass für richtig belichtete Fotos mit hoher Empfindlichkeit fotografiert werden muss. Weil für korrekte Belichtung (Blitzen war nicht erlaubt) die Empfindlichkeit maximal erhöht werden musste (auf ISO 1600), entstand kräftiges Bildrauschen.

Die meisten Digitalkameras, mit denen sich vollautomatisch oder mit Motivprogrammen fotografieren lässt, steuern neben den Belichtungswerten für Blende und Verschlusszeit auch die ISO-Empfindlichkeit automatisch. Steht die Kamera auf Vollautomatik, wird bei geringem Umgebungslicht automatisch der Blitz zugeschaltet, was zu korrekt belichteten Bildern ohne nennenswertes Bildrauschen führt. Sie können den Blitz aber meist auch manuell abschalten, wenn es darum geht, eine Lichtstimmung einzufangen. Dann muss entweder durch die Kameraautomatik oder manuell die Empfindlichkeit erhöht werden, um die Verschlusszeiten so gering wie möglich zu halten. Höhere Empfindlichkeit bedeutet, dass weniger Licht (kürzere Verschlusszeit) für eine korrekte Belichtung nötig ist. Leider wird dabei auch das Bildrauschen verstärkt. Möchten Sie das verhindern, bleibt nur der Griff zum Stativ, um trotz niedriger Empfindlichkeit von z. B. ISO 100 und längerer Verschlusszeit nicht zu verwackeln. Fotografieren Sie jedoch z. B. Menschen auf einer Veranstaltung im Abendlicht, werden Sie mit Unschärfen der sich bewegenden Personen zu kämpfen haben. Ein tragbarer Kompromiss wäre hier, die Empfindlichkeit nur ein wenig zu erhöhen und dafür eine etwas längere Verschlusszeit und leichtes Bildrauschen in Kauf zu nehmen.

Langzeitbelichtungen

Von einer Langzeitbelichtung spricht man dann, wenn der Verschluss der Kamera einige Sekunden lang geöffnet bleibt und während dieser Zeit der Sensor Signale aufzeichnet. Wie schon gesagt, erwärmt sich der Sensor bei der Belichtung, und das Rauschen wird verstärkt. Je dunkler das Umgebungslicht, je niedriger die eingestellte Empfindlichkeit und je kleiner die Blende (großer Blendenwert), desto länger muss belichtet werden. Das heißt für die Praxis: Öffnen Sie, damit in kürzerer Belichtungszeit mehr Licht auf den Sensor gelangt, die Blende so weit (kleinerer Blendenwert), dass die erzielte Schärfentiefe gerade noch ausreicht. Mit zunehmender Größe der eingestellten

Blende wird die Schärfentiefe geringer. Das kann Probleme verursachen, wenn das fotografierte Motiv – etwa eine in die Tiefe gehende Gebäudefront – eine gewisse Schärfentiefe verlangt. Fokussieren Sie in diesem Fall besonders exakt auf das Hauptmotiv.

Bild 2.36 Für die nächtliche Ansicht der Gasse war eine Belichtungszeit von mehreren Sekunden nötig. Mit ein wenig Bildbearbeitung konnte das Bildrauschen auf ein erträgliches Maß reduziert werden.

Zusätzlich können Sie die Empfindlichkeit auf einen höheren Wert stellen, wobei das Bildrauschen durch hohe ISO-Werte wiederum verstärkt wird. Versuchen Sie also einen Kompromiss zu finden, bei dem die Empfindlichkeit nicht zu hoch, der Blendenwert möglichst klein und die Belichtungszeit entsprechend kürzer ausfällt.

2.4.8 Was man zur Vermeidung von Bildrauschen tun kann

- Eine etwas bessere Beleuchtung oder der richtige Blitzeinsatz kann die Entstehung von Bildrauschen reduzieren. Achten Sie vor allem bei Kompaktkameras auf eine ausreichende Beleuchtung.

- Verzichten Sie bei rauschanfälligen Kameras – ob Ihre dazugehört, sagen Ihnen nicht nur Testberichte, sondern auch Ihre Ergebnisse – auf ISO-Werte oberhalb von 200. Das begrenzt das Rauschverhalten.

- Nutzen Sie bei digitalen Spiegelreflexkameras nicht die höchstmöglichen ISO-Werte, wenn Sie Rauschen vermeiden möchten.

- Das Zusammenwirken verschiedener Kunstlichtquellen (Raumbeleuchtung und Blitz) kann das Farbrauschen auf Hautpartien deutlich verstärken. Versuchen Sie, anders auszuleuchten.

- Achten Sie bei der Langzeitbelichtung auf Erschütterungsfreiheit. Öffnen Sie den Verschluss über einen Fernauslöser und platzieren Sie das Stativ z. B. auf Steinboden.

2.5 Hot-Pixel – kein Grund zur Beunruhigung

Eine Zeit lang konnte man in Internetforen zur Digitalfotografie Diskussionen über so genannte Hot-Pixel verfolgen, die selten von fundiertem Fachwissen geprägt waren. Das Wichtigste vorweg: Jede Digitalkamera bzw. jeder Digitalkamerasensor produziert Hot-Pixel, die bei den meisten Aufnahmen unter normalen Bedingungen nicht sichtbar sind.

Diese als winzige, helle Punkte sichtbaren Pixel-Fehler von unter bestimmten (extremen) Bedingungen aufgenommenen Digitalfotos entstehen nicht, weil an dieser Stelle eine der Dioden des Sensors defekt wäre. Solche defekten Dioden nennt man **Stuck-Pixel**. Vielmehr sitzt an der Fehlerstelle ein Aufnahmeelement, dessen Ladung nicht hundertprozentig mit der der anderen Pixel übereinstimmt. Die Diode arbeitet zwar, leitet ihre Information bei der Aufnahme nur anders weiter als die benachbarten Dioden. Der Fehler an einzelnen Dioden kann z. B. durch die unvermeidbaren Verunreinigungen des für die Chip-herstellung notwendigen Siliziums entstehen. Eine gewisse Anzahl von Hot-Pixeln ist normal und kein Grund für den Kamera-Umtausch.

HINWEIS **Stuck-Pixel**

Pixel-Fehler, die unter allen Aufnahmebedingungen und Belichtungseinstellungen gleichermaßen auftreten. Bei jedem aufgenommenen Motiv ist an der gleichen Stelle der Bildfehler sichtbar, weil eine einzelne Diode auf dem Sensor der Digitalkamera defekt ist. Im Gegensatz zu Stuck-Pixeln treten Hot-Pixel vor allem bei Langzeitbelichtungen und Fotos auf, die mit hoher ISO-Empfindlichkeit gemacht wurden.

Bild 2.37 Um die Verteilung von Hot-Pixeln zu testen, wurde für diese Aufnahme (Größe ca. 2600 x 1950 Pixel) das Objektiv einer fabrikneuen Kamera verdeckt. Das Bild entstand mit der Empfindlichkeit von ISO 400 bei einer Verschlusszeit von einer Sekunde. Hot-Pixel sind nicht erkennbar. Deshalb sind bei »normalen« Aufnahmen keine Probleme zu erwarten.

Bild 2.38 Dies ist ein 645 x 430 Pixel großer Ausschnitt aus der ersten Abbildung links unten, der für den Druck um 300% vergrößert wurde. Bei dieser Vergrößerung werden erste zu helle Pixel sichtbar.

Bild 2.39 Bei dieser wiederum um 300% vergrößerten Ansicht (Ausschnitt von 225 x 150 Pixeln) sieht man deutlich, dass einige Pixel ihre Farb- und Helligkeitsinformationen nicht ganz korrekt weiterge-ben. Hot-Pixel sind zwar vorhanden, machen sich jedoch bei un-ter normalen Umständen aufgenommenen Fotos nicht als störend bemerkbar.

2.5.1   Hellere Bildpunkte aus dem Nichts

Hot-Pixel werden dann deutlich sichtbar, wenn der Chip bei Lang-zeitbelichtungen oder bei Fotos mit hoher Empfindlichkeit (ISO 400 und höher) übermäßig erwärmt wird. Die fehlerhaften Dioden lie-fern mit zunehmender Belichtungszeit oder Empfindlichkeit im Ver-gleich zu den benachbarten Sensoren immer hellere Bildpunkte. Die-se Punkte können verschiedenfarbig oder weiß sein.

Unter normalen Lichtbedingungen und mit Standardeinstellungen für Belichtung und Empfindlichkeit sind die Ladungsschwankungen nicht so hoch, als dass drastische Unterschiede zu den normalen Pixeln produziert würden. Erst bei Belichtungszeiten von mehr als einer viertel oder halben Sekunde, wie sie z. B. für die Ansicht eines in der Nacht angestrahlten Gebäudes nötig sind, können die Hot-Pixel als störend wahrgenommen werden.

Bild 2.40 Bei einer so perfekt gelungenen Nachtaufnahme könnten Hot-Pixel zum Problem werden, wenn Ihre Kamera die unschönen hellen Punkte bei langer Belichtungszeit produziert. Allerdings würde sich bei einem so tollen Motiv die Retusche mithilfe der Bildbearbeitung auf jeden Fall lohnen.

2.5.2 Hot-Pixel automatisch oder manuell retuschieren

Um die Bildung von Hot-Pixeln einzuschränken, achten Sie darauf, die Kamera bzw. den Sensor nicht unnötig zu erwärmen. Schalten Sie die Kamera erst kurz vor der Aufnahme ein. Je länger der Sensor schon vor der Aufnahme unter Spannung steht, um das Vorschaubild auf dem Display zu produzieren, desto wärmer wird er. Moderne Digitalkameras nehmen sich des Problems der Hot-Pixel bereits bei der Speicherung der Bilddaten an. Bei ihnen werden Hot-Pixel durch spezielle Filterverfahren automatisch retuschiert. Sind auf den Aufnahmen später bei der Kontrolle am Computerbildschirm immer noch störende Hot-Pixel zu sehen, können Sie die winzigen Bildfehler mit ein paar Mausklicks per Bildbearbeitung retuschieren.

2.6 Auflösung als Gradmesser für die Bildqualität

Wenn man bei einer Digitalkamera von der Auflösung spricht, meint man damit die Anzahl an Pixeln, die der Sensor der Kamera aufnehmen und speichern kann. Diese Angabe ist ein entscheidendes Kriterium für die Qualität einer Digitalkamera. In der Fotografie jahrzehntelang maßgebliche Aspekte wie Objektivqualität und Abbildungsgüte rutschen dagegen in den Hintergrund. Was aber ist ein Pixel – Pixel setzt sich zusammen aus den englischen Begriffen »picture« und »element« – in einem Digitalfoto eigentlich?

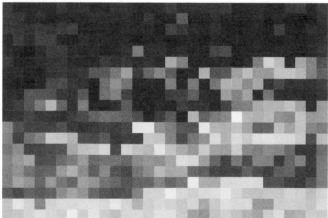

Bild 2.41 Die gleiche Aufnahme, oben mit 1200 x 900 Pixeln Kameraauf-
lösung (ca. 1,1 Megapixel), unten mit 30 x 20 Pixeln (300 Pixel).
Es gibt keine Kamera, die mit nur 600 Pixeln Auflösung Fotos
macht. Diese wären sonst aus lediglich 300 quadratischen Pixeln
zusammengesetzt.

Ein Pixel oder Bildpunkt ist die kleinste Bildeinheit in der Digitalfotografie. Sie hat einen bestimmten Helligkeits- und Farbwert. Diese
Werte und die Information zu seiner Lage im Bild definiert ein Pixel
in einer so genannten **Bitmap**. Alle Digitalfotos werden auch als
Bitmap-Bilder bezeichnet. Je höher die Auflösung eines Fotos ist, desto mehr Pixel hat es und desto mehr digitale Informationen stehen in
der Bilddatei, die das Foto definiert.

HINWEIS   **Bitmap**

Eine aus quadratischen Einheiten bestehende Matrix. Bei der
Bildbearbeitung werden die Informationen einzelner Pixel in der
Bitmap verändert. Die Größe einer Bitmap-Grafik ist abhängig
von der Auflösung, also der Anzahl an Pixeln, die auf der Matrix-
fläche verteilt sind.

Ein Bildpunkt in der digitalen Fotografie sowie in der gesamten com-
putergestützten Welt der digitalen Bildverarbeitung ist quadratisch.
Hätte ein Foto die theoretische Auflösung von 300 Pixeln – moderne
Kameras liefern 8 Millionen Pixel –, würde es aus 20 x 15 quadratischen und deutlich sichtbaren Bildpunkten zusammengesetzt. Damit
ist klar: Je höher die Auflösung eines Sensors bzw. der aufgenommenen Fotos ist, desto weniger werden einzelne Bildpunkte auf einem
Ausdruck sichtbar und desto mehr und feinere Details eines Motivs
sind zu erkennen.

2.6.1 Je mehr Bits, umso präziser die Darstellung

Fotografieren Sie einen sanften Sonnenuntergang mit analogem Film-material, wird der Farbverlauf am Himmel stufenlos vom Film aufge-nommen und wiedergegeben. Die Helligkeits- und Farbunterschiede zwischen benachbarten Punkten auf analogem Filmmaterial sind höchstens unter dem Mikroskop zu erkennen. Bei digitalen Bildern dagegen nehmen die nebeneinander liegenden Bildpunkte etwa bei dem Farbverlauf eines Himmels während des Sonnenuntergangs mathematisch unterschiedliche Werte an, wodurch scharfkantige Stu-fen entstehen. Diese Abstufungen sind jedoch nicht wahrnehmbar, wenn der Unterschied zwischen einzelnen Bildpunkten besonders klein ist. Digitalfotos bestehen aus Bildpunkten, die über 16,7 Millio-nen unterschiedliche Farb- und Helligkeitswerte annehmen können. Wie kommt diese Zahl zustande?

Computer und Geräte, die digitale Daten verarbeiten, verstehen lediglich das mathematische Binärsystem. Ein elektrischer Schalter kann zwei Zustände annehmen, die mit »an« und »aus« oder »0« und »1« bezeichnet werden. Die kleinste Informationseinheit in der digi-talen Datenverarbeitung heißt Bit und kann entweder den Wert 1 oder den Wert 0 annehmen. Hätte ein Bildpunkt nur die beiden Zustände »Weiß« oder »Schwarz«, würde als Informationseinheit 1 Bit genügen, damit ein Computer oder eine Digitalkamera den Bild-punkt beschreiben kann. Eine Bilddatei, deren Pixel nur jeweils 1 Bit an Informationen enthielten, wäre eine Strich- bzw. Punktgrafik aus schwarzen und weißen Pixeln. Graustufen gäbe es nicht.

Bild 2.42 Der sanfte Farbverlauf des Sonnenuntergangs erfordert eine hohe Auflösung und eine ausreichende Menge an Farbinformationen, um als fließend empfunden zu werden. Das Bild unten zeigt eine auf 64 Farben reduzierte Version, in der deutliche Farbsprünge sichtbar werden.

Tab. 2.3 Zahlen im Dezimal- und im Binärsystem

Dezimal	Binär (4 Bit)
0	0000
1	0001
2	0010
3	0011
4	0100
5	0101
6	0110
7	0111
8	1000
9	1001
10	1010
11	1011
12	1100
13	1101
14	1110
15	1111

Ein Bit kann nur zwei Werte (0 und 1) annehmen. Deshalb können mit einem Bit an Information nur zwei Tonwerte beschrieben werden, nämlich Schwarz und Weiß. Eine 1-Bit-Grafik besteht also ausschließlich aus schwarzen und weißen Pixeln. Werden für die Beschreibung eines Pixels zwei Bit verwendet, lassen sich schon vier Zustände (Tonwerte) beschreiben (Schwarz, Weiß und zwei dazwischen liegende Graustufen). Mit vier Bit, also einer vierstelligen Binärzahl, sind 16 Tonwerte (0 bis 15) möglich. Je höher die Anzahl an verfügbaren Bits für die Beschreibung des Zustands eines Bildpunkts ist, desto präziser kann der Punkt digital erfasst werden.

8 Bit (8-stellige Binärzahl) sind ein Byte. Eine 8-stellige Binärzahl kann insgesamt 256 unterschiedliche Werte zwischen 0 und 255 annehmen. Betrachtet man einen Graustufenverlauf von Weiß nach Schwarz, genügen dem menschlichen Auge rund 100 Abstufungen, um den Verlauf als fließend und ohne sichtbare Tonwertstufen wahrzunehmen. 256 Stufen für die digitale Erfassung von Helligkeitsstufen sind also bei Weitem ausreichend. Können von einem Kamerasensor aufgenommene Pixel jeweils einen von 256 Helligkeitswerten annehmen, simuliert dies für das menschliche Auge den Eindruck fließender Übergänge.

Einzelne Dioden auf einem Kamerasensor können nur Helligkeitsunterschiede erfassen. Allerdings liegt über den Sensoren ein Mosaikfilter, der für jeden Pixel nur eine der drei Grundfarben Rot, Grün und Blau durchlässt. Für jeden der drei Farbkanäle speichert eine Digitalkamera 8 Bit an Informationen (256 verschiedene Farbschattierungen), insgesamt also 24 Bit ab. Wie in der Tabelle zu sehen, lassen sich mit 24 Bit über 16,7 Millionen Farbwerte darstellen, was für die Ausgabe eines Fotos auf einem Monitor oder Drucker mehr als genug ist. Diese Festlegung auf 8 Bit pro Farbkanal ist insofern sinnvoll, als die meisten Programme zur Bildbearbeitung am PC maximal nur mit dieser **Farbtiefe** umgehen können. Eine geringere Farbtiefe ist dagegen kein Problem. Einfache Grafiken mit 256 Farben (8 Bit), wie sie oft für einfache Internetillustrationen verwendet werden, lassen sich mit jedem Programm zur Bildbearbeitung erstellen und manipulieren. Für den fotorealistischen Ausdruck von Farbbildern genügt die geringe Informationsmenge von 256 Farben nicht, da bei Verläufen deutlich sichtbare Tonwertsprünge entstehen. Hier sind 24 Bit (8 Bit pro Farbkanal) notwendig. Für einen professionellen Schwarz-Weiß-Ausdruck genügen dagegen 256 Helligkeitsstufen.

HINWEIS **Farbtiefe**

Gibt an, mit wie vielen Abstufungen die Farben eines Farbkanals dargestellt werden können. Die Farbtiefe von 8 Bit pro Farbkanal besagt, dass für jede der Farben Rot, Grün und Blau, aus denen Digitalfotos zusammengesetzt werden, 256 Abstufungen möglich sind. Insgesamt resultiert daraus ein Farbspektrum von ca. 16,7 Millionen Farben (256 x 256 x 256 Farben).

Tab. 2.4 Anzahl erfassbarer Tonwerte

Bit	Tonwerte
1 Bit	2^1
2 Bit	2^2
3 Bit	2^3
4 Bit	2^4
8 Bit	2^8
10 Bit	2^{10}
12 Bit	2^{12}
16 Bit	2^{16}
24 Bit	ca. 16,7 Millionen (2^{24})
48 Bit	2^{48}

HINWEIS **Bildqualität und Auflösung**

Die Auflösung allein sagt noch nichts über die Qualität der Digitalfotos aus. Hier spielen auch die Güte des Objektivs und des Sensors sowie die interne Datenverarbeitung der Kamera eine große Rolle. Es kann also durchaus sein, dass eine Kamera mit vier Millionen Bildpunkten ebenso gute Bilder macht wie ein preiswertes 6-Megapixel-Modell.

Bild 2.43 Das Farbfoto wurde mit 24 Bit Farbtiefe (8 Bit pro Farbkanal) aufgenommen. Die Schwarz-Weiß-Umsetzung besteht ausschließlich aus weißen und schwarzen Pixeln und hat eine Farbtiefe von 1 Bit. Die Reduzierung der Farben verringert auch die Dateigröße. Farbig hat sie eine Größe von ca. 2 MByte (JPG-Datei), die Schwarz-Weiß-Version nur noch von ca. 70 KByte bei gleicher Druckgröße und Auflösung

HINWEIS **48 Bit Farbtiefe bei Scannern**

Moderne Scanner können Vorlagen mit 48 Bit Farbtiefe erfassen. Pro Farbkanal (Rot, Grün, Blau) können also Farbinformationen mit 16 Bit Farbtiefe und damit 65536 Abstufungen je Farbe erzeugt werden. Auch aus extrem feinen Farbverläufen, tiefen Schatten und strahlend weißen Bildstellen sind noch Informationen herauszuholen. Leider trägt der Umstand, dass in vielen Bildbearbeitungsprogrammen wie z. B. Adobe Photoshop Elements nicht von 48-Bit-Dateien, sondern von 16-Bit-Dateien die Rede ist, regelmäßig zu Missverständnissen bei. Gemeint ist in beiden Fällen die gleiche Farbtiefe von 16 Bit pro Farbkanal.

48-Bit-Dateien sind deutlich größer als 24-Bit-Dateien, mit denen Sie unter normalen Umständen arbeiten. Die Arbeit mit 48-Bit-Bildern ist nur dann sinnvoll, wenn man feine Tonwertkorrekturen vornimmt. Für den Ausdruck, die Weitergabe per E-Mail oder die Archivierung muss die Farbtiefe auf 24 Bit (8 Bit pro Farbkanal) reduziert werden.

Bild 2.44 Die beiden Graukeile (oben 256 Stufen, unten 50 Stufen) verdeutlichen, dass die Wahrnehmung eine bestimmte Anzahl an Abstufungen voraussetzt, um einen Farbübergang als fließend zu empfinden. Hier sieht man deutlich die Kanten zwischen den einzelnen Graustufen.

2.6.2 Je höher die Farbtiefe umso größer die Datenmenge

Wie Sie an der Tonwerte-Tabelle sehen können, steigt die Datenmenge mit jedem zusätzlichen Bit, das bei der Bilderfassung zur Verfügung steht, an. Wichtig zu wissen: Jede Erhöhung der Farbtiefe um 1 Bit verdoppelt die Datenmenge. Ein Beispiel: Für eine Graustufendatei genügen 8 Bit, um 256 Abstufungen zwischen Weiß und Schwarz zu beschreiben. Jedes Pixel produziert eine maximale Datenmenge von einem Byte (1 Byte = 8 Bit). Ein Graustufenbild mit der Größe von 2000 x 1500 Pixeln (3 Megapixel) hat demnach eine Datengröße von maximal 3000000 Byte (3 MByte). Wenn das gleiche Motiv nicht in 8, sondern in 16 Bit Farbtiefe (65536 Graustufen) erfasst würde, stiege der Umfang der Datei auf 636 MByte – eine Datenmenge, die in keinem Verhältnis mehr zum Nutzen steht und für die Bildqualität z.B. eines Ausdrucks nichts bringt.

Würde man das gleiche Motiv in der Größe von 2000 x 1500 Pixeln nicht in Graustufen, sondern in Farbe in den drei Farbkanälen Rot, Grün und Blau mit jeweils 8 Bit erfassen, käme man auf eine maximale Datenmenge von 3 x 3 MByte = 9 MByte. Entsprechend würde die Erhöhung der Farbtiefe beim Erfassen des Motivs auf 12 Bit pro Kanal Daten in der Größe von 144 MByte produzieren. Diese hier genannten Dateigrößen sind allerdings nur theoretischer Natur, weil die tatsächliche Größe vom Motiv und der tatsächlichen Helligkeitsverteilung abhängt. In der Praxis werden die Bilddaten außerdem durch **Komprimierung** beim Speichern geringer. Da Bilddaten mit der Erhöhung der Farbtiefe immer riesiger werden und derartige Dateien auf normalen PCs und auch in der Kamera nur sehr langsam verarbeitet werden können, hat sich die Farbtiefe von 24 Bit (8 Bit pro Farbkanal) eingebürgert. Es sollten nicht zu viele Informationen in einer Datei gespeichert sein, damit diese noch sinnvoll verarbeitet werden können.

HINWEIS **Komprimierung**

Reduzierung der Dateigröße durch einen Komprimierungsalgorithmus um bis zu 90% des ursprünglichen Umfangs. Es gibt verlustfreie und verlustbehaftete Komprimierung. Bei der Komprimierung durch ein Zip-Programm oder bei einem Foto als TIF geht kein Bit an Information verloren (verlustfrei). Sobald dagegen ein Digitalfoto als JPG-Datei gespeichert wird – alle Digitalkameras können dies –, wird das Foto einer einstellbaren, mehr oder weniger starken Komprimierung unterzogen. Bei diesem verlustbehafteten Verfahren gehen Bildinformationen beim Speichern verloren.

Bild 2.45 Nur dann, wenn ein Digitalfoto aus genügend Farben besteht, entstehen realistische Abbildungen. Links ist bei der Meeresansicht der Farbverlauf des Himmels realistisch wiedergegeben. Rechts wurde das Originalfoto auf 256 Farben reduziert. Man sieht deutlich die Tonwertsprünge.

HINWEIS **Interne Farbtiefe**

Wenn das Handbuch Ihrer Digitalkamera behauptet, die interne Aufzeichnung von Bildern erfolge mit mehr als 8 Bit pro Kanal – manche Modelle erfassen intern mit 10 oder 12 Bit pro Kanal –, ist das durchaus sinnvoll. Dadurch können mehr Informationen in sehr dunklen und sehr hellen Bildpartien aufgenommen werden. Allerdings werden die Bilddaten beim Speichern wieder in den 24-Bit-Farbmodus umgerechnet, um die Weiterverarbeitung am PC oder den direkten Ausdruck zu gewährleisten.

2.6.3 Verschiedene Bedeutungen für den Begriff Auflösung

Leider haben sich im Laufe der Zeit für den Begriff der Auflösung verschiedene Bedeutungen ergeben, die zu unterscheiden sind. Auflösung hat, je nachdem, über welche Technologie gesprochen wird, einen jeweils anderen Sinn.

Auflösung von Digitalkameras

Die Auflösung einer Digitalkamera wird in Megapixeln angegeben. Der Wert besagt, wie viele einzelne Bildpunkte der Sensor einer Digitalkamera aufzeichnen kann. Sind dies z. B. 3000 x 2000 (6 Millionen) Pixel, hat die Kamera eine Auflösung von 6 Megapixeln.

Auflösung von Monitoren

Auch Monitore haben eine Auflösung, wobei diese nicht in Megapixeln, sondern in Bildpunkten pro Inch (ppi = pixel per inch) angegeben wird. Die Monitorauflösung beträgt je nach Modell zwischen 72 und 96 ppi. In Fachzeitschriften oder Prospekten wird die Monitor-auflösung in der Einheit Druckpunkte pro Inch (dpi = dots per inch) angegeben. Das ist genau genommen nicht ganz richtig. Denn die Maßeinheit dpi bezieht sich korrekterweise auf Drucker oder andere Geräte, die in irgendeiner Weise Punkte auf ein Medium setzen. Die Monitorauflösung wird außerdem auch in der Form Höhe mal Breite (z. B. 1024 x 768 Bildpunkte) ausgedrückt. Das bedeutet für die Praxis: Hat Ihr Monitor eine Auflösung von 1280 x 1024 Bildpunkten (1,3 Megapixel) und würden Sie für eine Aufnahme eine 1,3-Mega-pixel-Kamera verwenden, hätte das Digitalfoto in Originalgröße exakt die Darstellungsfläche des Monitors. Jeder von der Kamera produzier-te Bildpunkt würde also von einem Bildpunkt des Monitors darge-stellt. Würden Sie Ihre Bilder ausschließlich am Monitor anzeigen, genügte also eine 1,3-Megapixel-Kamera. Dass Digitalkameras höhere Auflösungen haben, liegt in der Drucktechnik begründet, die mit den Informationen der Monitorauflösung von 72 bis 96 dpi nur »pixelige« Fotos kläglicher Qualität oder geringer Größe zustande brächte. Wird ein Foto in der Größe von 10 x 15 cm am Monitor angezeigt, muss es dafür nur ca. 72 dpi (die Monitorauflösung) haben, um gut auszuse-hen. Wird es dagegen in der gleichen Größe gedruckt, ist für eine foto-realistische Darstellung eine viel größere Auflösung nötig.

Tab. 2.5 Auflösungen der Monitorformate in der Computerwelt und ihre Kurzbezeichnungen

Kurzbezeichnung	Auflösung
VGA	640 x 480 Pixel
SVGA	800 x 600 Pixel
XGA	1024 x 780 Pixel
SXGA	1280 x 1024 Pixe
SXGA+	1400 x 1050 Pixel (ca. 1,5 Megapixel)

Tab. 2.5 Auflösungen der Monitorformate in der Computerwelt und ihre Kurzbezeichnungen *(Fortsetzung)*

Kurzbezeichnung	Auflösung
UXGA	1600 x 1200 Pixel (ca. 2 Megapixel)
QXGA	2048 x 1536(ca. 3 Megapixel)

(Für größere Auflösungen gibt es bisher keine gebräuchlichen Abkürzungen.)

Auflösung von Druckern

Die Auflösung von Druckern wird in dpi angegeben. Der Wert besagt, wie viele Druckpunkte pro Längeneinheit Inch (2,54 cm) von einem Drucker erzeugt werden können. Manche Spezialdrucker für den Fotodruck arbeiten mit 300 dpi, setzen also 300 Farbpunkte auf der Strecke von einem Inch. Diese Auflösung reicht aus, um Bilder in Fotoqualität zu drucken. Ein von einer Digitalkamera produziertes Pixel entspricht einfach ausgedrückt einem Druckpunkt. Digitalbild und Drucker haben die gleiche Auflösung, nämlich 300 dpi. Am weitesten verbreitet ist jedoch der Tintenstrahldruck, der mit viel höheren Auflösungen (4800 dpi und mehr) wirbt. Die Auflösung von Tintenstrahldruckern muss so hoch sein, weil ein mit der Digitalkamera aufgenommener Bildpunkt aus vielen einzelnen, extrem kleinen Druckpunkten gemischt wird. Die Druckpunkte müssen u. A. so klein sein, weil die Tinte beim Aufbringen auf Papier mehr oder weniger verläuft. Je kleiner die Druckpunkte, desto weniger fällt diese Unzulänglichkeit ins Gewicht. Welche Auflösung des Druckers für Ihre Papiersorte am besten geeignet ist, können Sie über die Eigenschaften des Druckers (den Druckertreiber) steuern. Die höchste Auflösung ist nur sinnvoll, wenn das Papier dazu passt.

2.6.4 Auflösung – nur ein Faktor für die Qualität von Kameras

Der Aspekt der Auflösung ist also in verschiedener Hinsicht technisch relevant, hat aber auch konkrete Auswirkungen darauf, was auf Ihren Bildern dargestellt werden kann bzw. was Sie mit Ihren Bildern machen können. Die Auflösung entscheidet darüber, wie detailliert ein Bild aufgenommen werden kann, wenn das Objektiv die nötige Qualität liefert. Wenn ein feines Muster in großer Entfernung nicht mehr richtig aufgelöst werden kann, ist es auch nicht druckbar. Das ist zunächst unabhängig von einer möglichen oder gewünschten Vergrößerung. Ein Mehr an Auflösung kann diese Details sicht- und druckbar machen. Ob das gelingt, hängt von der möglichen Auflösung des Sensors, der Qualität des Objektivs und den kcamerainternen Verarbeitungsmechanismen beim Speichern der Bilder ab. Auf keinen der Faktoren haben Sie direkten Einfluss.

Bei identischer Auflösung ist die optische Qualität von entscheidender Bedeutung: Details, die der Sensor erfassen könnte, aber aufgrund optischer Defizite des Objektivs nicht erfasst, sind verloren. Deshalb ist die Auflösung nur ein Faktor für die Qualität von Kameras. Zusätzlich wirkt sie sich auch auf die Nutzbarkeit der Bilder aus.

Eine größere Menge an Informationen ermöglicht, kleinere Ausschnitte aus einem Bild herauszulösen und auf übliche Maßstäbe zu vergrößern. Da in einem Ausschnitt nur eine begrenzte Pixelzahl zur Verfügung steht, ist die maximale Vergrößerung davon abhängig.

Essentielles rund um das Thema Auflösung

- Haben Sie keine Speicherprobleme, nutzen Sie die maximale Auflösung. So können Sie problemlos Ausschnitte oder leichte Vergrößerungen machen. Es ist besser, Informationen zu verwerfen, als sie nicht zu haben.

- Welche Auflösungseinstellungen bietet Ihre Kamera an? Oft ist die Standardeinstellung nicht die mit der höchsten Auflösung.

- Verzichten Sie nach Möglichkeit auf die Nutzung des Digitalzooms. Er verschlechtert die Auflösung, weil Bildinhalte künstlich hochgerechnet werden. Das klappt mit der Bildbearbeitung am PC besser.

- Wenn Ihre Kamera in einem unkomprimierten Format speichern kann (TIFF oder RAW) und Sie Wert auf maximale Bildqualität legen, nutzen Sie dieses Format. Dazu benötigen Sie eine größere Speicherkarte.

- Da sich die Auflösung direkt auf die Datenmenge auswirkt, sollten Sie bei Bildfolgen, bei denen es auf Geschwindigkeit ankommt, möglichst eine schnelle Speicherkarte einsetzen. Das gilt vor allem dann, wenn Sie Ihre Kamera nicht die relativ kleinen JPG-Dateien, sondern unkomprimierte Daten (TIFF oder RAW) speichern lassen.

- Wenn Sie öfter die Auflösung wechseln, prüfen Sie vor wichtigen Bildern die Einstellungen. Tolle Aufnahmen nur in kleiner Auflösung zu besitzen ist ärgerlich.

- Knausern Sie nicht beim Kauf einer zusätzlichen Speicherkarte. Wenn Sie zunächst nur eine Karte erwerben, nehmen Sie gleich eine etwas größere. Es werden erfahrungsgemäß immer mehr Bilder als geplant.

Bild 2.46 Das linke Foto wurde mit der Auflösung von 300 dpi für den Druck in Fotoqualität gespeichert, das rechte in 72 dpi für die Darstellung am Monitor. Man erkennt deutlich, dass die 72-dpi-Version für den Druck nicht geeignet ist, weil Pixelstrukturen sichtbar werden.

2.7 Optischer Sucher und Kamera-display

Haben Sie sich auch schon mal gewundert, dass auf einem Foto nicht ganz das zu sehen ist, was Sie eigentlich aufgenommen haben? Waren bei Ihren Fotoabzügen z. B. am Bildrand stehende Personen abgeschnitten, oder ragten plötzlich Äste oder andere störende Elemente ins Bild, die Sie bei der Kontrolle des Motivs im Sucher oder auf dem Display nicht bemerkt hatten? Optische und elektronische Sucher sowie das Kamera-display können über die nicht ganz übereinstimmende Darstellung des Motivbereichs hinaus ein paar weitere technische Tücken haben, die in diesem Kapitel erläutert werden.

Bild 2.47 Am rot markierten Rand sieht man, wie sehr Sucherbild und tat-sächliche Aufnahme voneinander abweichen können. Der rot markierte Bereich ist im Sucher zu sehen, tatsächlich zeigt das gespeicherte Foto aber viel mehr.

Je nachdem, mit welcher Kamera Sie fotografieren, kann es technisch bedingte Unterschiede geben, wie Sie das Motiv sehen und wie es tatsächlich von der Kamera aufgenommen wird. Die Diskrepanz zwischen dem Bild auf dem rückseitigen Kameradisplay oder dem Sucherbild kann mehr als 10% der Bildfläche ausmachen. Wenn man bedenkt, dass 10% weniger Bildfläche auch 10% weniger Auflösung bedeuten, sollten Sie das Problem nicht auf die leichte Schulter nehmen. Denn immerhin haben Sie z. B. eine 5-Megapixel-Kamera gekauft und wollen nicht nur 4,5 Megapixel davon nutzen, weil die Fotos 10% mehr Fläche zeigen, als Sie eigentlich mithilfe des Suchers aufgenommen haben. Ein nicht gewollter Randbereich kann möglicherweise bei der Bildbearbeitung am PC entfernt werden, weil er nichts zur Bildaussage beiträgt. Dadurch wird jedoch die effektive Auflösung reduziert. Wie Sie weiteren technischen Unzulänglichkeiten bei Sucher und Display mit ein paar Tricks entgegenwirken können, wird Ihnen in diesem Kapitel gezeigt.

2.7.1 Fotografieren durch den optischen Sucher

Hat Ihre Digitalkamera einen optischen Sucher, also ein Linsensystem an der oberen Kante des Gehäuses, durch das Sie beim Ausrichten auf ein Motiv blicken müssen, gibt es einiges zu beachten: Im Sucher sehen Sie bei »normalen« Abständen ab etwa einem Meter zwischen Motiv und Kamera ungefähr das, was tatsächlich aufgenommen wird. Meistens ist das Sucherbild aber ein wenig zu klein. Die fertige Aufnahme zeigt dementsprechend mehr, als Sie im Sucher gesehen haben. Das Problem der unerwünschten Bildränder kennen Sie vermutlich schon von den analogen Kompaktkameras.

Wechseln Sie für Nahaufnahmen aus wenigen Zentimetern Entfernung in den Makromodus der Kamera, nützt der Sucher nicht mehr viel. Die optischen Achsen von Objektiv und Sucher liegen dann zu weit auseinander. Den Unterschied zwischen Sucherbild und dem vom Objektiv tatsächlich erfassten Bild nennt man Parallaxe. Richten Sie den Sucher Ihrer Kamera auf die Motivmitte, zielt das Objektiv horizontal und vertikal versetzt (je nach Lage des Objektivs relativ zum Sucher) davon in den Motivbereich hinein. Hier hilft nur ein wenig Abstand zum Motiv, was einen etwas größeren als den gewünschten Bildausschnitt bewirkt. Diesen zu großen Ausschnitt müssen Sie bei der Bildbearbeitung an Ihrem Computer beschneiden.

Ob das Autofokus-System der Kamera korrekt fokussiert hat, können Sie mit einem optischen Sucher nicht kontrollieren. Hier müssen Sie sich auf die Kamera verlassen oder die Schärfe über das Display kontrollieren. Mit einem optischen Sucher lässt sich aber Strom sparen, da sich das Kameradisplay abschalten lässt. Außerdem verwackeln Sie seltener, wenn Sie die Kamera beim Blick durch den Sucher an Ihr Gesicht drücken. Je weiter die Kamera vom Körper entfernt gehalten wird, desto schwieriger ist es, sie ruhig zu halten. Inzwischen weisen aber immer mehr Kameras Bildstabilisatoren auf, die das Verwacklungsrisiko reduzieren – ein Tribut an die häufige, ja fast ausschließliche Nutzung der Displays.

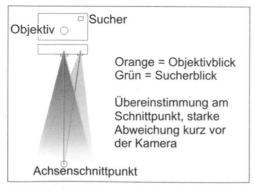

Bild 2.48 Objektiv- und Sucherblick im Vergleich.

Bild 2.49 Der optische Sucher ist bei diesem Kameramodell rechts oben neben dem Blitz angebracht. Die optischen Achsen von Sucher und Objektiv sind offensichtlich nicht identisch, sondern verlaufen mehr oder weniger parallel versetzt, was zu einer Diskrepanz zwischen Sucherbild und Aufnahme führt.

2.7.2 Fotografieren mit dem elektronischen Sucher

Der elektronische Sucher (EVF – Electronic View Finder) ersetzt in vielen Digitalkameras den optischen Sucher. Er zeigt das Motiv so, wie es durch das Objektiv vom Sensor erfasst wird. Der elektronische Sucher erhält ebenso wie das Kameradisplay seine Bildinformation direkt vom Sensor. Deshalb kann der Parallaxe-Fehler hier nicht auftreten. Seine Darstellung ist im Gegensatz zu der des Displays relativ unabhängig vom Umgebungslicht. Auch in grellem Sonnenlicht können Sie das Sucherbild also gut erkennen, wenn Sie die Kamera nah genug an Ihr Auge halten. Besonders praktisch ist er, weil er sämtliche Kameraeinstellungen und Menüs genau so wie das Display anzeigt. Die wichtigsten Einstellungen z. B. für die Bildqualität oder die Belichtungswerte können Sie also verändern, ohne die Kamera vom Gesicht nehmen zu müssen.

Bild 2.50 Dem elektronischen Sucher (EVF) sieht man von außen nicht an, dass er sich vom optischen Sucher z. B. einer Spiegelreflexkamera unterscheidet. Erst beim Blick durch den Sucher wird klar, dass hier ein winziger elektronischer Monitor eingebaut ist, auf dem das Sucherbild erscheint.

Der Nachteil von elektronischen Suchern: Haben Sie früher mit einer analogen Spiegelreflexkamera gearbeitet, werden Sie von der Schärfe und der Darstellungsqualität mit Sicherheit enttäuscht sein. Zwar ist es möglich, mit einem elektronischen Sucher den Bildaufbau zu kontrollieren, für die exakte Scharfstellung und die Detailkontrolle sind die Auflösungen der winzigen Monitore aber in der Regel zu klein.

Bild 2.51 Viele moderne Digitalkameras verzichten völlig auf einen Sucher. Zum Fotografieren werden die Geräte vor den Körper gehalten und der Motivbereich wird auf dem Display kontrolliert.

2.7.3 Unterschiede in der Darstellung der Bildfläche

Der Aufnahmesensor leitet das von ihm empfangene Bild direkt an den – falls vorhanden – elektronischen Sucher und das Display auf der Kamerarückseite weiter. Grundsätzlich können Sie also auf Ihrem Display das Gleiche sehen wie der Sensor Ihrer Digitalkamera. Mit einer kleinen Einschränkung: Die auf dem Display gezeigte Bildfläche ist ein wenig anders als die Bildfläche, die der Sensor beim Drücken des Auslösers tatsächlich speichert, und die Auflösung ist natürlich deutlich niedriger. Im Handbuch Ihrer Kamera sollte bei den technischen Daten vermerkt sein, welche Bildfläche in Prozent das Display gegenüber dem tatsächlichen Bild abdeckt. Da diese technische Angabe für die Praxis nicht viel bringt, können Sie sich die Auswirkungen der Einschränkung besser anhand einiger Fotos verdeutlichen.

Es gibt zwei Möglichkeiten, die Unterschiede in den Darstellungsflächen von Displayanzeige und tatsächlichem Foto zu vergleichen. Für den folgenden Test sollten Sie mit Stativ arbeiten oder die Kamera auf eine stabile Unterlage stellen.

Möglichkeit 1

Bild 2.52 Ein Ball als Referenz ist gut geeignet, um zumindest die Höhe des tatsächlichen Bildausschnitts gegenüber dem Bildausschnitt im Sucher zu beurteilen. Der rote Rahmen verdeutlicht das Sucherbild.

Stellen Sie die auf ein Stativ geschraubte Kamera so auf, dass ein Objekt, z. B. ein Bilderrahmen oder ein Ball, exakt mit den Rändern der Displaydarstellung abschließt. Weil solche Testobjekte nicht die exakt gleichen Seitenverhältnisse wie Sensor oder Display haben – bei den meisten Digitalkameras beträgt das Seitenverhältnis 4:3, in Ausnahmen auch 3:2 –, erhalten Sie nur eine Information entweder über den Höhen- oder den Breitenunterschied von angezeigter und aufgenommener Bildfläche. Sie müssen also die Aufnahme zweimal machen.

Möglichkeit 2

Stellen Sie Ihre Kamera beispielsweise vor eine Pinnwand und markieren Sie die auf dem Display sichtbaren Ecken mit Nadeln. Das ist ein wenig umständlich, weil Sie die Position der Nadeln auf dem Display kontrollieren und so lange korrigieren müssen, bis die Nadeln tatsächlich die sichtbaren Ecken markieren. Machen Sie dann ein Foto. Was Sie darauf sehen, verdeutlicht die Unterschiede zwischen Display, Sucherdarstellung und Sensor. Das Ergebnis dieses Tests ist exakter, und Sie erhalten einen realistischen Eindruck davon, welche Fläche der Sensor Ihrer Kamera wirklich aufnimmt und ob die Displayanzeige exakt die Mitte der Aufnahmen wiedergibt.

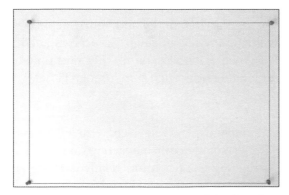

Bild 2.53 Beim zweiten Test zeigt sich, dass das Sucherbild nicht nur kleiner, sondern auch ein wenig nach rechts verschoben war. Für die Praxis bedeutet das, dass jedes in der Mitte positionierte Motiv auf dem Foto ein wenig zu weit rechts erscheint.

2.7.4 Probleme beim fotografieren mit dem Kameradisplay

Die kleinen Displays für die Bildkontrolle sind so genannte TFT-Displays. Die Auflösung dieser kleinen TFTs ist im Vergleich zur Auflösung des Kamerasensors sehr gering. Zurzeit liegt die Auflösung bei bis zu 220000 Pixeln. Von den beispielsweise 5 Megapixeln eines Sensors zeigt das Display also nur einen Bruchteil an. Deshalb ist es sehr schwierig bis unmöglich, die Bildschärfe aufgrund der Displaydarstellung sicher zu beurteilen. Selbst wenn Ihre Kamera über eine Zoomfunktion verfügt, mit der sich die Aufnahmen auf dem Display vergrößert anzeigen lassen, gibt letztlich nur die Schärfekontrolle am hochauflösenden Computermonitor Gewissheit über die gewünschte Schärfe eines Fotos.

HINWEIS **TFT**

Englisch Thin-Film Transistor (Dünnschichttransistor). Dies ist eine spezielle Transistorart, mit der unter anderem Flachbildschirme hergestellt werden. Im allgemeinen Sprachgebrauch versteht man unter TFT einen Flachbildschirm. TFTs sind unter anderem als Computermonitore oder auch Fernseher im Einsatz.

Ein weiteres Problem von Kameradisplays zeigt sich, wenn die Kamera rasch von einem dunklen zu einem deutlich helleren Motivbereich geschwenkt wird. Die Darstellung passt sich nur relativ langsam an die veränderten Lichtbedingungen an und zeigt im ersten Augenblick nur extrem helle Flächen. Kurz auf dem Display kontrollierte Schnappschüsse sind dadurch nahezu unmöglich. Dieses Helligkeitsproblem wirkt sich nicht nur beim Fotografieren aus. Wenn Sie mit

Ihrer Kamera auch Videos aufnehmen können, entstehen durch die Trägheit des Displays beim Schwenken von dunklen zu hellen Bildstellen Schlieren, welche die Bildkontrolle erschweren. Je höher die Aktualisierungsfrequenz des Displaybildes ist, desto weniger problematisch sind Schlieren und Helligkeitsanpassungen. Wie gut ein Display hier reagiert, lässt sich nur durch Ausprobieren vor dem Kauf einer Digitalkamera testen.

Optimale Einstellungen für Sucher und Kameradisplay

Wenn Sie ernsthaft fotografieren möchten, sollten Sie die genannten Unzulänglichkeiten von Suchern und Displays möglichst kompensieren. Dazu gehören einmal die genannten Tests, die die Unterschiede verdeutlichen. Hinzu kommen aber noch andere Tricks, die das Fotografieren erleichtern:

- Stellen Sie das Display nur bei Bedarf auf maximale Helligkeit. Das spart Strom und sichert im Zweifel wenigstens noch eine kleine Reserve.

- Blenden Sie nur die Informationen ein, die Sie wirklich benötigen. Ein Live-Histogramm, das Sie nicht beachten, raubt Ihnen Darstellungsinhalte.

- Als Brillenträger stellen Sie den Sucher, sofern es die Kamera erlaubt, auf Dioptrienausgleich (Ausgleich von Kurz- und Weitsichtigkeit) ein. Dann können Sie beim Fotografieren die Brille absetzen und dennoch die Schärfe überprüfen.

- Falls das Display kleine Kratzer bekommt, die die Darstellungsqualität mit zunehmender Anzahl beeinträchtigen, können Sie im Fachhandel eine spezielle Politurpaste erwerben, um diese Kratzer auszupolieren.

2.8 Blitzlicht – Segen und Fluch zugleich

Zur Ausstattung fast jeder Digitalkamera zählt ein integriertes Blitzgerät, das jedoch meist eine relativ geringe Leistung hat. Die Blitzgeräte sind in der Nähe des Suchers im Gehäuse integriert und ständig einsatzbereit. Bei besser ausgestatteten Digitalkameras muss der Blitz, der sich meist oberhalb des Suchers befindet, erst ausgeklappt werden.

Ein integriertes Blitzgerät kann, wenn es richtig eingesetzt wird, Aufnahmen enorm verbessern. Der Blitz hilft dabei, eine zu dunkle Szene auszuleuchten. Er kann außerdem tiefe Schatten aufhellen, Farben zum Leuchten bringen und für effektvolle Bewegungsfotos eingesetzt werden. Der Blitz kann aber auch den berüchtigten Rote-Augen-Effekt verursachen. Die meisten Kameras verfügen jedoch über eine Blitzfunktion, die die Entstehung roter Augen verhindern soll. Dazu müssen Sie das kleine Zusatzlicht richtig einstellen. Da jede Kamera ihr eigenes Bedienkonzept hat, lesen Sie darüber in Ihrem Kamera-Handbuch nach.

Bild 2.54 Ein kleiner, im Gehäuse der Kamera angebrachter Blitz ist gut für Schnappschüsse von nicht allzu weit entfernten Motiven. Die maximale Reichweite beträgt bei diesen Blitzen ohne Teleeinstellung meistens rund vier Meter.

Wird der Blitz dagegen falsch verwendet, lassen sich schöne Motive auch total verunstalten. So kann eine Person, die besonders nah vor der Kamera steht, völlig überbelichtet werden. Auch kräftige Schlagschatten, die einen vor einer hellen Wand stehenden Menschen hässlich umrahmen, können beim Einsatz von Blitzgeräten schnell entstehen.

Wie Sie sehen, ist Blitzlicht Segen und Fluch zugleich. Es kommt darauf an, ob Sie mit Blitz und Digitalkamera umgehen können und wissen, welche Blitzfunktion und Blitzstärke zu welchem Zeitpunkt sinnvoll ist.

Bild 2.55 Je höher ein Aufklappblitz aus dem Kameragehäuse herausklappt, desto geringer ist die Gefahr für den gefürchteten Rote-Augen-Effekt. Außerdem ist der Blitz dann besser für Nahaufnahmen geeignet, da das Objektiv keinen ungewollten Schatten verursacht.

Bild 2.56 Ein frontal vor dem Motiv ausgelöster Blitz führt unweigerlich zu Schlagschatten. Zwar ließen sich solche Schatten mithilfe der Bildbearbeitung retuschieren. Der Aufwand dafür ist jedoch meist relativ groß und führt nicht immer zu befriedigenden Ergebnissen. Bei diesem Porträt hat es ganz gut geklappt.

Bild 2.57 Ohne Blitzgerät, dessen Einsatz der große Schatten rechts im Hintergrund verrät, hätte man diese Szene in der dunklen Werkstatt nicht fotografieren können. So sind der Handwerker und sein Werkstück jedoch perfekt ausgeleuchtet.

2.8.1   Ausleuchtung beim Einsatz des internen Kamerablitzes

Fotografieren Sie mit Ihrer Kamera im Automatikprogramm, werden sowohl Blenden und Verschlusszeit als auch der integrierte Blitz automatisch gesteuert. Die meisten Kameras zeigen die von der Automatik vorgesehene Verwendung des Blitzes im Display mit einem kleinen Symbol an. Die Automatik schaltet den Blitz jedoch nur dann ein, wenn das Umgebungslicht nicht ausreicht. Erscheint in einer eher dunklen Umgebung kein Blitzsymbol, haben Sie entweder eine Einstellung gewählt, die den Blitz nicht automatisch zuschaltet, oder Sie nutzen eine relativ hohe ISO-Einstellung für die Empfindlichkeit. Das führt meist zu verstärktem Bildrauschen. Wenn Sie in hellem Tageslicht fotografieren und der Blitz Schatten aufhellen soll, müssen Sie manuell eingreifen und den Blitz bewusst zuschalten.

In vielen Situationen, etwa in der Dämmerung, in nur spärlich beleuchteten Räumen oder an hellen Sonnentagen, wenn die Schatten extrem sind, hilft der Blitz beim Aufhellen und Abmildern von starken Kontrasten durch mehr Licht in den Schattenbereichen. Die kleinen Blitze in den Digitalkameras haben zwar verglichen mit den Zusatzblitzgeräten zum Aufstecken keine besonders große Leistung (Leitzahl) und auch ihr Abstrahlwinkel ist beschränkt, für in der Nähe befindliche Motive reicht die Leistung aber meist aus. Wenn Ihre Kamera über ein Zoomobjektiv verfügt, müssen Sie sich über die eingestellte Brennweite und den Abstrahlwinkel des Blitzes übrigens keine Sorgen machen. Die internen Blitze sind so ausgelegt, dass auch Weitwinkelfotos gelingen und der Blitz das Motiv bis in die Ecken genügend ausleuchtet.

Ein Problem beim Blitzen sollten Sie jedoch immer im Blick behalten: den Tunneleffekt. Die Lichtstärke nimmt mit zunehmender Entfernung exponentiell ab. Von der Lichtmenge, die auf ein nur einen

Meter entferntes Objekt trifft, kommt dementsprechend in doppelter Entfernung, also bei zwei Metern, nur noch ein Viertel an. Der Kamerablitz wird also ein in Blitzreichweite befindliches Hauptmotiv richtig ausleuchten, weiter hinten stehende Objekte aber nur noch unzureichend.

Bild 2.58 Wenn Sie Pilze im Wald fotografieren möchten, dürfte Ihnen dazu in den meisten Fällen nicht sehr viel Umgebungslicht zur Verfügung stehen. Das schummrige Zwielicht erfordert die Aufhellung mit einem Zusatzblitzgerät. Die vom Blitz verursachten Schlagschatten sind hier zwar erkennbar, stören aber den Gesamteindruck nicht allzu sehr.

2.8.2 So weit reicht der Blitz bei einer Empfindlichkeit von ISO 100

Die Leitzahl (LZ) von kcamerainternen Blitzen liegt meistens ungefähr bei 12. Damit lassen sich bei einer Sensorempfindlichkeit von ISO 100 und Blende 2,8 Motive in einer Entfernung bis zu etwa vier Metern noch gut beleuchten. Die Leitzahl für Blitze bezieht sich immer auf die Empfindlichkeit von ISO 100. Je höher die Empfindlichkeit (z. B. ISO 200, 400 und mehr) eingestellt ist, desto weiter reicht auch die Blitzleistung, weil mit höherer Empfindlichkeit weniger Licht für korrekt belichtete Bilder notwendig ist. Jede Verdopplung der Empfindlichkeit erbringt etwa die 1,4fache Blitzreichweite.

Um annäherungsweise herauszufinden, wie weit Ihr Blitz bei eingestellter Empfindlichkeit von ISO 100 reicht, können Sie folgende Formel anwenden:

Motivabstand = Leitzahl : Blende

Arbeiten Sie z. B. mit einem Aufsteckblitz mit der Leitzahl 45, könnten Sie bei ISO 100 mit Blende 2,8 Motive in einer Entfernung von ca. 16 m beleuchten (Motivabstand = 45: 2,8). Je kleiner die Blende (großer Blendenwert) ist, desto geringer wird der Blitzabstand. Bei Blende 8 wäre die Reichweite eines Blitzes mit Leitzahl 45 bei ISO 100 nur noch etwa 5,6 m (Motivabstand = 45:8).

2.8.3 Kamera mit einem Zusatzblitzgerät erweitern

Kleine, in die Digitalkamera integrierte Blitzgeräte sind aufgrund ihrer Leitzahl und ihres Abstrahlwinkels nur zum Ausleuchten der unmittelbaren Umgebung geeignet. Außerdem benötigen die Blitze eine Menge Strom und belasten den Akku der Kamera. Weiterhin sind die Blitzfolgezeiten eingebauter Blitze meist relativ lang. Unter Blitzfolgezeit versteht man die Zeit, die das Blitzgerät zum Wiederaufladen benötigt, um den nächsten Lichtblitz abfeuern zu können.

Solche technischen Einschränkungen lassen sich umgehen, indem Sie Ihre Kamera mit einem Zusatzblitzgerät erweitern. Infrage kommen Aufsteckblitze, die auf den Blitzschuh oberhalb des Suchers gesteckt werden, oder Zweitblitze, die mit einem Servoauslöser ausgestattet sind. Im Servoauslöser sitzt eine Fotozelle, die auf den Lichtimpuls des kcamerainternen Blitzes reagiert. Sobald der Kamerablitz aufleuchtet, wird gleichzeitig der Zusatzblitz ausgelöst. Das geschieht ohne wahrnehmbare Zeitverzögerung.

Zusatzblitze gibt es mit unterschiedlichen Leitzahlen. Je nachdem, für welche Zwecke Sie ein Blitzgerät benötigen, genügen Geräte mit Leitzahlen von 20 bis etwa 50. Blitze mit einer noch stärkeren Leistung sind eher etwas für Reportageprofis oder auch für Naturfotografen, die Tiere aus einer größeren Entfernung aufnehmen und auf weit reichendes Blitzlicht angewiesen sind.

Sowohl von den Kameraherstellern als auch von Fremdherstellern werden Blitzgeräte angeboten. Sehr einfache Blitze werden an die Kamera angeschlossen und strahlen bei jedem Auslösen ihre volle Leistung ab. Für möglichst großen Komfort beim Blitzen sollten Sie sich einen Blitz zulegen, der optimal auf Ihre Kamera abgestimmt ist. Allerdings ist die Kommunikation zwischen Kamera und Blitzgerät nur dann optimal, wenn der Blitzschuh mehr als nur einen großen Mittenkontakt besitzt. Je nach Kameramodell ist der Blitzschuh mit zusätzlichen Kontakten ausgestattet. Hat Ihre Kamera keinen Blitzschuh, muss ein Zweitblitz mit Servoauslöser angeschafft werden, sofern ein Anschluss dafür vorhanden ist. Die von der Kamera unterstützten Blitzfunktionen werden dann ebenso vom Blitzgerät verstanden und Sie können z. B. automatisch zum Aufhellen blitzen, den Rote-Augen-Effekt unterdrücken oder die Blitzleistung manuell korrigieren. Solche systemkonformen Geräte sind etwas kostspieliger als einfache Modelle. Wenn Sie jedoch viel mit Blitz arbeiten, lohnt sich die Anschaffung, und die Ausbeute an gut belichteten Bildern ist größer.

2.8.4 Vorteile bei der Verwendung von Aufsteckblitzen

Aufsteckblitze bieten mehr Licht aufgrund ihrer höheren Leistungsfähigkeit (höhere Leitzahl), schnellere Blitzfolgezeiten durch bessere Stromversorgung (von der Kamera unabhängige Akkus) und lassen mehr Spielraum für kreatives und professionelleres Blitzen. Wichtig sind hierbei auch so genannte Schwenkreflektoren. Der Blitzkopf besserer Aufsteckblitze lässt sich nach oben klappen. Bei einigen professionelleren Modellen kann der Reflektor auch zur Seite geschwenkt werden. Dadurch können Sie Ihre Fotomotive indirekt beleuchten, was drei Vorteile hat:

- Geblitzte Motive wirken durch die indirekte Beleuchtung weniger wie typische Blitzfotos.

- Das Blitzlicht wird von Wänden oder der Decke reflektiert, was zu einer bedeutend weicheren Ausleuchtung führt – die vom Blitzlicht verursachten Schatten sind nicht so hart.

- Rote Augen sind praktisch ausgeschlossen, weil der Blitz nicht direkt in die Augen abstrahlt.

Beachten Sie aber, dass durch das Schwenken oder Kippen des Blitzes dessen Reichweite nicht mehr ganz so groß ist, weil das Licht einen längeren Weg bis zum Motiv zurücklegen muss. Außerdem erhalten Ihre Fotos einen Farbstich, wenn der Blitz gegen farbige Wände oder Decken gerichtet wird.

Bild 2.59 Die meisten Zusatzblitze lassen sich auf den Blitzschuh einer Kamera aufstecken. Der Reflektor einfacher Modelle ist fest. Hochwertigere Geräte besitzen Reflektoren, die nach oben und seitlich verdreht werden können, um das Blitzlicht indirekt auf ein Motiv fallen zu lassen.

TIPP **Master-Slave-Blitzen**

Besitzen Sie bereits ein Zusatzblitzgerät und möchten dieses auch für Aufnahmen im Studio verwenden, können Sie Ihre Ausrüstung eventuell durch ein oder mehrere weitere Blitzgeräte erweitern. Einige Modelle lassen sich im Master-Slave-Modus betreiben. Dabei dient eines der Blitzgeräte als Steuerung (Master) für die anderen Blitze (Slave). Ob Ihr Blitzgerät diese Funktion beherrscht, erfahren Sie im Handbuch.

Gegenüber integrierten Blitzen haben die Aufsteckblitzgeräte einen Vorteil in Sachen Kreativität: Sie können mit Farbfiltern erweitert werden. Dabei wird vor den Reflektor des Blitzes ein farbiger Filter angebracht, der das abgestrahlte Licht einfärbt – für Experimente eine tolle und einfach zu realisierende Methode.

Bild 2.60 Diese Aufnahme wurde mit einem Aufsteckblitz gemacht. Der Schwenkreflektor wurde gegen die Decke gerichtet. So erhielt die Blüten weiches, von oben gestreutes Licht und die Schatten wurden nicht zu dunkel.

2.8.5 Optimales Verhältnis von Blitz- zu Umgebungslicht

Wie viel Blitzlicht für die richtige Belichtung einer Szene notwendig ist, steuert bei integrierten und bei systemkonformen Blitzgeräten die Kamera. An vielen Kompaktkameras und digitalen Spiegelreflexkameras lässt sich jedoch die Blitzleistung manuell verstellen, was insbesondere für das Blitzen zum Aufhellen von großer Bedeutung ist. Diese Blitztechnik kommt immer dann zum Einsatz, wenn tiefe Schatten nur so weit aufgehellt werden sollen, dass das Blitzlicht auf den Aufnahmen gerade nicht zu sehen ist. Der natürliche Beleuchtungscharakter einer Szene soll vom Blitzlicht nicht überlagert werden, sondern möglichst erhalten bleiben. Als Faustregel gilt, dass bei Tageslichtaufnahmen das Verhältnis von Blitz- zu Umgebungslicht ungefähr 1:4 sein sollte. Um nun die Blitzleistung entsprechend zu reduzieren, müssen Sie an Ihrer Digitalkamera entweder im Einstellmenü oder über einen Knopf am Gehäuse einen anderen Wert einstellen.

Bild 2.61 Das aus Blitz, Plus- und Minuszeichen bestehende Symbol bezeichnet im Einstellmenü dieser Kamera die Funktion zur manuellen Veränderung der Blitzleistung. Besser ausgestattete Kameras haben zusätzlich einen Schalter zur Blitzleistungskorrektur am Gehäuse.

Reduzieren Sie die Blitzleistung um zwei Stufen, wird nur noch ein Viertel der Lichtmenge abgegeben, die die Kamera ohne Leistungsreduktion in die Szene werfen würde. Wenn Sie die Aufnahme gleich am Display kontrollieren und feststellen, dass der Blitz noch immer zu deutlich beispielsweise durch Schlagschatten oder ein sehr flach wirkendes Motiv verraten wird, machen Sie ein neues Bild mit nochmals veränderter Blitzleistung.

2.8.6 Funktionen für optimale Blitzlichtaufnahmen

Kameras mit integriertem Blitz bieten einige Funktionen, mit denen sich Blitzlichtaufnahmen leichter realisieren lassen. Die drei immer verfügbaren Funktionen sind die Rote-Augen-Reduktion, die Blitzsynchronisation mit langen Verschlusszeiten (wird oft als Slow-Sync bezeichnet) und das Blitzen auf den 2. Verschlussvorhang.

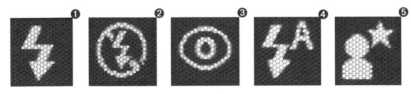

Bild 2.62 So oder ähnlich sehen die Symbole aus, die für unterschiedliche Blitzfunktionen stehen:
❶ Erzwungener Blitz (Blitz wird immer ausgelöst)
❷ Kein Blitz (Blitz wird nicht ausgelöst)
❸ Rote-Augen-Reduktion
❹ Automatischer Blitz (je nach Helligkeit wird der Blitz von der Kamera zugeschaltet)
❺ Nachtblitzmodus (für die Kombination mit langen Verschlusszeiten)

Stellen Sie die Blitzfunktion zur Rote-Augen-Reduktion über das Kameramenü oder einen Knopf am Gehäuse ein, werden durch einen Vorblitz die Pupillen der Porträtierten dazu bewegt, sich zu schließen. Die gefürchteten roten Augen treten immer dann auf, wenn in dunkler oder wenig beleuchteter Umgebung fotografiert wird, die Pupillen der Person wegen der Dunkelheit weit geöffnet sind und das Licht direkt von vorn auf die Pupillen trifft. Je nach Kameramodell sind die Techniken zum Reduzieren des Effekts unterschiedlich. Von manchen werden mehrere kurze Vorblitze abgefeuert, andere senden einen kontinuierlichen Lichtstrahl über eine kleine Zusatzlampe am Gehäuse aus. Welche Methode auch immer zum Einsatz kommt, die Gefahr roter Augen wird in jedem Fall reduziert, kann aber nicht hundertprozentig ausgeschlossen werden.

Die Blitzsynchronisation mit langen Verschlusszeiten ist dann gefragt, wenn Sie bei geringer Beleuchtung nicht nur das Hauptmotiv, sondern auch den Hintergrund richtig belichtet zeigen möchten. Wenn Sie mit einer kurzen Verschlusszeit wie 1/125 sek mit Blitz fotografieren, wird alles in der Nähe durch den Blitz aufgehellt. Ein dunkler Hintergrund, z. B. ein abendliches Strandpanorama, bleibt bei einer so kurzen Verschlusszeit dunkel. Stellen Sie an der Kamera manuell eine längere Verschlusszeit ein oder verwenden Sie das Nachtprogramm, wird durch die lange Verschlusszeit der Hintergrund richtig belichtet, während der Vordergrund vom Blitz aufgehellt wird. Wegen der längeren Verschlusszeit benötigen Sie in solchen Situationen ein Stativ und sollten die Fotomodelle außerdem bitten, sich während der Aufnahme nicht zu bewegen, um nicht in Bewegungsunschärfe zu verschwimmen.

Beim Blitzen auf den 2. Verschlussvorgang geht es ebenfalls um lange Verschlusszeiten bei schlechter Beleuchtung. Fotografieren Sie ein sich bewegendes Motiv mit langer Verschlusszeit im Dunkeln mit Blitz, wird der Blitz normalerweise am Anfang der Belichtungszeit abgefeuert. Der Beginn der Bewegung wird also vom Blitz aufgehellt, die weitere, durch unscharfe Schlieren gezeigte Bewegung ebenfalls noch von der Kamera erfasst. Dabei entstehen die Schlieren jedoch vor dem sich bewegenden Objekt, eilen ihm also voraus. Das wirkt sehr unnatürlich, denn man würde logischerweise erwarten, dass die Schlieren dem Objekt folgen. Um den Effekt zu erzielen, dass ein bewegtes Objekt von den Schlieren verfolgt wird, stellen Sie die Blitzfunktion für die Synchronisation auf den 2. Verschlussvorgang ein. Dann wird der Blitz erst am Ende der Belichtungszeit gezündet.

Bild 2.63 Die Frau wurde mit langer Verschlusszeit und Blitz beim Öffnen des Verschlusses fotografiert. Die Bewegung wurde »eingefroren«, sodass die Person in Teilen scharf abgebildet ist. Der Wischeffekt entstand nach dem Blitzen durch die Bewegung der Kamera.

Was beim Einsatz von Blitzlicht beachtet werden muss

- Blitzen Sie niemals, wenn ein Lebewesen nur wenige Zentimeter vor Ihrer Kamera steht. Das Blitzlicht kann die Augen ernsthaft schädigen.

- Blitzlichtfotos in dunkler Umgebung gelingen besser, wenn unterschiedliche Motive möglichst gleich weit von Ihrer Kamera entfernt sind. Je größer die Entfernungsunterschiede sind, desto deutlicher wird der Unterschied in der Helligkeit einzelner Motive.

- Besitzen Sie eine Super-Zoom-Kamera mit großem Brennweitenbereich, sollten Sie nicht zu viel vom internen Blitzgerät erwarten, wenn Sie mit maximaler Teleeinstellung fotografieren. Blitzgeräte haben nur eine begrenzte Reichweite. Es hat wenig Sinn, eine 20 Meter entfernte Person im Dunkeln mit Blitzlicht zu fotografieren, auch wenn die Brennweite ausreichen mag, um den Menschen nahe heranzuholen.

- Integrierte Kamerablitzgeräte verbrauchen eine Menge Strom. Je mehr Sie das Blitzgerät einsetzen, desto schneller geht die Energie des Akkus zur Neige. Achten Sie darauf, dass der Blitz nur ausgelöst wird, wenn es in der Situation auch wirklich sinnvoll ist. Stellen Sie im Notfall an der Kamera den Blitz ganz ab.

Bild 2.64 Durch den Blitz auf den 2. Verschlussvorhang nimmt die Kamera
erst die Bewegung des Bikers und damit den Wischeffekt und
zum Schluss durch den Blitz das Motiv auf. Der Wischeffekt entspricht dem Bewegungsablauf.

Bild 2.65 Man sieht an dem verwischten Gesicht, dass die Verschlusszeit bei der Aufnahme relativ lang war. Zusätzlich wurde geblitzt, was die teilweise scharfen Konturen beweisen.

Kapitel 3 Inhalt

3 Fotoschule Basiswissen

3.1 Motive suchen und überlegt in Szene setzen

Viele Hobbyfotografen, die ein interessantes Motiv fotografieren möchten, stellen in der Regel die Vollautomatik ein, um sich keine Gedanken über die richtigen Belichtungswerte machen zu müssen. Sie nehmen das Motiv ins Visier und drücken den Auslöser. Das Motiv ist im Kasten und weiter geht's zum nächsten Schnappschuss. Später am Computer bei der Sichtung der Fotos oder nachdem sie die Abzüge vom Labor bekommen haben, stellen sie fest, dass die vermeintlich atemberaubenden Blickfänge auf den Bildern kaum mehr zu Geltung kommen. Warum ist das so?

Sie haben eine moderne Digitalkamera, die auf dem neuesten Stand der Technik ist. Das Motiv war interessant, die Belichtung perfekt. Was viele bei der Begeisterung über ein Motiv vergessen (oder einfach nicht wissen), sind grundlegende Regeln zur Bildgestaltung. Erst wenn Sie sich Gedanken darüber machen, was den Reiz eines Motivs oder einer Situation ausmacht, wie Sie den Blickfang vor seinem Hintergrund und in seiner nächsten Umgebung zeigen möchten und welchen Bildausschnitt Sie wählen sollten, werden Ihre Schnappschüsse zu ansprechenden Fotografien.

Die Bildgestaltung ist ein kreativer Prozess. Es gibt jedoch eine ganze Reihe von hilfreichen Gestaltungsmitteln, die sich erlernen und üben lassen und die auch von jedem Hobbyfotografen angewendet werden können.

Eines sollten Sie sich außerdem klar machen, wenn Sie über gestalterische Regeln nachdenken und sie für die Bildkomposition nutzen: Gestaltung und ästhetisches Empfinden hängen stark davon ab, in welchem Kulturkreis man sich befindet. Das bewusste Brechen ästhetischer Empfindungen kann bereits ein außergewöhnliches Bild hervorbringen, will aber dazu auch gekonnt eingesetzt sein. Die in den folgenden Kapiteln vermittelten Informationen über Bildgestaltung und -komposition dienen dazu, Ihnen den Unterschied zwischen einem Schnappschuss und einem arrangierten und überlegten Foto nahe zu bringen. Sie werden mithilfe der hier vorgestellten Gestaltungsregeln fotografisch weiterkommen und im Laufe der Zeit feststellen, dass Ihre Fotografie sehr viel ansprechender wird. Wenn dann daraus so viel Kreativität erwächst, dass Sie mit Motiven und Ausschnitten spielen können – umso besser.

TIPP **Motiv im Hoch- oder im Querformat aufnehmen**

Vermutlich halten Sie die Kamera meist so, dass Querformataufnahmen entstehen. Betrachten Sie jedoch immer zuerst Ihr Motiv und entscheiden Sie dann, ob es besser im Hoch- oder im Querformat fotografiert werden sollte. Wenn es um besonders dynamische Motive wie Sportler, tobende Kinder oder ein riesenhaft aufragendes Hochhaus geht, können Sie die Kamera auch mal schräg halten, um ungewöhnliche Ansichten zu erhalten.

Bild 3.1 Ein Motiv, zwei Wirkungen: Fast jedes Fotomotiv kann im Hoch- oder Querformat aufgenommen werden.

TIPP **Die Wirkung unterschiedlicher Positionen testen**

Um sich die Wirkung unterschiedlicher Positionen eines Objekts im Bild zu vergegenwärtigen, machen Sie ein paar Versuche mit einem simplen Aufbau. Stellen Sie z. B. eine Vase auf einen Tisch vor einer kahlen Wand. Machen Sie eine Reihe von Fotos, bei denen die Vase jeweils an einer anderen Stelle im Bildaufbau erscheint. Verändern Sie zusätzlich die Entfernung zur Vase und die Brennweiten, mit denen Sie fotografieren. Auf diese Weise bekommen Sie ein Gefühl für die Auswirkungen der Bildgestaltung durch die unterschiedliche Position und Entfernung zum Motiv.

3.1.1 Hauptmotiv im Bild positionieren

Bild 3.2 Selbst ein einzelner Felsen in einem Fluss kann ansprechend in Szene gesetzt werden, wenn er als Hauptmotiv erkennbar und spannend im Bild positioniert wird.

Die grundlegendste Frage beim Fotografieren ist, an welcher Stelle das Hauptmotiv im Bild platziert werden soll. Unerfahrene Fotografen neigen dazu, die Motive in die Mitte des Suchers zu stellen. Zwar gibt es durchaus Gelegenheiten, bei denen die Mittelposition sinnvoll ist. Fotografieren Sie z. B. eine Spiegelung im Wasser, kann es angebracht sein, die Schnittkante zwischen Motiv und Spiegelung in der Mitte des Bildes anzuordnen. In den meisten Fällen jedoch erzielen Sie mehr Spannung und damit mehr Interesse beim Betrachter Ihres Fotos, wenn das Hauptmotiv nicht direkt mitten im Bild steht.

Bild 3.3 Motive, die in der Bildmitte liegen, wirken meist wenig spannungsreich. Hier weist der Ast zum Fenster, das weit außerhalb der Mitte angeordnet ist. Dadurch wird die Gestaltung weitaus interessanter.

Bild 3.4   Die Pferde sind als Hauptmotiv unschwer zu erkennen, um die weite Landschaft zu betonen, wurden sie jedoch an den Bildrand gerückt.

3.1.2   Goldener Schnitt als Gestaltungshilfe

Eine wichtige Grundregel zur Positionierung von Haupt- und Nebenmotiven in einem Bild ist der goldene Schnitt. Es ist eine Tatsache, dass Gebäude, Gemälde, Skulpturen und Fotografien besonders harmonisch wirken, wenn sie nach den Prinzipien des goldenen Schnitts gestaltet sind. Bereits in der Antike setzten Künstler ihn als gestalterisches Mittel in ihren Bauwerken und Skulpturen ein. Sehen Sie sich griechische Tempel daraufhin an. Sie werden feststellen, dass dort der goldene Schnitt die Architektur bestimmt. Heute verwenden nicht nur Künstler, sondern auch Grafiker und Designer diese alte Regel.

Definition des goldenen Schnitts

Was ist nun der goldene Schnitt? Er ist ein oft angewendetes Teilungsverhältnis und bestimmt ein exaktes Längenverhältnis nicht nur bei der Gestaltung von Drucksachen, sondern auch bei Fotos. Der goldene Schnitt wird so definiert: Ein Punkt P teilt eine Strecke mit den Endpunkten X und Y dann im goldenen Schnitt, wenn das Verhältnis von XP (längere Teilstrecke) zu PY (kürzere Teilstrecke) dem Verhältnis von XY (Gesamtstrecke) zu XP entspricht. Teilt man die Länge der größeren Teilstrecke (XP) durch die Länge des kürzeren Abschnitts (PY), muss das Ergebnis der Division von Gesamtstrecke (XY) und längerer Teilstrecke (XP) entsprechen. Der Zahlenwert der Division beträgt in beiden Fällen ca. 1,618. Das Maß entspricht in etwa dem Längenverhältnis zwischen menschlichem Unter- und Oberarm.

Berechnung von Teilstrecken

Mit folgender Formel können Sie die längere (XP) der beiden Teilstrecken ausrechnen, die durch den goldenen Schnitt entstehen, wenn Sie die Gesamtbreite (XY) bzw. Gesamthöhe zugrunde legen:

$$XP = XY : 1{,}618$$

Für die fotografische Praxis bedeutet die Definition des goldenen Schnitts, dass eine Strecke im Verhältnis von etwa 62:38 (oder einfacher 60:40) geteilt wird, um ein Foto nach dem goldenen Schnitt zu gestalten. Wenn Sie also ein Hauptmotiv in etwa dort platzieren, wo die Bildbreite oder Bildhöhe in diesem Verhältnis geteilt wird, wirkt der Gesamtaufbau der Aufnahme besonders harmonisch. Der Blick des Betrachters wird so eher am Bild hängen bleiben.

Bild 3.5   Mit ein wenig Übung ist die Bildgestaltung nach dem Goldenen Schnitt auch beim spontanen Fotografieren machbar.

Hauptmotiv und Nebenmotiv

Vor dem Fotografieren sollten Sie sich immer zunächst klar machen, wo das Hauptmotiv und eventuell Nebenmotive liegen. Haupt- und Nebenmotive können außerdem durch so genannte Führungslinien verbunden sein. Legen Sie für einen harmonischen Bildaufbau die Motive und Linien dorthin, wo Strecken im goldenen Schnitt geteilt werden. Ihre Aufnahmen werden dadurch ganz automatisch besser und spannungsreicher.

Bild 3.6 Die dominanten Linien im Vordergrund führen den Blick zum Pferd rechts hinten. Haupt- und Nebenmotiv sind zwar nicht klar erkennbar, das Bild fesselt aber trotzdem den Blick.

TIPP **Gitternetzfunktion zur Bildgestaltung einsetzen**

Einige Kameras können so eingestellt werden, dass auf dem Display bzw. im Sucher ein Gitternetz eingeblendet wird, das das Sucherbild horizontal und vertikal drittelt. Sehen Sie im Handbuch Ihrer Kamera nach, ob sie diese Funktion unterstützt. Sie ist zur Bildgestaltung äußerst hilfreich und bringt Sie fast automatisch dazu, die Motive nach der Drittelregel zu platzieren. Außerdem lässt sich die Kamera anhand der Linien exakt am waagerechten Horizont ausrichten.

3.1.3 Das Prinzip der Bilddrittelung

Eine Vereinfachung des goldenen Schnitts, die ebenfalls zu einer harmonischen Bildgestaltung beiträgt, ist die Drittelregel. Sie ist in der Praxis aufgrund der optisch einprägsameren Längenverhältnisse besser anzuwenden. Wenn es schnell gehen soll, bringt Sie das Prinzip der Bilddrittelung fast genauso gut zum Ziel wie der goldene Schnitt.

TIPP **Horizont nach den Regeln der Bilddrittelung ausrichten**

Nach der Regel der Bilddrittelung richtet man den Horizont am besten an einer der beiden imaginären Linien aus, die das Bild im oberen oder unteren Drittel teilen. Meistens bietet es sich an, den Horizont an die untere Linie zu legen, sodass im unteren Bilddrittel z. B. eine Landschaft, im oberen hauptsächlich Himmel zu sehen ist. Seien Sie nicht zu vorschnell bei dieser Entscheidung, und probieren Sie beide Varianten aus – einmal mehr, einmal weniger Himmel. Die Ergebnisse wirken völlig unterschiedlich.

Bild 3.7 Gerade bei Hochformatfotos kann der Horizont, wenn das Vordergrundmotiv besonders prägnant ist, auch mal weit nach oben rutschen. Das Bild ist trotzdem interessant gestaltet.

Für deutlich mehr Spannung

Stellen Sie sich beim Blick durch den Sucher oder auf das Display je zwei horizontale und vertikale Linien vor, die die Ansicht in neun gleich große Bereiche aufteilt. Haupt- und Nebenmotive sowie bildwichtige Linien sollten entweder an den Schnittpunkten oder entlang der gedachten Linien platziert werden. Der Blick des Betrachters wird ganz automatisch auf die im Bild entsprechend positionierten Motive gelenkt, weil Ihre Fotos deutlich mehr Spannung erhalten. Gerade auch horizontale und vertikale Führungslinien wie der Horizont, eine Hauskante oder eine Baumreihe sind gut geeignet, um ein Bild aufzuteilen. Diese Führungslinien müssen dazu auf den gedachten Linien zur Bilddrittelung verlaufen.

3.1.4 Hauptmotiv am besten herausstellen

Die Unterscheidung von Haupt- und Nebenmotiven wird immer dann wichtig, wenn mehrere Details in einem Bild den Blick des Betrachters auf sich lenken. Überlegen Sie genau, wie Sie das Hauptmotiv am besten herausstellen können, und gestalten Sie den Bildausschnitt entsprechend. Lenken andere Objekte vom Hauptmotiv ab? Dann können Sie sie entweder fotografisch in den Hintergrund rücken, indem Sie näher ans Hauptmotiv herangehen oder heranzoomen, oder Sie verändern den Bildausschnitt so, dass störende Details nicht mehr sichtbar sind. Ein unruhiger Hintergrund, Überschneidungen mit Nebenmotiven und farblich oder strukturell auffällige Objekte lenken meistens ab. Allerdings können Nebenmotive auch in den Bildaufbau integriert werden, indem Sie sie nach dem goldenen Schnitt oder der Drittelregel positionieren. Nebenmotive sollten erst auf den zweiten Blick auffallen. Um das zu erreichen, sollten sie kleiner als das Hauptmotiv abgebildet oder mit großer Blende in Unschärfe verschwommen aufgenommen werden.

TIPP **Überlappende Motive lenken vom Wesentlichen ab**

Überlappen sich verschiedene Motive, führt das schnell zu einem chaotischen Bildaufbau. Der Blick kann sich dann nicht mehr auf das oder die wichtigen Motive konzentrieren. Überschneidungen wie z. B. der Strommast, der aus einem Kopf zu wachsen scheint, machen die Stimmung eines Fotos völlig zunichte. In manchen Fällen lassen sich die Bilder noch mithilfe der Bildbearbeitung retten, indem die ablenkenden Details retuschiert werden.

Bild 3.8 Hauptmotive müssen nicht unbedingt nach Goldenem Schnitt oder Drittelregel im Bild angeordnet sein. Probieren Sie einfach aus, ob nicht eine andere Bildaufteilung mehr Spannung bringt.

Bild 3.9 Hier ist klar, was das Hauptmotiv ist. Weil die beiden Pferde klar getrennt sind, wirkt die Komposition aufgeräumt.

3.1.5 Führungslinien zur Orientierung nutzen

Der Mensch ist so ausgerichtet, dass er beim Betrachten einer Szene nach Strukturen sucht, an denen er sich orientieren kann. Die Aufgabe einer guten Bildgestaltung besteht darin, den Blick zu bestimmten Punkten zu führen und möglichst lange zu fesseln. Besonders wichtig für die Gestaltung sind so genannte Führungslinien. Dies können sowohl sichtbare Linien wie eine gewundene Straße oder die ins Bild ragenden Äste eines Baumes sein, aber auch imaginäre Linien wie die Blickrichtung zweier Menschen oder die Verbindung von zwei oder drei auf irgendeine Weise miteinander in Beziehung stehenden Motiven.

Bild 3.10 Auch die Blickrichtung eines Menschen kann wie eine Führungs-
linie wirken. Der Betrachter folgt dem Blick der auf der Bank sitzenden Person tiefer ins Bild hinein.

Führungslinien in der Landschaftsfotografie

Besonders wichtig sind Führungslinien in der Landschaftsfotografie,
wenn es schwierig ist, einen Blickfang oder ein Hauptmotiv einzu-
bauen. Führungslinien können hierbei aus Baumreihen, Straßen
oder Zäunen bestehen. Eine von unten links ins Bild laufende Straße

führt den Blick des Betrachters ins Foto – im Idealfall zu einem Blickfang oder, sofern vorhanden, zum Hauptmotiv.

Bild 3.11 Führungslinien müssen nicht immer handfest sein. In diesem Fall
dienen die langen Schatten, die die hinter den Bäumen unterge-
hende Sonne verursacht, als Blickfänge, die den Blick ins Bild ge-
leiten. Achten Sie in der Landschaftsfotografie auf jedes Detail,
das eine Richtung vorgibt.

Bild 3.12 Deutlicher können Führungslinien kaum sein. Die Brücke samt Geländer zieht den Blick des Betrachters förmlich ins Bild hinein und führt ihn zum Hauptmotiv, der kantigen Burg.

3.1.6 Ein Motiv aus wechselnden Perspektiven

Wie gute analoge Kompaktkameras sind kompakte Digitalkameras meistens mit Zoomobjektiven ausgestattet, die je nach Kamera größere Brennweitenbereiche abdecken. Es kann recht bequem sein, sich für ganz unterschiedliche Ansichten nicht vom Fleck bewegen zu müssen und lediglich verschiedene Brennweiten zu wählen. Man würde den Fähigkeiten eines Zoomobjektivs dadurch aber nicht gerecht werden. Denn in erster Linie dient es dazu, den Bildausschnitt exakt festzulegen, nachdem man sich im Hinblick auf eine gute Bildgestaltung für einen bestimmten Standort entschieden hat.

Bild 3.13 Ein Motiv, vier Standorte. Um ein Motiv optimal zu erfassen, sollten Sie es sich beim Fotografieren von allen Seiten ansehen.

Brennweite und Standort wechseln

Vor allem Einsteiger in die Fotografie meinen, mit der Veränderung
der Brennweite würde sich die Perspektive in einem Foto verändern.
Da gerade die Perspektive, also der durch seine Position bestimmte
Blick des Fotografen auf ein Motiv, darüber entscheidet, ob eine
Komposition als spannungsreich empfunden wird, kann es fatal sein,
nur die Brennweite, nicht aber den Standort für neue Ansichten zu

wechseln. Probieren Sie es aus und machen Sie von einem bestimmten Standort aus mehrere Fotos mit unterschiedlichen Brennweiten. Lassen Sie in einer zweiten Fotoserie die Brennweite – am besten eine Weitwinkeleinstellung – gleich und verändern Sie den Standort bei gleichem Abstand zu einem Hauptmotiv so, dass es aus den verschiedenen Perspektiven immer etwa gleich groß im Sucher zu sehen ist. Sie werden erkennen, wie unterschiedlich die Ergebnisse durch den Standortwechsel ausfallen, während die Aufnahmen mit unterschiedlichen Brennweiten relativ gleichförmig wirken.

3.1.7 Endlose Weiten wirkungsvoll darstellen

Bild 3.14 Sonnenuntergänge am Meer sind schwierig in Szene zu setzen. Hier sind es die Farben, die Ruhe und Weite vermitteln.

Bei manchen Motiven – gerade bei Landschaften und Meeresansichten – kann es schwierig werden, ein Bild spannend zu gestalten, selbst wenn man den Standort und damit die Perspektive wechselt. Eine weite Landschaft ohne offenkundigen Blickfang oder die Meeresoberfläche gibt fotografisch scheinbar nicht viel her. Um Weite darzustellen, sollten Sie sich zunächst der Wirkung des Horizonts bedienen, den Sie nach den Regeln des goldenen Schnitts oder der Bilddrittelung entweder im oberen oder unteren Drittel der Aufnahme platzieren. Schon allein dadurch entsteht Spannung. Ein mittiger Aufbau bringt hier nie gute Bilder.

Motive die Weite verdeutlichen

Suchen Sie nach Motiven, die die Weite besser verdeutlichen. Ein kleines Boot weit draußen auf dem Meer, ein einzelnes Gebäude, ein Auto oder ein paar Bäume in einer Landschaft verdeutlichen den Maßstab. Wenn keine Nebenmotive zu finden sind, helfen Führungslinien als weiteres Gestaltungsmittel. Gibt es auch keine Zäune, Wege oder Wellenmuster, haben Sie vielleicht etwas, was als Blickfang im Vordergrund dient. Ein Schwimmreifen oder Badetuch, Wanderschuhe oder ein Rucksack – verwenden Sie, was zum Motiv passt. Und natürlich gibt es immer noch die Möglichkeit, dass Sie sich selbst in einigem Abstand ins Bild stellen, um einen Blickfang zu schaffen. Dazu benötigen Sie ein Stativ oder eine passende Unterlage für die Kamera, die dann mit dem Selbstauslöser aktiviert werden muss.

3.1.8 Auf die richtige Perspektive kommt es an

In der Bildgestaltung kommt es fast immer auf die Perspektive an, die sowohl horizontal als auch vertikal verändert werden kann. Einem Betrachter Ihrer Fotos vermitteln Sie immer, aus welcher Position Sie die Aufnahmen gemacht haben. Er sieht das Motiv genau wie Sie im Moment des Auslösens.

Fotos aus der Froschperspektive

Bild 3.15 Fotografieren Sie etwas Kleines von unten aus der Froschperspektive, kann es plötzlich gigantisch wirken.

Bei Schnappschüssen – meist steht oder sitzt man –, macht man sich in der Regel keine Gedanken darüber, wie ein Motiv vielleicht aus einer anderen Perspektive wirken könnte. Wenn Sie in Bezug zu Ihrem Motiv einen besonders tiefen Blickpunkt einnehmen, die Perspektive also vertikal nach unten variieren, spricht man von der Froschperspektive. Alles, was Sie fotografieren, wirkt dann viel größer. Je kleiner die gewählte Brennweite ist und je näher Sie sich am Motiv befinden, desto stärker wirkt der Effekt. Besonders interessant ist die Froschperspektive immer dann, wenn Sie Objekte ablichten, von denen der Betrachter weiß, dass sie eigentlich sehr klein sind.

Eine Blume oder ein Pilz von schräg unten – mit ausklappbarem Kameradisplay zur Bildkontrolle kein Problem –, Kinder oder kleine Haustiere sind tolle Motive für die Froschperspektive. Durch den ungewöhnlichen Blickwinkel erregen Sie bei einem Betrachter mit Sicherheit Aufmerksamkeit.

Aber nicht immer ist die Froschperspektive eine Frage der bewussten gestalterischen Entscheidung. Fotografieren Sie z. B. in der Häuserschlucht einer Großstadt Wolkenkratzer, bleibt Ihnen oft keine andere als die Froschperspektive. Meist ist nicht genügend Platz, Hochhäuser aus der Entfernung aufzunehmen. Das kann einerseits reizvoll sein, um die Größe der Gebäude zu verdeutlichen, andererseits führt diese Art der Perspektive unweigerlich zur schrägen Darstellung eigentlich senkrecht in den Himmel ragender Gebäude – eine extreme Form der stürzenden Linien, die sich nur in gewissen Grenzen mithilfe der Bildbearbeitung korrigieren lässt.

Fotos aus der Vogelperspektive

Fotografieren Sie im Gegensatz zur Frosch- aus der Vogelperspektive, wirken Menschen und Objekte klein, zuweilen zerbrechlich. Besonders deutlich empfindet man den Reiz der Vogelperspektive, wenn man größere Objekte – Gebäude und Landschaften – etwa aus einem Flugzeug aufnimmt – übrigens eine tolle Möglichkeit, sein Urlaubsalbum aufzuwerten. Wenn Sie in eine Großstadt fliegen, machen Sie Fotos aus dem Flugzeug und stellen diese Aufnahmen denen im Album gegenüber, die in den Straßen aus der Froschperspektive geschossen wurden.

Auch hohe Gebäude, Türme und Brücken, Berge und Hügel können einen tollen Blick auf die Landschaft weit unten bieten. Es kommt hier darauf an, ein Motiv in den Bildaufbau mit einzubeziehen, das die Entfernung und den eigenen Standpunkt verdeutlicht.

Bild 3.16 Man bemerkt das weit unten liegende Dorf kaum, durch die erhöhte Kameraposition – die Vogelperspektive – wirken die Gebäude fast wie Spielzeug.

3.1.9 Eindruck von räumlicher Tiefe erwecken

Wie erweckt man in einer zweidimensionalen Abbildung den Eindruck von räumlicher Tiefe? Auch hier kommt es in erster Linie auf
die Perspektive des Fotografen an. Zunächst geht es darum, ein
Motiv in Vorder-, Mittel- und Hintergrund einzuteilen. Ein Hauptmotiv kann in jeder dieser Ebenen stehen, es kommt nur darauf an,
das Auge des Betrachters auch auf diesen Blickfang hinzulenken.
Sind Vorder-, Mittel- und Hintergrund klar voneinander zu unterscheiden, entsteht ganz automatisch der Eindruck räumlicher Tiefe.

Bild 3.17 Erst der im Bild winzig scheinende Mensch macht klar, welche Ausmaße der alte Steinbruch hat. Wann immer Sie Raum, Weite und Tiefe ausdrücken möchten – suchen Sie nach etwas, das Sie als Maßstab verwenden können und dessen Größe jeder kennt.

HINWEIS **Menschen als Maßstab mit einbeziehen**

Möchten Sie verdeutlichen, wie groß ein Gebäude, wie weit eine Landschaft ist, beziehen Sie Menschen als Maßstab mit ins Bild ein. So erkennt man auf den ersten Blick, wie groß (oder klein) die Umgebung ist.

Räumliche Tiefe erzielen

Eine häufig eingesetzte Methode, räumliche Tiefe zu erzielen, bedient sich des Effekts, der durch parallel verlaufende Linien wie Eisenbahnschienen, Straßenränder oder Häuserzeilen entsteht: Streben sie einem

Punkt in der Ferne zu, nähern sie sich einander an und scheinen sich »nach hinten« ins Bild zu erstrecken. Eine weitere Möglichkeit: Dinge, die gleich groß sind, werden im Bild schräg hintereinander platziert. Die Objekte werden mit zunehmender Entfernung scheinbar immer kleiner.

Bild 3.18 Die Gebäude machen deutlich, wie weit sich die Landschaft erstreckt. Durch die Luftperspektive – weit in der Ferne liegende Bereiche werden durch die Luft immer trüber und bläulicher – wird der Eindruck räumlicher Tiefe weiter unterstützt.

Bei jeder Art, räumliche Tiefe zu erzeugen, kommt ein zusätzlicher Gesichtspunkt zum Tragen, den man leicht übersieht: Je weiter ein Objekt entfernt ist, desto weniger Details sind erkennbar – ein Effekt, der in der Landschaftsfotografie automatisch entsteht. Der Tiefeneindruck in einer solchen Aufnahme wird dadurch verstärkt, dass weiter entfernte Landschaftselemente immer bläulicher wirken. Man spricht hier von der Luftperspektive, weil sich das Phänomen durch die zwischen Kameraposition und verschiedenen landschaftlichen Ebenen zunehmende Menge an Luft erklärt.

3.1.10 Farbe als Mittel der Bildkomposition

Ein weiterer Schritt zur perfekten Fotografie ist die Einbeziehung von Farben in die Bildkomposition. Es erfordert sehr viel Erfahrung und Zeit für das Fotografieren, Farben bewusst zu erkennen und zu arrangieren. Allerdings gibt es einige grundlegende Regeln, die man auch als unerfahrener Fotograf bereits von Anfang an beachten kann.

Spannung in ein Foto bringen

Bild 3.19 Der Blau-Gelb-Kontrast zwischen Rapsfeld und Himmel bringt enorme Intensität ins Bild. Im rechten Bild ist der Kontrast abgeschwächt, weil der bläuliche Hintergrund nicht ganz so kräftig leuchtet.

Es gibt einige Farbkombinationen, die ganz besonders eindringlich und kontrastreich wirken und Spannung in ein Foto bringen. Das sind vor allem die Kombinationen Gelb–Blau, Grün–Magenta (Pink) und Rot–Cyan (Hellblau). Motive mit diesen Farbkombinationen werden in den Vordergrund gerückt. Ein echter Klassiker in unserem Kulturkreis ist das gelbe Rapsfeld vor strahlend blauem Himmel.

Ruhe und Monotonie ausdrücken

Bild 3.20 Setzen Sie die Farbe bewusst ein, ist Rot immer ein Hingucker.

Wollen Sie dagegen Ruhe oder vielleicht sogar Monotonie ausdrücken, wählen Sie für Ihre Bildkompositionen eher Farben, die sich nicht allzu sehr voneinander unterscheiden und auf dem Farbkreis nah beieinander liegen. Ein Bild, das lediglich aus roten, orangefarbenen und gelben Farbtönen besteht, wirkt eher beruhigend auf den

Betrachter. Melancholische Landschaften oder sanft ausgeleuchtete Stillleben setzen sich oft aus zarten Pastellfarben zusammen, um die Stimmung zu transportieren.

Bild 3.21 Mal abgesehen davon, dass Sonnenuntergänge sowieso immer beruhigend wirken – die warmen Farben des abendlichen Sonnenlichts lassen sich toll für pastellartig wirkende Landschaftsaufnahmen nutzen.

TIPP **Rote Farbtupfer wirken Wunder**

Von allen Farben am aufdringlichsten ist das Rot. Wenn einem Motiv ein echter Blickfang fehlt, kann ein roter Farbtupfer wahre Wunder wirken. Ein knallrotes Auto in einer eintönigen Landschaft, eine rote Nelke im Knopfloch eines dunkel gekleideten Mannes – Rot zieht die Blicke magisch an.

3.2 An der Grenze zur Nah- und Makrofotografie

Hatten Sie als Kind ein Vergrößerungsglas, vielleicht sogar eine richtig gute Lupe? Wenn ja, erinnern Sie sich vielleicht daran, wie fasziniert Sie damals von einer Welt waren, die mit bloßem Auge nicht oder nur schwer zu erkennen war, und die Dank der Vergrößerung plötzlich kleinste Details erschloss. Aus einem ganz ähnlichen Grund erfreut sich die Nah- und Makrofotografie großer Beliebtheit. Doch wo endet die »normale« Fotografie, wo liegt die Grenze zur Nah- und Makrofotografie? Die Antwort darauf ist sicher nicht mit der Festlegung auf eine bestimmte Entfernung zwischen Kamera und Motiv zu geben.

Bild 3.22 Für dieses Bild wurde ein wenig gemogelt: Die Marienkäfer waren in einem Glas gefangen, während die Kamera aufgestellt und auf die Blattspitze fokussiert wurde. Erst als alles bereit war, wurden die Käfer schließlich auf das Blatt gesetzt.

Bei Nahaufnahmen geht es um die vergrößerte Darstellung von Dingen und Details, die zu klein sind, um sie auf den ersten Blick als lohnendes Fotomotiv zu erkennen, oder die innerhalb eines Bildes eher schmückendes Beiwerk als Hauptmotiv oder Blickfang sind. Die Nahfotografie erschließt neue Welten, wenn plötzlich eine einzelne Blüte mit ihren Blättern und Staubgefäßen ins Zentrum des Blicks rückt.

Bild 3.23 Das Foto wurde mit einen Spezialobjektiv für Makroaufnahmen an einer Spiegelreflexkamera gemacht.

Im Bereich der Makrofotografie

Der in der Nahaufnahme geübte Fotograf hat einen Blick für solche Motive, löst sie mit der Kamera aus ihrem Kontext und stellt ihnen die gesamte Fläche des Bildes zur Verfügung. Sobald die Motive noch kleiner werden, sodass man ihre Details mit dem bloßen Auge nicht mehr erkennen kann, kommt man in den Bereich der Makrofotografie. Diese ist mit einfachen Kameras und ohne Spezialzubehör nur in einem begrenzten Rahmen möglich, weil für die Objektive von digitalen und analogen Kameras bestimmte physikalische Grenzen gelten und man die Kamera nur bis zu einer gewissen Entfernung an ein Motiv heranbringen kann.

Bild 3.24 Wenn Sie eine Biene auf einer Sonnenblume fotografieren möchten, sollten Sie die Kamera samt Stativ aufbauen, die Belichtungswerte ermitteln, auf eine bestimmte Stelle manuell fokussieren und abwarten. Eine Fernbedienung hilft, Verwacklungen zu vermeiden.

Die Nahfotografie ist mit nahezu jeder Digitalkamera ohne besonderes Zubehör machbar. Einfache Makroaufnahmen z. B. von Insekten sind mit einer guten Kompaktkamera meistens auch noch kein Problem, wenn die Kamera über ein Makroaufnahmeprogramm (verdeutlicht durch ein Blumensymbol) verfügt. Wenn Sie aber nicht nur die auf einer Blüte sitzende Fliege, sondern einzelne Facetten ihrer Augen deutlich in den Aufnahmen darstellen wollen, benötigen Sie je nach Kameratyp unterschiedliches Spezialzubehör.

Reizvolle Blickfänge

Bild 3.25 Kleine Objekte wirken immer dann am ungewöhnlichsten, wenn man sie aus einer ungewohnten Perspektive fotografiert. Der Steinpilz wurde am Boden liegend mit einem 200-mm-Teleobjektiv aufgenommen, um Vorder- und Hintergrund unscharf zu gestalten.

Nah- oder Makroaufnahmen sind reizvolle Blickfänge für die unterschiedlichsten Gelegenheiten. Aus einer Rosenblüte wird schnell ein Motiv für eine Geburtstags- oder Hochzeitskarte, aus einer Fotosammlung von Strandblumen ein Kalender. Auch ein individueller Bildschirmhintergrund ist mit Makroaufnahmen möglich. Wenn Ihre Kamera über 5 Megapixel oder mehr verfügt, können Sie Ihre gelungensten Makroaufnahmen auch als Vergrößerung ausgeben lassen.

Bild 3.26 Ein Klassiker: Für die Rose im Morgentau ist kein Spezialequipment nötig. Verfügt Ihre Kamera über ein Programm für Nahaufnahmen, sind solche Bilder kein Problem.

3.2.1 Erste Schritte in der Nah- und Makrofotografie

Was fällt Ihnen zum Stichwort Nahaufnahme ein? Viele denken vermutlich sofort an stimmungsvolle Bilder von traumhaft zarten Blüten, an Schmetterlinge oder z. B. an Details eines menschlichen Gesichts. Für die ersten Schritte in der Nah- und Makrofotografie sind Blumen und Blüten am besten geeignet. Zunächst strahlen viele Blüten eine ganz natürliche Ästhetik aus. Zudem lassen sie sich in jeder beliebigen Umgebung arrangieren und bewegen sich nicht, wenn nicht gerade der Wind über die Pflanzen hinwegstreicht. Außerdem werden Sie beim Fotografieren sehr schnell die Probleme kennen lernen, die sich aus den unterschiedlichen Formen, den verschiedenen Strukturen und der Tiefenausdehnung ergeben. Sie werden sehen, wie schwierig es sein kann, genügend Schärfentiefe zu erzielen, um eine Blüte in ihrer Dreidimensionalität zu erfassen, eine kunstvolle Beleuchtung zu arrangieren und den richtigen Bildausschnitt für gekonnte Gestaltungen auszuwählen. Die Tipps in diesem Kapitel helfen Ihnen jedoch, diese Schwierigkeiten der Nah- und Makrofotografie in den Griff bekommen.

3.2.2 Tipps für gelungene Nahaufnahmen

Wenn Sie noch keine Erfahrung in der Nahfotografie haben, suchen Sie sich zunächst ein paar geeignete Objekte. Das können Münzen, Miniatureisenbahnen, Früchte oder Blumen sein, bei denen Sie zum Fotografieren nah herangehen müssen.

Mit Blumen üben

Bild 3.27 Mohn ist immer ein Blickfang. Besorgen Sie sich im Blumenladen ein paar Mohnblüten, die noch nicht aufgegangen sind. Verfolgen Sie das über ein paar Tage fortschreitende Öffnen der Blüten mit Ihrer Kamera.

Wenn Sie den Ratschlag befolgen, zunächst mit ein paar Blumen zu üben – selbst nicht so perfekte Fotos exotischer Blüten können als 20-mal-30-Ausdruck toll wirken –, besorgen Sie sich größere Blüten. Um einen Blick für Strukturen und einen vorteilhaften Bildausschnitt zu entwickeln, sind flächige Blüten am besten geeignet. Stellen Sie Ihre Kamera entweder auf den Automatik- oder, falls vorhanden, auf den Makromodus ein und fotografieren Sie die Blüte zunächst frontal aus relativ geringer Entfernung. Wie dicht Sie im Makromodus herangehen können oder müssen, erfahren Sie im Kamera-Handbuch. In den meisten Fällen beginnt der Makrobereich bei etwa 30 cm. Mit guten Objektiven können Sie auf bis zu 5 cm an Ihr Motiv herangehen. Viele Kameras passen auch die automatische Scharfstellung, den Autofokus, an das Makroprogramm an und bieten Ihnen dann nur im Makrobereich der Kamera eine passende Scharfstellung. Das ist eine gute Hilfe, denn wenn Sie zu weit weg sind, kann die Kamera nicht scharf stellen.

Gegen Verwackler vorbeugen

Sie werden sehen, dass für die Wahl des Bildausschnitts und zum Ruhighalten der Kamera ein Stativ eine große Hilfe ist. Die Gefahr zu verwackeln ist bei Nahaufnahmen sehr hoch, wenn Sie aus der Hand fotografieren – es sei denn, Ihre Kamera bietet einen Bildstabilisator, der das leichte Verwackeln kompensiert. Fotografieren Sie die Blüte frontal, spielt die Schärfentiefe nur eine geringe Rolle, denn die Blüte liegt mehr oder weniger parallel zur Sensorebene. Es kommt hier mehr darauf an, auf Beleuchtung, Bildausschnitt und Hintergrund (falls sichtbar) zu achten. Wenn Sie im Freien arbeiten, liefert die Sonne Licht. Fotografieren Sie drinnen, stellen Sie die Blumen am besten neben ein Fenster. Das einfallende Licht beleuchtet die Blumen so sanft von der Seite.

HINWEIS **Histogramm in der Vorschaufunktion**

Sehen Sie im Handbuch Ihrer Kamera nach, ob die Vorschaufunktion ein Histogramm bietet. Das Histogramm ist die zuverlässigste Möglichkeit zur Kontrolle der Helligkeitsverteilung. Es zeigt in einer Grafik, ob die aufgenommenen Tonwerte innerhalb des von der Kamera erfassbaren Helligkeitsspektrums liegen. Ist eine Aufnahme über- oder unterbelichtet, sind Teile der grafischen Darstellung des Histogramms an den Rändern abgeschnitten.

Bild 3.28 Diese Nahaufnahme musste mit langer Brennweite in schlecht beleuchteter Umgebung gemacht werden. Die Kamera war auf ein
Einbeinstativ montiert, um Unschärfe durch Verwackeln zu vermeiden.

Geringe Schärfentiefe bei Nahaufnahmen

Drehen Sie für eine zweite Aufnahmereihe die Blüte so, dass sie nicht mehr parallel zur Sensorebene steht. Sehen Sie sich im Sucher oder auf dem Bildschirm genau an, wo der schärfste Punkt auf der Blüte liegt, und machen Sie ein paar Aufnahmen mit unterschiedlicher Fokussierung. Wenn Ihre Kamera es erlaubt, sollten Sie manuell fokussieren, um z. B. auch auf einen Bereich außerhalb der Bildmitte scharf zu stellen. Wenn Sie die Fotos der zweiten Aufnahmereihe am Computer kontrollieren, werden Sie sehen, wie gering die Schärfentiefe bei Nahaufnahmen ist.

3.2.3 Makro-Motive perfekt ausleuchten

Haben Sie Ihre Kamera auf das Aufnahmeprogramm für Nah- und Makroaufnahmen gestellt, steuert sie die Werte für Blende und Verschlusszeit mithilfe des internen Belichtungsmessers automatisch. Ist nicht genügend Licht vorhanden, wird je nach Kameramodell auch der Blitz zugeschaltet. Wenn die automatisch gesteuerten Aufnahmen nichts geworden sind, verändern Sie die Belichtungswerte.

Das Licht muss stimmen

Die schönsten Nah- und Makroaufnahmen entstehen, wenn nicht nur das Motiv und die Bildgestaltung, sondern vor allem auch das Licht stimmt. Allein viel Licht von oben oder von der Seite reicht für gute Bilder selten aus. Ein Motiv muss so ausgeleuchtet werden, dass alle Details sichtbar sind, trotzdem aber die Plastizität eines Objekts durch den Wechsel von Licht und Schatten, hellen und dunklen Partien verdeutlicht wird. Winzige Spitzlichter können zusätzlich für Stimmung sorgen.

Bild 3.29 Um die Feder interessanter zu gestalten, wurde sie mit einem Zerstäuber mit Wasser benetzt.

Bild 3.30 Das Ringblitzgerät für Makroaufnahmen wird vorn am Objektiv befestigt. Dadurch kann fast schattenfrei ausgeleuchtet werden.

Bild 3.31 Für die Ausleuchtung der Blattläuse und Ameisen an einem Efeu-Ast wurde ein Blitzgerät mit Softbox links von der Kamera aufgestellt. Da der schlecht beleuchtete Hintergrund weit entfernt war und die Belichtungszeit bei 1/250 sek lag, blieb der Hintergrund relativ dunkel.

TIPP Durch ein Nordfenster hereinfallendes Licht nutzen

Fotografieren Sie im Haus, können Sie das durch ein Nordfenster hereinfallende Licht nutzen. Dieses Licht ist diffus, weil die Sonne nicht direkt ins Fenster scheint. An trüben Tagen ist das Licht besonders weich. Es lässt sich zusätzlich aufweichen, indem Sie das Fenster mit Backpapier verkleiden. In jedem Fall verursacht das Licht eines Nordfensters sehr sanfte Schatten, die sich in Nah- und Makromotiven besonders gut machen.

Schatten modellieren Oberflächen

Wenn Sie ein detailreiches und sich in die Tiefe erstreckendes Objekt direkt von oben oder von vorn mit einem Blitz oder einer Lampe anstrahlen, flachen dessen Strukturen ab. Die Dreidimensionalität des Objekts lässt sich so nicht in den zweidimensionalen Raum eines Fotos hinübertransportieren, und es entsteht nicht der Eindruck räumlicher Tiefe. Erst Schatten modellieren Oberflächen.

Machen Sie Ihre Nah- und Makrofotos also zunächst mit einer schräg seitlich positionierten Lichtquelle. Ob Sie ein Blitzlicht, einen Strahler oder das Tageslicht verwenden, ist dabei zweitrangig. Das Kernproblem bei einer seitlichen Lichtquelle ist, dass die dem Licht abgewandte Seite des Motivs je nach Umgebungshelligkeit im Schatten liegt.

Arbeiten mit Reflektoren

Arbeiten Sie in diesem Fall für eine weichere und gleichmäßigere Ausleuchtung mit Reflektoren. Ein Spiegel oder eine mit Alufolie bespannte Fläche wirft das Licht von der gegenüberliegenden Lichtquelle zurück und erhellt so im Schatten liegende Bildteile. Falls Sie das vom Reflektor zurückgeworfene Licht noch weicher gestalten möchten, verwenden Sie anstelle einer glänzenden Fläche eine weiße Styroporplatte oder eine andere weiße Fläche (z. B. ein Blatt Papier).

3.2.4   Motive die sich schnell bewegen

Haben Sie schon einmal versucht, spielende Kinder oder einen herumtollenden Hund zu fotografieren? Immer wenn man sein Motiv gerade in der Schärfe hat, bewegt es sich vom Fleck, und man kann mit dem Scharfstellen von vorn beginnen. Arbeiten Sie mit größeren Motiven, lässt sich die Problematik etwas abschwächen, indem Sie mit Weitwinkel und kleiner Blende für mehr Schärfentiefe arbeiten. Diese Möglichkeiten haben Sie in der Nah- und Makrofotografie nicht. Hier heißt es, nah heranzugehen und mit längeren Brennweiten zu fotografieren, um kleine und winzige Motive formatfüllend zu erwischen.

Insekten fotografieren

Bild 3.32 Derart detaillierte Aufnahmen von Insekten sind nur mit Spezialzubehör wie Nahlinsen, Makroobjektiven, Zwischenringen oder Balgengeräten möglich. Nur wenige Kompaktkameras bieten Naheinstellgrenzen von wenigen Zentimetern.

Insekten und andere kleine Lebewesen können sich mit erstaunlicher Geschwindigkeit bewegen. Deshalb sollten Sie den Punkt, an dem Sie die Tiere fotografieren möchten, zuvor exakt manuell festlegen. Arbeiten Sie hierbei mit Stativ, zusätzlich am besten mit Fernauslöser, um die Kamera beim Auslösen nicht mehr zu berühren. Ebenfalls hilfreich ist ein Einstellschlitten, mit dem die Kamera zum Fokussieren millimetergenau vor- und zurückbewegt werden kann, ohne die Fokussierung manuell an der Kamera verändern zu müssen.

Schrauben Sie die Kamera auf ein Stativ und legen Sie mithilfe des Monitors oder Suchers den Bildausschnitt fest. Fokussieren Sie anschließend auf den Punkt, an dem das Motiv festgehalten werden soll. Zur Kontrolle der Belichtungswerte (für große Schärfentiefe empfiehlt es sich, mit kleiner Blende zu arbeiten oder das Makro-/Nahprogramm der Kamera einzustellen) sollten Sie einige Aufnahmen machen und anschließend sofort auf dem Display überprüfen. Sind die Aufnahmen zu hell oder zu dunkel, verändern Sie die Belichtung entsprechend.

TIPP **Reflektoren gezielt einsetzen**

Ein Reflektor dient nicht nur dazu, Licht zu streuen und die Ausleuchtung weicher zu gestalten. Im Freien ist z. B. eine an einem Stativ befestigte Styroporplatte ein guter Windschutz. Je zarter Motive wie z. B. Gartenblumen sind, desto eher führen auch leichte Windstöße zu ungewollter Bewegungsunschärfe.

Kurze Verschlusszeiten

Bei Motiven, die sich schnell bewegen, müssen Sie mit sehr kurzen Verschlusszeiten (1/250 sek und weniger) arbeiten, um die Motive in ihrer Bewegung »einzufrieren«. Kurze Verschlusszeiten erfordern relativ weit geöffnete Blenden, um noch genügend Licht auf den Sensor fallen zu lassen. Hierdurch wird die Schärfentiefe wieder reduziert. Ein Kompromiss aus möglichst kurzer Verschlusszeit und kleiner Blende ist also notwendig, um ein Optimum aus der Aufnahme eines Motivs in Bewegung herauszuholen. Abhilfe schafft hier entweder eine geeignete Lichtquelle oder ein für die Nahfotografie geeignetes Blitzgerät, mit dem Sie allerdings lebende Motive schnell vertreiben.

3.2.5 Kamerazubehör für einwandfreie Aufnahmen

Nah- und Makroaufnahmen gelingen in den meisten Fällen nur mit einem Stativ wirklich gut. Mit einem stabilen Dreibeinstativ wird es einfacher, exakt auf das Hauptmotiv zu fokussieren. Weil für maximale Schärfentiefe kleine Blenden nötig sind, die durch relativ lange Verschlusszeiten von der Kameraautomatik kompensiert werden, verhindert ein Stativ – am besten in Kombination mit Fern- oder Selbstauslöser –, dass Sie Ihre Aufnahmen verwackeln.

Nahlinsen verringern die Distanz zum Motiv

Bild 3.33 Nahlinsen sind nichts anderes als Vergrößerungsgläser. Die Abbildungsqualität des Objektivs wird durch eine Nahlinse mehr oder weniger gemindert, weshalb Sie hier auf Qualität achten und lieber etwas mehr ausgeben sollten. Nahlinsen gibt es in verschiedenen Stärken, die Stärke wird in Dioptrien angegeben.

Viele digitale Kompaktkameras lassen sich bis auf wenige Zentimeter vor ein Motiv halten, wodurch in Kombination mit einer langen Brennweite für Fotos von nur zentimetergroßen Lebewesen kein Zubehör notwendig ist. Besitzen Sie eine Kamera, die keine solche Annäherung erlaubt, brauchen Sie eine Nahlinse, die ins Filtergewinde des Objektivs geschraubt wird. Hat Ihr Objektiv kein Filtergewinde, fragen Sie Ihren Fachhändler nach einer speziellen Filterhalterung, die am Kameragehäuse angebracht werden kann. Nahlinsen, die relativ günstig im Fachhandel erhältlich sind, wirken wie Vergrößerungsgläser. Sie verringern die notwendige Distanz zwischen Kamera und Motiv. Man erhält Nahlinsen in verschiedenen Stärken, die in Dioptrien angegeben werden. Es lassen sich auch mehrere Nahlinsen miteinander kombinieren. Allerdings wird die Bildqualität durch Farbfehler und Unschärfen deutlich schlechter, je mehr Linsen Sie verwenden.

Zuschaltbare Makrofunktion bei SLR-Kameras

Besitzer von digitalen Spiegelreflexkameras haben neben den Nahlinsen einige weitere Optionen, um die Ausrüstung zu erweitern. Eine Reihe von Standard-Zoomobjektiven hat eine zuschaltbare Makrofunktion, um sich den gewünschten Motiven bis auf einige Zentimeter zu nähern. Mit speziellen (und teuren) Makroobjektiven lassen sich Vergrößerungen bis zur Lebensgröße erzielen. Ein Motiv von einem Zentimeter Größe wird also auf einem Sensor in Lebensgröße abgebildet und nimmt auf dem Sensor die gleiche Größe wie in Wirklichkeit ein. Man spricht von einem Abbildungsmaßstab von 1:1. Die Abbildungsqualität von Objektiven, die speziell für Makroaufnahmen konzipiert sind, ist übrigens deutlich besser als von Allround-Optiken mit zusätzlicher Makrofunktion.

Zwischenringe einsetzen

Relativ preiswert sind Zwischenringe, die zwischen Kamera und Objektiv montiert werden, aber nur für Spiegelreflexkameras mit Wechselobjektiven verwendet werden können. Zwischenringe sorgen dafür, dass Objektiv und Kamera nach wie vor miteinander kommunizieren und automatische Belichtung und Autofokus wie gewohnt funktionieren. Die Ringe gibt es in verschiedenen Stärken. Je dicker sie sind, desto größer ist der Abbildungsmaßstab. Man kann die Ringe miteinander kombinieren, die Abbildungsqualität wird dabei nicht vermindert. Allerdings schlucken Zwischenringe Licht, wodurch sich die Belichtungszeit verlängert oder größere Blenden benötigt werden.

Bild 3.34 Zwischenringe werden zwischen Objektiv und SLR-Kamera gesetzt, um näher an ein Motiv herankommen zu können.

Balgengeräte und Umkehrringe

Spiegelreflexkameras können für die Nah- und Makrofotografie auch mit Balgengeräten und Umkehrringen ausgerüstet werden. Balgengeräte arbeiten nach dem gleichen Prinzip wie Zwischenringe, man kann die Entfernung zwischen Objektiv und Kamera jedoch stufenlos einstellen. Mit einem Umkehrring, der an einer Seite einen

Anschluss für das Objektiv, an der anderen einen Kameraanschluss hat, kann man seine Objektive umgekehrt an eine Kamera anbringen. Das Objektiv wirkt dann wie ein Vergrößerungsglas. Dadurch bleibt die Abbildungsqualität des Objektivs erhalten. Gute Umkehrringe sind so ausgestattet, dass die Kommunikation zwischen Kamera und Objektiv weiterhin möglich ist. Bei einfachen Modellen werden Belichtungswerte und Fokussierung von Hand eingestellt.

3.3 Tiere daheim, im Zoo und in freier Wildbahn

Bild 3.35 Im Zoo hat man bessere Möglichkeiten, auch ungewöhnlichere Tierarten zu fotografieren. Als Vorbereitung auf einen Abenteuerurlaub mit Safari sollten Sie unbedingt vorher ein paar Mal in den Zoo gehen und Ihre Kamera besser kennen lernen.

Wenn Sie schon einmal versucht haben, Ihr Haustier, Vögel am winterlichen Futterhäuschen oder Tiere im Zoo zu fotografieren, sind Sie vermutlich bereits auf ein paar Probleme gestoßen, mit denen man bei Tieraufnahmen zu kämpfen hat. Schnelle Bewegungen, Fluchtreaktionen, zu wenig oder zu viel Licht, ein störender Hintergrund und ein manchmal nicht absolut zuverlässiger Autofokus gehören dazu. Umso beeindruckender sind die atemberaubenden Wildlife-Aufnahmen, die man im Fernsehen, in Büchern oder Zeitschriften und im Kino bestaunen kann.

Bild 3.36 Professionelle Aufnahmen von Wildtieren wie den Wölfen erfordern viel Geduld und teure Kameraausrüstung, da man meist nicht sehr nah an seine Motive herankommt.

Nach den ersten eigenen Versuchen in Sachen Tierfotografie fragt man sich, wie die professionellen Fotografen und Tierfilmer ihre Aufnahmen hinbekommen haben. Fliegende Vögel, springende Raubkatzen und vorbeiflitzende Fische sind der Lohn harter Arbeit von Profis, die viel Zeit und Geld in diesen Bereich der Fotografie stecken. Das bedeutet aber keineswegs, dass gute Tieraufnahmen nur mit einer teuren Ausrüstung und wochenlangen Wanderungen in freier Wildbahn möglich sind. Die tollen Aufnahmen von Wildtieren werden vielfach mit Extrembrennweiten oder versteckten Kameras mit Fernauslöser gemacht. Denn auch die Profis kommen schon aus Sicherheitsgründen nicht bis auf wenige Zentimeter an Löwen, Elefanten oder Krokodile heran.

Der ästhetische Wert eines Tier-Porträts

Es ist natürlich eine Tatsache, dass eine schnelle Spiegelreflexkamera mit Topobjektiven und deren professionelle Bedienung die Ausbeute an zumindest technisch gelungenen Fotos erhöhen kann. Den ästhetischen Wert eines Tierporträts vermag die Qualität der Ausrüstung nicht automatisch zu beeinflussen, denn für Bildgestaltung und Timing sind allein Sie zuständig. Auch die interessante Umgebung – Elefanten vorm Kilimandscharo, aufspritzende Gischt hinter einer Herde von Seekühen – muss für gute Bilder in den Bildaufbau mit einbezogen werden. Deshalb der wichtigste Tipp zu Beginn: Fotografieren Sie die Tiere in ihrer Umgebung und lernen Sie dabei, Ihre Kamera zu beherrschen und auf die Besonderheiten in der Gestaltung von Tierfotografien zu achten.

TIPP **Mehr Dynamik mit dem Sportprogramm**

Um mehr Dynamik ins Bild zu bringen, fotografieren Sie sich bewegende Tiere mit dem Sportprogramm und verfolgen die Bewegung mit der Kamera. Achten Sie darauf, dass die Bewegungsrichtung von links nach rechts verläuft – das vermittelt Aktivität und Kraft.

Große Blende bei Nahaufnahmen

Stellen Sie bei Nahaufnahmen von Tieren eine große Blende ein (alternativ das Porträtprogramm verwenden), sodass der Hintergrund in Unschärfe verschwimmt und dadurch nicht vom Hauptmotiv ablenkt.

Tiergruppen fotografieren

Fotografieren Sie Gruppen von Tieren, versuchen Sie eines der Tiere als Blickfang auszumachen. Das funktioniert, indem z. B. ein einzelnes Tier in die Kamera blickt, den Kopf hebt oder sich farblich von den anderen unterscheidet.

Bild 3.37 Auf den Bildaufbau kommt es an! Auch scheinbar langweilige Motive wie ein paar Rinder lassen sich interessant in Szene setzen, wenn das Bild Dreidimensionalität vermittelt.

Foto-Equipment für jede Gelegenheit

Bild 3.38 Wäre der Fotograf dem grimmig blickenden Stier so nah gekommen, wie das Foto es vermittelt, hätte er möglicherweise Probleme bekommen. Das Bild entstand mit langer Brennweite von 200 mm.

Mit jeder Art von Digitalkamera lassen sich Tierbilder schießen. Mit einer kleinen Kompaktkamera mit Dreifachzoomobjektiv eine qualitativ hochwertige, formatfüllende Aufnahme eines Löwen in freier

Wildbahn zu machen würde Sie jedoch in Lebensgefahr bringen, da Sie sehr nah an das Tier herangehen müssten. Und die Bildqualität für einen vergrößerten Ausschnitt aus einem Digitalfoto reicht je nach Entfernung zum Motiv gerade mal für die halbe Postkartengröße.

TIPP **Auf digitalen Zoom verzichten**

Verzichten Sie für Tieraufnahmen mit langer Brennweite auf den digitalen Zoom. Die Bildqualität des digitalen Zooms, bei der Bildinformationen nur künstlich vergrößert werden, ist nicht vergleichbar mit der Qualität des echten optischen Zooms.

TIPP **Konverter zum Aufschrauben**

Wenn Sie sich für Ihre Digitalkamera einen Konverter zum Aufschrauben kaufen möchten, probieren Sie gerade stärkere Konverter (2-fach, 3-fach und mehr) besser vor dem Kauf aus. Entscheiden Sie erst nach der Kontrolle von einigen Testfotos, ob die Bildqualität Ihren Ansprüchen genügt. Gerade Konverter von Billiganbietern verringern die Bildqualität deutlich.

Wissen um die Fluchtdistanz

Besitzen Sie eine digitale Kompaktkamera mit 10- oder 12-fachem optischem Zoomobjektiv, mit der Sie Brennweiten zwischen rund 30 und 400 mm (umgerechnet auf das Kleinbildformat) erreichen, sind Sie sehr gut für die meisten Tiermotive zu Hause und im Zoo ausgestattet. Sogar während einer Safari sollten Fotos von Zebras, Elefanten und gelangweilt in der Mittagssonne liegenden Löwen möglich sein, auch wenn Sie nicht jedes Detail auf den Aufnahmen erkennen werden.

Bild 3.39 Eine kurze Telebrennweite von circa 135 mm hat hier ausge-
reicht, um die Schmetterlinge fotografieren zu können. Das Sonnenlicht war ausreichend, um mit einer Verschlusszeit von 1/250
sek arbeiten zu können. Die Aufnahme entstand sozusagen im
Vorbeigehen ohne Stativ.

Im Tierpark kommen Sie relativ nah an die Tiere heran, die nicht flüchten können und außerdem an den Anblick von Menschen gewöhnt sind. Den Abstand, den Tiere in der freien Natur zwischen sich und dem Menschen tolerieren, nennt man Fluchtdistanz. Das Wissen um die Fluchtdistanz ist sehr wichtig, um zu guten Fotos zu kommen.

Einstieg in Superbrennweiten

Profis, die mit Spiegelreflexkameras und Wechselobjektiven arbeiten, setzen oft Teleobjektive enormer Brennweiten (1000 mm und mehr) ein, um die Fluchtdistanz nicht zu unterschreiten. Arbeiten auch Sie mit einer Spiegelreflexkamera, ist der Einstieg in diese Superbrennweiten auf zweierlei Weisen möglich. Sie kaufen ein entsprechendes Objektiv, was extrem kostspielig ist, oder Sie verwenden zusätzlich zu Ihrem Objektiv mit der längsten Brennweite einen so genannten Konverter. Telekonverter für Spiegelreflexsysteme verlängern je nach Ausführung die Brennweite um die Faktoren 1,4 oder 2 oder 3. Motive werden also um den jeweiligen Faktor vergrößert. Zwar kann man Konverter auch kombinieren, die Abbildungsqualität des Objektivs nimmt dann aber spürbar ab. Wie groß der Qualitätsverlust ist, hängt von der Güte des Konverters ab. Zusätzlich zur verringerten Abbildungsqualität benötigen Sie für korrekte Belichtungen mehr Licht, was mit längerer Belichtungszeit oder größeren Blendenöffnungen kompensiert werden muss. Je nach Aufnahmeprogramm geschieht das automatisch oder manuell.

Konverter gibt es übrigens nicht nur für Spiegelreflexkameras, sondern auch für digitale Kompaktkameras. Diese muss allerdings über ein Filtergewinde verfügen, in den der Konverter eingeschraubt wird. In das Gewinde können natürlich auch andere Zubehörteile wie Nahlinsen und Filter geschraubt werden. Am besten fährt man hierbei mit den vom jeweiligen Kamerahersteller empfohlenen Linsen, da sie die Abbildungsqualität nur unmerklich verringern.

3.3.1 Was man gegen Verwackler tun kann

Neben der mangelnden Schärfe und dem schlechteren Kontrast von Aufnahmen mit Konvertern gibt es ein zweites Problem, das gute Tierfotos aus großer Entfernung schwierig macht. Je länger die Brennweite ist, desto schneller werden Aufnahmen durch Verwackeln unscharf, wenn Sie kein stabiles Stativ einsetzen oder die Kamera irgendwo auflegen können.

Verschlusszeit manuell beeinflussen

Bild 3.40 Die Kamera war in einem dem Vogelhaus gegenüberliegenden Fenster platziert. Sie war auf ein stabiles Stativ montiert, um ohne Verwackeln Fotos mit langer Brennweite (400 mm) machen zu können.

TIPP **Kameras mit Bildstabilisierung**

Höherwertige Kameras werden zunehmend mit einem System zur Bildstabilisierung ausgerüstet – gut bei Fotos mit langen Brennweiten. Ein Bildstabilisator gleicht leichte Bewegungen der in der Hand gehaltenen Kamera aus, sodass auch mit relativ langen Verschlusszeiten noch unverwackelte Aufnahmen möglich sind. Trotz der unterschiedlichen Systeme der Hersteller – Bildstabilisatoren sind im Kameragehäuse oder im Objektiv untergebracht – befindet sich oft im Objektiv ein bewegliches Linsenelement, das Bewegungen ausgleicht. Bei anderen Modellen ist der Kamerasensor selbst beweglich. Allen Bildstabilisatoren gemeinsam ist, dass sie beim Fotografieren eine Verwacklungsreserve von ca. zwei bis drei Belichtungsstufen bringen. Sie können also eine Aufnahme mit einer Brennweite von 100 mm (bezogen auf das Kleinbildformat) selbst dann noch ohne Stativ scharf fotografieren, wenn die notwendige Verschlusszeit bei 1/15 sek liegt. Da es 1/100 als Belichtungszeit nicht gibt, wäre die nächste Stufe 1/60. Noch eine Stufe weiter liegen Sie bereits bei einer Belichtungszeit von 1/30 sek. Ohne Stabilisator würde die minimale Verschlusszeit für Fotos ohne Stativ bei 1/125 sek liegen.

Bei einer Weitwinkelaufnahme wäre es möglich, mit einer Verschlusszeit von z. B. 1/30 sek ohne Stativ zu fotografieren. Arbeiten Sie mit einer so langen Verschlusszeit und mit einer Brennweite von 200 mm (bezogen auf das Kleinbildformat) aus der Hand, verwackeln die Aufnahmen garantiert. Halten Sie sich an eine Faustregel aus der analogen Fotografie: Für nicht verwackelte Bilder ohne Stativ sollte der umgekehrte Wert der Verschlusszeit in etwa der Brennweite entsprechen. Fotografieren Sie mit 250 mm (bezogen auf das Kleinbildformat), darf die Verschlusszeit also höchstens 1/250 sek betragen. Wenn Sie die Verschlusszeit an Ihrer Kamera nicht manuell

beeinflussen können, behelfen Sie sich mit dem Aufnahmeprogramm für Sportfotos. Das Sportprogramm setzt bei der Belichtung
die Priorität auf kurze Verschlusszeiten und stellt die notwendige
passende Blende automatisch dazu ein. Arbeiten Sie mit einer Kamera mit Bildstabilisator, sind auch längere Verschlusszeiten möglich.

HINWEIS   **Abschaltbare Kamerasignale**

Unabdingbar für gute Tierfotos sind abschaltbare Kamerasignale.
So praktisch der kleine Piepser bei der Scharfstellung oder das
Pseudoklicken bei der Aufnahme ist – gerade wilde Tiere reagie-
ren hoch empfindlich.

3.3.2   Gestochen scharfe Bilder nur mit Stativ

Wenn Sie sich für Tieraufnahmen begeistern und dazu in der Natur
unterwegs sind, ist für gestochen scharfe Bilder ein Stativ unverzichtbar. Stative müssen stabil genug sein, um die Digitalkamera sicher
und verwacklungsfrei zu tragen. Arbeiten Sie mit einer kompakten
und leichten Digitalkamera, genügt schon ein relativ leichtes Stativ,
das auch bei längeren Wanderungen kaum behindert. Je schwerer die
Ausrüstung ist, desto schwerer ist auch das passende Stativ. Sind Sie
oft zu Fuß unterwegs und haben eine Spiegelreflexausrüstung mit
langen und schweren Teleobjektiven, kann ein entsprechend schwe-
res Stativ schnell zur zusätzlichen Last werden. Es gibt neben den
Modellen aus Aluminium auch solche aus Karbon, die bei deutlich
reduziertem Gewicht die gleiche Stabilität haben, jedoch sehr teuer
sind.

Bild 3.41 Stative gibt es als Einbein- und Dreibeinmodelle. Für bedächtiges Fotografieren sind Dreibeine besser geeignet. Wenn man oft und schnell den Standort wechseln muss, ist ein Einbeinstativ die bessere Wahl.

Fern- und Selbstauslöser

Fast genauso wichtig für nicht verwackelte Aufnahmen wie ein Stativ ist ein Fern- oder Selbstauslöser. Mit einem Fernauslöser – viele Digitalkameras werden heute mit praktischen Infrarotfernauslösern ausgeliefert – haben Sie die perfekte Kontrolle über den richtigen Zeitpunkt des Auslösens. Der auf ein bestimmtes Zeitintervall einstellbare Selbstauslöser ist in der Beziehung nur eine Notlösung.

Spiegelvorauslösung bei SLR-Kameras

Besitzer digitaler Spiegelreflexkameras können die Bildschärfe zusätzlich mithilfe der so genannten Spiegelvorauslösung optimieren. Schauen Sie im Handbuch nach, ob Ihre Kamera mit dieser Funktion ausgestattet ist, bei der durch einen Druck auf den Auslöser der Schwenkspiegel vor dem Sensor weggeklappt wird. Erst bei einem zweiten Druck wird der Belichtungsvorgang gestartet. Diese Funktion ist sinnvoll, weil der Spiegel beim normalen Wegklappen kurz vor der Aufnahme die Kamera erschüttert, was zu Verwacklungen führen kann.

3.3.3 Wenn der Autofokus zum Problem wird

Je nach verwendetem Kameratyp kann der Autofokus zum Problem werden. Je länger die verwendete Brennweite und je dunkler die Umgebung, desto unzuverlässiger stellt die Kamera scharf. Weiterhin sind feine Strukturen wie Fell und Federn mit manchen Autofokus-Systemen kaum in den Griff zu bekommen. Beim Fotografieren von Tieren in freier Wildbahn können Äste, Grashalme oder Baumstämme, die die Tiere teilweise verdecken, den Autofokus irritieren. Noch schlimmer wirkt sich dieses Problem im Zoo aus, wenn Sie durch Gitterstäbe hindurch fotografieren müssen. Oft hilft dann nur das manuelle Fokussieren. Sehen Sie im Handbuch Ihrer Kamera nach, ob und wie Sie den Autofokus übergehen können.

Höherwertige Kameras bieten die Möglichkeit, die Messpunkte für den Autofokus anzeigen zu lassen und passend zu verstellen, um scharfe Aufnahmen zu bekommen.

Bild 3.42 Problem Autofokus: Das Gitter im Vordergrund hat den Autofokus irritiert, hier hilft nur manuelles Fokussieren.

3.3.4 Haustiere in unmittelbarer Umgebung

Haben Sie ein Haustier? Tolle Tieraufnahmen gelingen auch in Ihrer nächsten Umgebung. Sie brauchen zunächst nicht mehr als Ihre Digitalkamera, am besten mit einem Zoomobjektiv für mehr Freiraum bei der Bildgestaltung. Beobachten Sie den Tagesablauf Ihres Tieres und schauen Sie sich an, welche Lieblingsplätze es hat. Kommen diese für Fotos infrage? Ist der Hintergrund farblich passend oder vielleicht zu unruhig? Haben Sie einen Platz gefunden, an dem Sie z. B. Ihre schlafende Katze ablichten möchten, bereiten Sie Unter- und Hintergrund vielleicht mit einer Decke oder anderen Accessoires vor.

Stellen Sie am besten die auf ein Stativ geschraubte Kamera schon auf, bevor sich die Katze an ihren Lieblingsplatz begibt. Rücken Sie erst dann mit Ihrer Ausrüstung an, wenn das Tier es sich gerade bequem macht, wird es sich vermutlich gestört fühlen und flüchten.

Bild 3.43 Vermutlich kennen Sie die Rituale Ihrer Haustiere und können sich entsprechend vorbereiten. Da sich die Katze des Autors häufig neben die Tastatur des Computers legt und nach einem Schläfchen ausgiebig gähnt, war es nur eine Frage des Timings, um diesen Schnappschuss zu machen.

3.3.5 Tiere kameratauglich in Szene setzen

Einfacher als zuweilen recht eigensinnige Katzen sind Hunde zu fotografieren, die sich auf Kommando an einen geeigneten Ort setzen. Das kann inmitten der Familie im Garten oder auch am Waldrand sein. Bei Katzen funktionieren Porträts eher, wenn das Tier auf dem Schoß einer vertrauten Person sitzt.

Bild 3.44 Der Bildaufbau mit unscharfem Vorder- und Hintergrund entspricht fast der klassischen Porträtfotografie.

Wollen Sie Ihren Hund in Bewegung fotografieren, sollte Ihre Kamera über die Möglichkeit manueller Scharfeinstellung verfügen (siehe Kamera-Handbuch). Der Autofokus von digitalen Kompaktkameras ist zu langsam für einen rennenden Hund. Auch die Autofokus-Nachführung, über die manche hochwertigen Kameras verfügen, ist nicht geeignet. Die Nachführung funktioniert nur dann gut, wenn sich ein Motiv mit gleichmäßiger Geschwindigkeit bewegt.

Im richtigen Augenblick auslösen

Bild 3.45 Fliegende Vögel scharf abzubilden ist leider nur mit viel Geduld und professioneller Fotoausrüstung möglich.

Werfen Sie einen Ball oder Stock, bringt Ihr Hund sein Spielzeug vermutlich zurück. Wenn die Kamera auf ein Stativ geschraubt ist, die richtigen Belichtungswerte oder ein Automatikprogramm (am besten das Sportprogramm) eingestellt und auf einen bestimmten Punkt scharf gestellt wurde, den der Hund passieren wird, müssen Sie nur noch im richtigen Augenblick auslösen. Berücksichtigen Sie dabei auch die Auslöseverzögerung Ihrer Kamera. Je nach Modell kann diese Verzögerung zwischen wenigen Hundertstel- und mehreren Zehntelsekunden schwanken. Die beschriebenen Vorgehensweisen gelten prinzipiell natürlich auch bei der Fotografie von wild lebenden Tieren. Hierbei brauchen Sie aber möglicherweise zusätzlich einen Unterstand, je nach Umgebung und Witterung passendes Zubehör – vom Regenschirm bis zu einem Tarnzelt – und Schutz für Ihre Kamera. Die Tiere sollten sich an Sie oder Ihre Tarnung gewöhnt haben. Die notwendigen Einstellungen der Kamera sollten schon vorher festgelegt sein, um nicht wertvolle Zeit zu verlieren.

TIPP **Mit dem Tier auf Augenhöhe**

Begeben Sie sich wenn möglich immer auf Augenhöhe mit dem jeweiligen Tier. Das betrifft einen Hamster ebenso wie ein Pferd. Tierporträts wirken dadurch viel eindringlicher.

3.3.6 Beeindruckende Tieraufnahmen im Zoo

Nach den ersten fotografischen Versuchen an Haustieren und Vögeln am heimischen Futterhäuschen ist ein Zoobesuch eine weitere Möglichkeit für tolle Tierfotos. Sie können Tiere, die Sie nie zu Gesicht bekämen oder die in der Natur zu gefährlich wären, sorglos aus nächster Nähe beobachten und aufnehmen.

Bild 3.46 Fotos im Zoo können manchmal mehr sein als nur Bilder von Tieren. Der Gesichtsausdruck des Affen lässt einige Interpretationen zu.

Ersatzakku und Speicherkarten immer dabei

Nehmen Sie für den Zoobesuch einen Ersatzakku und genügend Speicherkarten mit. Ein Stativ ist wie immer hilfreich, besonders in einem überdachten, abgedunkelten Tiergehege. Der Kcamerablitz ist hierbei nicht uneingeschränkt nützlich, weil er die dämmrige Stimmung z. B. bei den Krokodilen durch Schlagschatten zerstört. Besonders an sonnigen Tagen sollten Sie die Ergebnisse von Freilichtaufnahmen sofort kontrollieren. Die schönste Aufnahme nützt nichts, wenn z. B. teilweise das Fell eines Tieres überstrahlt, das Bild also partiell überbelichtet wird. Das ist auch mithilfe der Bildbearbeitung nicht mehr zu retten.

3.3.7 Auf Fotosafari in freier Wildbahn

Obwohl die Faszination für die Tierwelt jeweils aus einer völlig anderen Richtung kommt, haben Naturfotografen und Jäger manche Gemeinsamkeiten. Beide müssen sich den Tieren auf besonders vorsichtige Weise nähern und genau wissen, wie die Tiere auf ihre Anwesenheit reagieren werden.

Vorsichtig an das Motiv heranpirschen

Von einem Jäger können Sie erfahren, wie man sich vorsichtig an wilde Tiere heranpirscht, die idealen Plätze (z. B. Tränke, Futterstelle) entdeckt und selbst möglichst unsichtbar bleibt. Jäger beobachten Wildtiere von Unterständen und Hochsitzen, ohne sie zu verscheuchen. Sind Sie zu Fuß unterwegs, müssen Sie auf alle Geräusche achten und sofort in der Bewegung erstarren, damit Rehe, Füchse oder Fasane Sie nicht sofort wahrnehmen. Diese Art der Pirsch ist für einen Fotografen mit schwerer Ausrüstung nur bedingt sinnvoll. Hier ist es besser, sich an einer Futter- oder Wasserstelle auf die Lauer zu legen und auf das Erscheinen eines Tieres zu warten.

Bildaufbau und Licht machen den Unterschied

Sie werden feststellen, dass es mit ein wenig Geduld und dem Wissen um die Verhaltensweisen von (Wild-)Tieren gar nicht so schwer ist, sie vor die Kamera zu bekommen. Viel schwieriger ist es, mit den Lebewesen in ihrer natürlichen Umgebung einen kunstvollen Bildaufbau, bei dem das Tier in den Mittelpunkt des Interesses rückt, zu arrangieren und dazu noch das perfekte Umgebungslicht zu erwischen. Das verlangt in der Regel viel Geduld. Diese beiden Faktoren – Bildaufbau und Licht – machen den Unterschied zwischen guten und herausragenden Tierfotos aus. Nehmen Sie sich also ein wenig mehr Zeit, wenn Sie nicht nur hübsche, sondern beeindruckende Tierbilder schießen möchten, und warten Sie auf den richtigen Augenblick, wenn keine störenden Details vom Tier ablenken und das Licht die richtige Stimmung erzeugt.

Bild 3.47 Bei schreckhaften Fröschen hilft ein Teleobjektiv bzw. eine lange Brennweite. Fotografieren Sie wenn möglich auf Augenhöhe.

Bild 3.48 Die Wildkatze im Zwielicht war schwierig zu fotografieren. Erst als das Gesicht der Katze einen Sonnenstrahl abbekam, war die Beleuchtung optimal.

3.4 Perfekte Kinderfotos für das Familienalbum

Vermutlich sind Kinder in jedem Alter die mit Abstand am häufigsten fotografierten Motive, beliebt bei Eltern und Großeltern. Mit dem Siegeszug der Digitalfotografie dürfte sich die Anzahl an Kinderbildern noch vervielfacht haben, weil man die teilweise ultrakompakten Kameras problemlos immer und überall dabeihaben kann. Gute und nicht so gute Fotos liegen danach oft ungeordnet auf den Festplatten der heimischen Computer oder verteilt auf vielen CD-ROMs.

Bild 3.49 Wenn Sie im Urlaub sind und Ihre Kinder Sie nicht beachten, können Sie in Ruhe und unbemerkt Schnappschüsse machen.

Die besten Aufnahmen werden mithilfe der Bildbearbeitung optimiert und danach vielleicht für Papierabzüge ins Labor geschickt. Denn auch digital aufgenommene Kinderbilder sieht man gern im Fotoalbum an, das sich selbst Jahre später ganz in Ruhe durchblättern lässt. Außerdem stellt es für Verwandte ein tolles Geschenk dar.

Mit der Digitalfotografie sind Schnappschüsse und fotografische Experimente mit Kindern zwar problemlos möglich. Wenn Sie mehr als nur die üblichen Momentaufnahmen produzieren möchten, müssen Sie sich jedoch über Kameratechnik, Bildaufbau und Licht ein paar Gedanken machen.

3.4.1 Herumtobende Kinder im Foto festhalten

Eines der größten Hindernisse für gelungene Schnappschüsse von (Klein-) Kindern ist deren Bewegungsdrang. Andererseits sind gerade bewegte Fotos reizvoll. Sie vermitteln etwas von der Lebendigkeit und Energie, die den Kindern zu Eigen sind. Um herumtobende Kinder im Foto festzuhalten, können Sie je nach Kameramodell unterschiedliche Strategien anwenden. Das Einfachste: Stellen Sie die Kamera auf Automatik, wählen Sie eine kleine Brennweite (Weitwinkel) und halten Sie die Kamera in die Szene hinein. Zwar werden die Kinder je nach Abstand zur Kamera dabei im Vergleich zur gesamten Bildfläche relativ klein abgebildet, das Foto ist aber mehr oder weniger scharf. Die Bildschärfe hängt in diesem Fall entscheidend vom Autofokus-System Ihrer Kamera ab. Versuchen Sie, das Hauptmotiv auch während seiner Bewegungen immer in der Mitte des Blickfelds zu behalten. Dann arbeitet der Autofokus am zuverlässigsten. Bewegt sich das Kind parallel zur Ebene, auf dem sich der Sensor befindet – also von links nach rechts oder umgekehrt –, ist die Chance für gelungene Schnappschüsse mit Autofokus relativ groß. Sobald der Autofokus

Ihr Kind erfasst und scharf gestellt hat, drücken Sie schnell ab. Verändert sich die Entfernung zum Kind, muss die Kamera erneut fokussieren, was je nach Kameramodell relativ lang dauern kann.

Bild 3.50 Rennende Kinder wie hier mit dem Fotoapparat zu erwischen, erfordert ein wenig Erfahrung. Sie müssen mit kurzer Verschlusszeit arbeiten, um die Bewegungen halbwegs einzufrieren, und außerdem die Bewegung mit der Kamera verfolgen.

HINWEIS **Kameras mit nachführendem Autofokus**

Manche Geräte sind mit nachführendem Autofokus ausgestattet, der Bewegungen registriert und den Fokus permanent anpasst. Bei sich abrupt bewegenden Motiven in Kameranähe bringt diese hoch entwickelte Technik allerdings nicht allzu viel. Sie ist eher für gleichmäßige Bewegungen in gewissem Abstand konzipiert.

Mehrere spielende Kinder fotografieren

Kritisch wird es, wenn Sie mehrere spielende Kinder fotografieren möchten. Dabei können die Gesichter nicht alle die gleiche Schärfe bekommen. Je kleiner Ihre Brennweite ist, desto größer sind Ihre Chancen auf ein insgesamt scharfes Bild. Zoomen Sie aber ein Kind heran, wird die Scharfstellung für die anderen kaum ausreichen. Planen Sie deshalb voraus. Eine Verzögerung im Bereich einer halben Sekunde genügt, um Position, Gesichtsausdruck und Bewegungsintensität tobender Kinder komplett zu verändern.

Je nach Lichtsituation kann sich bei schnellen Bewegungen der Kinder auch eine deutliche Unschärfe einschleichen. Auf Nummer sicher gehen Sie, wenn Sie den Auslöser halb durchdrücken und so scharf stellen. Rechnen Sie jetzt noch die Auslöseverzögerung ein – dann klappt's.

Bild 3.51 Wenn Mutter und Kind miteinander Spaß haben, sollten Sie immer Ihre Kamera bereithalten. Für spontane Bilder sollten Sie mit einem vollautomatischen Aufnahmeprogramm arbeiten.

TIPP **Wenn Hauttöne stark voneinander abweichen**

Fotografieren Sie einen Säugling in den Armen seiner Mutter, kann es sein, dass die Hauttöne der beiden stark voneinander abweichen. Falls das stört, wandeln Sie die Porträts am PC z. B. in Schwarz-Weiß-Fotos um.

Bild 3.52 Lange Brennweiten helfen dabei, dass die Kinder Sie beim Fotografieren nicht bemerken. Wenn Ihre Kinder nicht auf Ihre Kamera reagieren und in die Linse grinsen, können richtig stimmungsvolle Bilder entstehen.

3.4.2 Manuelle Einstellungen vs. Vollautomatik

Mit der Vollautomatik lässt sich eine recht hohe Ausbeute an korrekt belichteten und scharfen Schnappschüssen erzielen. Belichtungswerte, Fokussierung und Blitz werden von der Kamera automatisch gesteuert. Wollen Sie mehr Kontrolle über die Bilder, sollten Sie sich mit den manuellen Einstellungsmöglichkeiten Ihrer Kamera vertraut machen. Das ist z. B. dann sinnvoll, wenn Sie die Schärfentiefe steuern möchten, um den Hintergrund in Unschärfe verschwinden zu lassen. Hierbei ist es nötig, mit großen Blenden zu arbeiten, die am besten manuell ausgewählt werden. Auch wenn es um das »Einfrieren« von Bewegung mit sehr kurzer Verschlusszeit geht und Sie dafür auf einen bestimmten Punkt scharf stellen müssen, wäre der Autofokus unbrauchbar, weil er bei jedem Durchdrücken des Auslösers erneut fokussiert. Müssen Sie Ihr Kind z. B. mit der Kamera verfolgen, weil es ins Bild läuft, ist es bequemer, vorher manuell auf einen bestimmten Punkt scharf zu stellen und dann auszulösen, wenn Ihr Kind den Punkt erreicht. Sie können sich so auf den richtigen Augenblick konzentrieren.

3.4.3 Strategien für gelungene Aufnahmen

Wenn Sie Kinder porträtieren möchten, sollten Sie sich je nach Alter der kleinen Fotomodelle eine geeignete Strategie überlegen, um sie bei Laune zu halten. Beim Fotografieren eines Säuglings kommt es darauf an, zu wissen, wann er wach und in Stimmung ist, in die Kamera zu lächeln. Aber auch schlafende Babys haben ihren Reiz. Fotografieren Sie sie am besten mit mittleren Brennweiten, damit die Gesichtszüge nicht durch Weitwinkelbrennweiten verzerrt werden. Achten Sie außerdem auf das weiche Licht z. B. der durch ein Fenster fallenden Nachmittagssonne und einen ruhigen Hintergrund. Auf direktes, hartes Licht vom Kamerablitz sollten Sie verzichten. Stellen Sie den automatischen Blitz ab. Akustische Signale für den Autofokus oder den Auslöser sollten Sie je nach Situation ebenfalls abschalten.

Auf das Wesentliche konzentrieren

Integrieren Sie zu Beginn weder aufwendige Requisiten noch einen unruhigen Hintergrund in den Bildaufbau. Zwar leben viele berühmte Kinderfotos von ausgefallenen Utensilien. Je mehr Sie jedoch in Ihre Fotos einbauen, desto schwieriger wird es, den Bildaufbau und vor allem die Beleuchtung in den Griff zu bekommen. Konzentrieren Sie sich anfangs auf das Wesentliche. Gesicht, Hände und Oberkörper sind kompliziert genug, um gut gestaltete Bilder zu schaffen.

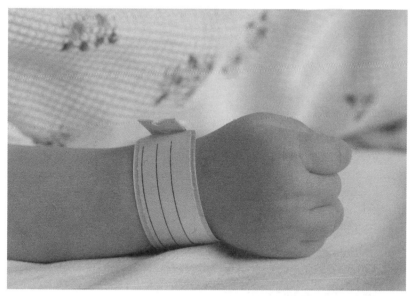

Bild 3.53 Manchmal sagt ein kleines Detail viel mehr aus als eine Totale. Versuchen Sie immer, Symbolhaftes zu entdecken und festzuhalten.

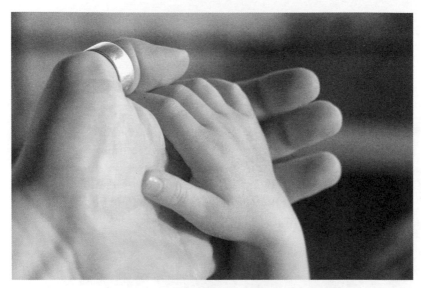

Bild 3.54 Ebenso wie im vorangegangenen Bild ist es auch hier der ganz bewusst gewählte Ausschnitt, der die Aufnahme zu etwas Besonderem macht.

Wenn ein Kind im Krabbelalter ist und seine Umgebung erkundet, machen Sie sich seine Neugierde zunutze. Lassen Sie es mit seinen Lieblingsspielzeugen spielen. Nützlich sind Requisiten aller Art wie Plüschtiere oder Holzspielzeug, dazu eine farblich unaufdringliche Decke, auf der das Kind krabbelt – schon ist für Beschäftigung und Hintergrund gesorgt und Sie können sich auf die Fotos konzentrieren.

Daraus ergibt sich auch bei größeren Kindern eine praktikable Strategie, gute Bilder ohne direkten Blickkontakt zu erhalten. Wenn Ihre Kamera ein Zoomobjektiv besitzt, können Sie damit Kinder beim Spielen, Basteln oder anderen Tätigkeiten beobachten. So bekommen Sie einen natürlichen, nicht gekünstelten Gesichtsausdruck auf das Bild.

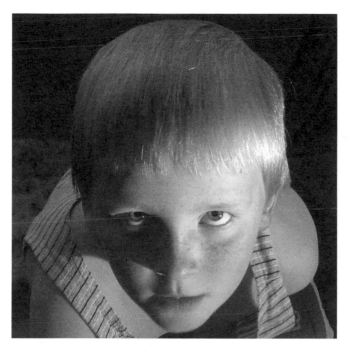

Bild 3.55 Fotos mit Blickkontakt wirken oft besonders eindringlich, klappen aber nur dann, wenn das Kind Vertrauen zum Fotografen hat.

Für Aufnahmen mit Blickkontakt sollten Kinder kein Unbehagen vor der Kamera empfinden. Erzwingen Sie nichts. Je größer die Erfahrung des Fotografen ist, desto entspannter können auch Kinder an die Situation herangehen. Wenn Sie sich hinter der Kamera verstecken und mehr Zeit zum Einstellen von Belichtungswerten und – falls vorhanden – Licht aufwenden als für die Kommunikation, wird sich Ihre Anspannung auf die Kinder übertragen. Deshalb sollten Arrangement und Kameraeinstellungen vor dem Porträtieren stehen, damit Sie sich danach ganz auf das Motiv konzentrieren können.

TIPP **Kinder klassisch porträtieren**

Wenn Sie Ihr Kind klassisch porträtieren möchten, nutzen Sie dazu das Porträtprogramm (stilisierter Kopf als Symbol). Im Porträtprogramm wird mit relativ großer Blende für wenig Schärfentiefe gearbeitet.

3.4.4 Die Perspektive macht den Ausdruck

Ganz entscheidend für den Ausdruck eines Kinderfotos ist die Perspektive, aus der Sie es aufnehmen. Fotografieren Sie von oberhalb der kindlichen Augenhöhe, wirken die Kleinen noch kleiner und zerbrechlicher. Die Wirkung lässt sich abschwächen, wenn das kleine Fotomodell dem einen herausfordernden oder frechen Gesichtsausdruck entgegensetzt. Umgekehrt vermitteln Fotos, die aus einer niedrigen Perspektive gemacht werden, einen etwas surrealen Eindruck – die Kinder wirken dann fast wie Riesen. Begeben Sie sich auf Augenhöhe des Kindes, hat der Betrachter am ehesten das Gefühl, an der Szene teilzunehmen. Versuchen Sie so oft wie möglich, die Perspektive ganz bewusst einzusetzen, und verändern Sie beim Fotografieren immer wieder den Standort. Aus der Vielfalt der unterschiedlichen Aufnahmen können Sie schnell lernen, welche Wirkung auf den Betrachter eines Fotos Sie mit welcher Kameraperspektive erzielen.

3.4.5 Jugendliche so zeigen wie sie sind

Noch mehr als Säuglinge sind Schulkinder und Jugendliche empfänglich für die Stimmung beim Fotografieren. Wenn sich die Kids auf ein paar gestellte Porträts einlassen, sollten Sie die Situation so ungezwungen wie möglich gestalten. Wichtig auch hier: Beherrschen

Sie Ihre Ausrüstung und bereiten Sie Kamera und Beleuchtung schon vor den Aufnahmen vor, um die Geduld des Modells nicht zu sehr auf die Probe zu stellen.

Bild 3.56 Wenn Sie Kinder im Teenageralter fotografieren möchten, lassen Sie ihnen alle Freiheiten bei der Selbstdarstellung. Greifen Sie beim Styling nur behutsam ein, um Tipps zu geben, wie die Aufnahmen noch professioneller wirken könnten.

Bild 3.57 Beziehen Sie den Teenager in die Planungen der Fotos mit ein und begutachten Sie die Bilder immer gleich am Kameradisplay. So lässt sich am besten entwickeln, was Ihnen und Ihrem Modell am besten gefällt.

Persönlichen Lebensstil mit einbeziehen

Beziehen Sie in die Fotos von Jugendlichen deren persönlichen Lebensstil mit ein. Auch wenn gerade Piercings oder Tätowierungen angesagt sind – zeigen Sie die jungen Menschen so, wie sie sind. Richten Sie die Umgebung und den Hintergrund nach der Bekleidung und vielleicht sogar nach der aktuellen Haarfarbe aus. Wenn Sie von Jugendlichen verlangen, sich der Situation anzupassen, dürfte es schnell zu Spannungen kommen, die sich in den Fotos widerspiegeln.

Tipps für natürlich wirkende Aufnahmen

Bild 3.58 Falls Ihr Kind noch ein wenig schüchtern vor der Kamera ist, kann die Oma bei den ersten Fotosessions helfen und die Angst nehmen.

Fotografieren Sie die Kinder anderer Leute, achten Sie darauf, dass deren Eltern so wenig wie möglich Einfluss auf die Situation nehmen können. Sind die Eltern nervös oder geben ihren Kindern permanent Anweisungen zu Haltung und Gesichtsausdruck, entsteht Druck, der einer natürlich wirkenden Aufnahme entgegensteht. Handelt es sich bei den Eltern um Bekannte oder Freunde, machen Sie ihnen klar, dass mit ihrer Anwesenheit nicht die gewünschten Aufnahmen entstehen können. Bleiben die Eltern trotz Ihrer Einwände dabei, beschäftigen Sie sich umso intensiver mit dem Kind und lenken Sie es von seinen Eltern ab.

Bild 3.59 Zur Vorbereitung auf ein Fotoshooting im Heimstudio kann es nützlich sein, das Kind zunächst beim Spielen zu fotografieren. Dann kann es sich an Sie und die Ausrüstung gewöhnen. Kleiner Tipp: Zeigen Sie vor allem kleineren Kindern die Bilder auf dem Display – das wirkt Wunder.

3.4.6 Für jede Aufnahme das ideale Licht

Bild 3.60 Das Licht eines Sommertags, wenn der Himmel fast ganz mit Wolken bedeckt ist, ist ganz besonders weich. Durch die Wolken wird das Sonnenlicht so gestreut, dass kaum Schatten entstehen. Ideale Bedingungen für Fotos im Freien.

Je nachdem, welche Fotos Sie sich wünschen, kann das jeweils am besten geeignete Licht ganz unterschiedlich sein. Beim Fotografieren im Freien sollten Sie den Vormittag oder den späten Nachmittag nutzen, weil dann die Farbe des Lichts leicht rötlich ist. Leichte Bewölkung ist ideal für Außenaufnahmen, weil die Schatten weicher sind. Mittagssonne an strahlend blauem Himmel verursacht starke Kontraste, die den Aufnahmesensor der Digitalkamera schnell überfordern können. Helle und dunkle Bildstellen werden dann je nach Belichtung völlig weiß bzw. schwarz wiedergegeben. Außerdem wirken tiefe Schatten unter Nase, Augen und Kinn nicht sehr vorteilhaft.

Sollen es gestellte Porträtaufnahmen im Freien sein, können Sie harte Schatten mit Aufhellern und Reflektoren (beispielsweise eine Styroporplatte, weiße Laken oder ein mit weißem Papier bespannter Rahmen) abmildern. Übrigens werden Modefotos von Profimodels am Strand bei strahlender Sonne immer mit weißen Lichtzelten und Reflektoren für weiches Licht sowie mit Blitzlicht zum Aufhellen der Schatten aufgenommen.

Studiofotos nur mit notwendigster Beleuchtung

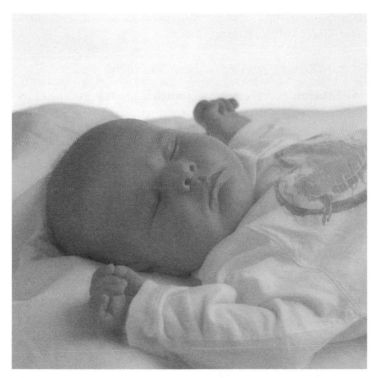

Bild 3.61 Hat Ihr Baby einen tiefen Schlaf, können Sie es im Heimstudio bei sanfter Beleuchtung in Ruhe in Szene setzen bzw. legen.

Machen Sie Studiofotos von Kindern nur mit der notwendigsten Beleuchtung. Ein Hauptlicht, welches das kleine Fotomodell von schräg vorne beleuchtet, eine reflektierende Fläche auf der anderen Seite (weiße Wand, Spiegel, weißes Leintuch) zum Aufhellen der verdunkelten Seite und bei Bedarf eine zusätzliche Lichtquelle für die Beleuchtung des Hintergrunds sind mehr als genug. Je mehr Lichtquellen Sie einsetzen, desto komplizierter wird die Kontrolle von ungewollten Schlagschatten. Läuft das Kind herum, sollte die Hauptlichtquelle relativ groß und flächig sein, damit Sie sie nicht ständig neu ausrichten müssen. In diesem Fall wäre ein großer Reflexschirm, der vor eine Studiolampe oder ein Blitzgerät gespannt wird, ideal. Auch eine größere Softbox kommt infrage.

Zusätzliches Effektlicht zum Hauptlicht einsetzen

Um Ihren Aufnahmen einen professionellen Touch zu verleihen, können Sie zusätzlich zum Hauptlicht ein so genanntes Effektlicht einsetzen, wenn Sie über ein zweites Blitzgerät oder eine zweite Lampe verfügen. Das klappt jedoch nur, wenn die Kindermodelle für ein paar Aufnahmen z. B. auf einem Stuhl Platz nehmen und für einige Versuche Geduld aufbringen. Ein Effektlicht ist normalerweise eine stark gebündelte Lichtquelle, die von schräg hinten auf die Haare gerichtet wird. Diese erhalten dadurch einen hellen Lichtsaum. Mehr über die Möglichkeiten von Kunstlicht und Studiobeleuchtung erfahren Sie im nächsten Abschnitt.

3.5 Kunst- und Studiolicht gezielt steuern

Wenn das Licht der Sonne nicht ausreichend vorhanden ist, brauchen Sie – mal abgesehen von Infrarotaufnahmen – zum Fotografieren mit der Digitalkamera Kunstlicht. Von den ersten Magnesiumblitzen, die man nur noch aus Filmen und dem Museum kennt, bis zu den heutigen systemkonformen Blitzgeräten zum Aufstecken wurden die kleinen und großen Lichtspender immer benutzerfreundlicher. Unter den Begriff des Kunstlichts fällt jedoch nicht nur elektrisch erzeugtes Licht von Blitzgeräten, Lampen und Scheinwerfern, sondern auch der Schein von Feuer. Jede dieser Lichtquellen lässt sich für kreative Zwecke einsetzen, wobei sich elektrisch erzeugtes Licht – besonders im Heimstudio – gezielter steuern lässt.

Bild 3.62 Das Licht des Kinderkarussells reicht hier völlig aus, um richtig belichtete Fotos zu bekommen. Ein Blitz würde die Stimmung zerstören.

Noch bis vor einigen Jahren gab es ausschließlich Zusatzblitzgeräte, bei denen der Fotograf sehr genau wissen musste, aus welcher Entfernung und mit welchen Kameraeinstellungen er fotografiert. Man musste sich mit Formeln zur Berechnung von Motivabstand und notwendiger Lichtmenge herumplagen. Inzwischen nehmen vollautomatische Blitzgeräte dem Fotografen alle manuellen Berechnungen ab und sorgen auch für eine perfekte Ausleuchtung. Jeder kamerainterne Blitz kommuniziert so effizient mit der Digitalkamera, dass in fast allen fotografischen Situationen richtig belichtete Bilder entstehen. Es gibt nur ein paar Ausnahmen, wie etwa überstrahlte Köpfe im Vordergrund, rote Augen oder der Tunneleffekt beweisen.

Bild 3.63 Sowohl die internen Kamerablitze als auch systemkonforme Aufsteckblitze nehmen dem Fotografen in den meisten Fällen die Sorge um die korrekte Blitzbelichtung ab. Außerdem helfen die Blitzgeräte beim Verhindern des berüchtigten Rote-Augen-Effekts.

Technische Eigenschaften von Dauerlichtquellen

Auch (Heim-)Studioblitze haben im Hinblick auf einfache Bedienung und Leistung einen großen Sprung nach vorn gemacht. Kaum verändert haben sich dagegen die technischen Eigenschaften von Dauerlichtquellen wie Studiolampen oder Scheinwerfern, deren Hauptvorteil darin liegt, dass man eine Szene perfekt arrangieren kann und schon vor dem Abdrücken sieht, wie Licht und Schatten fallen. Die großen Nachteile von Dauerlichtquellen: Sie brauchen viel Strom und werden heiß.

Bild 3.64 Videolampen sind im Gegensatz zu Blitzgeräten besonders einfach in der Handhabung. Sie müssen die Lampe lediglich einschalten und sehen sofort, wie sie die Szene beleuchtet. Aber Vorsicht! Videolampen haben oft ein etwas rötliches Licht. Sie sollten daher wenn möglich mit dem manuellen Weißabgleich Ihrer Kamera arbeiten, um Farbstiche zu vermeiden.

3.5.1 Fotos bei Kerzenlicht und Feuerschein

Licht und Schatten, die von Kerzen und Feuer verursacht werden, sind beweglich und färben die beschienenen Motive orangefarben und rot. Für Fotos im Feuerschein müssen Sie unbedingt auf den Weißabgleich Ihrer Digitalkamera achten. Der Weißabgleich ist dazu da, für farbneutrale Bilder zu sorgen, und er gleicht Farbstiche – in diesem Fall das Rot des Feuerscheins – aus. Zwar sind die Kameramodelle auch in dieser Hinsicht verbessert worden und »erkennen« in vielen Fällen, ob eine Farbstimmung gewollt ist oder nicht. Um ganz sicherzugehen, sollten Sie dennoch einige Probeaufnahmen mit unterschiedlichen Weißabgleichseinstellungen machen. Dies gilt im Übrigen auch für Mischlichtsituationen mit mehreren unterschiedlichen Lichtquellen.

Bild 3.65 Das Licht der Kerzen allein hätte die Szene nicht ausreichend beleuchtet, deshalb kamen zusätzlich Blitzlicht von rechts und ein links positionierter Reflektor zum Einsatz. Um so eine Szene perfekt auszuleuchten, sind mehrere Versuche nötig, bei denen die Lichtstärke der Blitzgeräte variiert wird. In Zeiten digitaler Fotografie kein Problem, weil die Fotos ja sofort auf dem Display kontrolliert werden können.

Bild 3.66 Um die tolle Lichtstimmung nicht zu zerstören, wurde hier ohne Blitz und mit hoher Empfindlichkeit (ISO 3200) fotografiert. Durch den hohen ISO-Wert war die Verschlusszeit kurz genug, um die Aufnahme nicht zu verwackeln.

TIPP **Unterschiedliche Beleuchtungsquellen nutzen**

Auch die Straßenbeleuchtung, Autoscheinwerfer sowie die Beleuchtung von Gebäuden lassen sich fotografisch nutzen. Die vorhandenen Lichtverhältnisse müssen dazu analysiert und in das Foto einbezogen werden. Wenn z. B. das Licht einer Straßenlaterne für eine nächtliche Szene ausreicht, können Sie eventuell auf den Blitz verzichten und die tatsächliche Stimmung zeigen.

Bild 3.67 Für die Lichtstimmung dieses Fotos wurde mit einer Kombination aus Blitzlicht und dem vorhandenen Kunstlicht gearbeitet. Eine relativ lange Verschlusszeit sorgt für die korrekte Belichtung des entfernten Hintergrunds, der Blitz hat die Person im Vordergrund richtig belichtet.

3.5.2 Ein einfaches Heimstudio improvisieren

Wenn Sie in einem Raum von 10 bis 20 qm ein kleines Heimstudio improvisieren möchten, um die ersten Schritte in Sachen Studiofotografie zu machen, müssen Sie nicht gleich eine Menge Geld ausgeben. Natürlich ersetzt es nicht ein auf die Fotografie abgestimmtes

Equipment an Blitzgeräten, Stativen und Lichtformern. Für die ersten Versuche genügt jedoch eine einfache Ausstattung aus dem nächsten Baumarkt.

Bild 3.68 Solche Fotos lassen sich sehr einfach im Heimstudio realisieren. Die Farbe der Beleuchtung wird dabei durch farbige Folien vor den Lichtquellen variiert.

Geeignete Hintergrundvarianten

Als Hintergrund eignen sich gebügelte, einfarbige Bettlaken oder Tischdecken, Stoffbahnen in verschiedenen Farben, Teppiche, Kunststoffplanen oder eine interessant strukturierte Wand. Haken in der Wand oder eine an der Decke befestigte Aufhängung halten die Materialien fest. Wenn Sie der Übergang zwischen Hinter- und Untergrund stört, achten Sie darauf, dass Tücher oder Planen lang genug für eine Rundung in der Ecke sind. Die Größe des Hintergrunds hängt vom Einsatzzweck ab. Für ein Brustporträt genügt theoretisch eine Fläche von rund einem Quadratmeter, wobei Sie dann nicht sehr flexibel bei der Auswahl des Kamerastandorts sind und das Modell exakt platziert werden muss.

Kostenfaktor Beleuchtung

Die Beleuchtung ist im professionellen Fotostudio neben der Kameraausrüstung der größte Kostenfaktor. Für das improvisierte Heimstudio reichen ein paar preiswerte 500-Watt-Baustrahler und ein stabiles Stativ aus dem Baumarkt aus.

Bild 3.69 Das durch ein Fenster fallende Licht und ein rechts stehender Reflektor zum Aufhellen der Schatten genügten völlig für dieses einfache Frühlingsmotiv.

Die Lichtmenge wird entweder dadurch gesteuert, dass die Entfernung der Strahler zum Modell variiert wird oder Sie die Lichtquellen gegen Wände und Decke richten und das Modell indirekt beleuchten.

Beachten Sie jedoch, dass die Lichtfarbe von Baustrahlern nicht einheitlich ist. Oft verursachen sie einen kräftigen Rotstich in den Bildern. Dieser muss über den korrekten Weißabgleich ausgeglichen werden.

Neben den Baustrahlern können Sie für kleinere Motive auch einfach Schreibtischlampen mit biegsamer Lampenfassung oder eine Taschenlampe verwenden, die entweder mit Klebeband an einem Lampenstativ befestigt oder beim Fotografieren von Ihnen oder Ihrem Modell in der Hand gehalten wird.

Reflektoren und Softboxen für weiches Licht

Um das Licht von Strahlern und Blitzgeräten weicher zu machen, werden Reflektoren und Softboxen eingesetzt. Baustrahler werden extrem heiß. Daher kommt eine geschlossene Softbox nicht infrage – die Hitze könnte aus der Softbox nicht schnell genug entweichen. Als Reflektor, gegen den der Baustrahler gerichtet wird, können Sie jede helle Fläche verwenden. Ein auf eine weiße Wand gerichteter Strahler produziert weiches Licht, das sanftere Schatten entstehen lässt als eine direkt auf das Modell gerichtete Lichtquelle. Styroporplatten sind ebenfalls gute Reflektoren, die sich beliebig aufstellen lassen. Wenn Sie dem reflektierten Licht ein wenig Farbe verleihen möchten, um z. B. den Teint eines Modells rosiger erscheinen zu lassen, verwenden Sie als Reflektor die goldene Seite einer Rettungsdecke.

TIPP **Vorher sehen, wo der Blitz Schatten erzeugen wird**

Hat Ihr Blitzgerät kein Einstelllicht, und lässt sich deshalb vor der Aufnahme nicht genau sagen, wie die Schatten fallen werden, halten Sie eine Taschenlampe vor das Blitzgerät in Richtung des Motivs. Dann sehen Sie in etwa, wo der Blitz die Schatten erzeugen wird und können ihn falls nötig anders ausrichten.

3.5.3   Blitzanlagen in der Studioumgebung

Blitzanlagen sind dazu da, die Studiobeleuchtung detailliert zu kontrollieren. Die Leistung von Studioblitzen ist regelbar, sodass Sie immer die richtige Lichtmenge erhalten. Eine Studioausstattung besteht aus mindestens zwei, besser noch aus drei Blitzgeräten samt Zubehör. Die Anschaffung ist aufgrund der relativ hohen Kosten erst dann sinnvoll, wenn die Fotografie zu einem regelmäßigen Bestandteil Ihrer Freizeit geworden ist. Der kreative Umgang mit den Geräten erfordert einige Einarbeitung.

Bild 3.70 Gerade Makrofotos von unbewegten Objekten wie hier lassen sich in Ruhe im Heimstudio optimal in Szene setzen. Durch die Möglichkeit, Licht und Kameraposition nach Belieben zu variieren, sind gelungene Aufnahmen nur eine Frage von Zeit und Kreativität.

Abgesehen von der technischen Bedienung müssen Sie zunächst ein Gefühl dafür bekommen, welche Wirkungen Studiolicht sowie Lichtformer wie Softboxen oder Reflexschirme haben. Hilfreich beim Einsatz von Blitzgeräten sind so genannte Einstelllichter. Das sind in das Blitzgerät integrierte kleine Dauerlichtlampen (meist Halogenlampen), die zumindest die Richtung der durch das Blitzlicht entstehenden Schatten anzeigen. Das Ausrichten der Blitzgeräte wird dadurch erheblich vereinfacht.

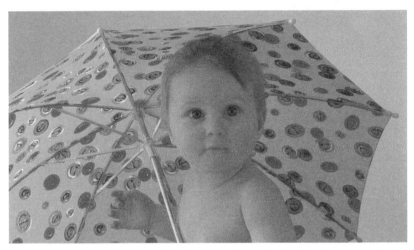

Bild 3.71 Perfekte Porträts, bei denen neben der Ausleuchtung auch der Hintergrund stimmt, sind am besten in kontrollierter Umgebung wie in einem Studio möglich.

3.5.4 Grundausstattung eines Heimstudios

Zur Grundausstattung eines ambitionierten Heimstudios zählen neben zwei oder drei Blitzgeräten mit Standardreflektoren diverse Zubehörteile, um das abgestrahlte Licht zu »formen«. Wichtige Utensilien sind so genannte Lichtformer, runde Reflexschirme, wie man sie aus dem Porträtstudio kennt. Sie dienen dazu, hartes Blitzlicht zu streuen. Ein Tipp für Porträts: Arbeiten Sie anfangs nur mit einer Lichtquelle, vor der eine Softbox oder ein Reflexschirm angebracht ist. Je mehr Lichtquellen Sie einsetzen, desto komplizierter wird der Aufbau.

Bild 3.72 Wenn Sie sich ein Heimstudio aufbauen möchten, benötigen Sie neben den Blitzgeräten mit Standardreflektor eine kleine Grundausstattung an Zubehör. Für weiches Licht sind Softboxen oder Reflexschirme geeignet, punktförmige Lichteffekte lassen sich mit einem Tubus erzielen.

Blitzlicht bündeln und Akzente setzen

Zum Setzen von Akzenten, z. B. einem Lichtsaum auf den Haaren, muss das Blitzlicht gebündelt werden. Das wird erreicht, indem man vor den Blitz einen Spotvorsatz oder ein Wabengitter anbringt. Beide Zubehörteile richten das Licht mehr oder weniger stark aus, wobei die Wirkung des Spotvorsatzes stärker ausfällt und relativ scharfkantige, punktförmige Lichtflecken erzeugt werden können.

HINWEIS **Zubehör für ein improvisiertes Studio**

Beleuchtung

Halogenbaustrahler/Stativ

Schreibtischlampe

Reflektoren

Styroporplatte

Rettungsdecke (gold/silber)

Spiegel

Hintergründe

PVC

Teppich

Plane

Tischbezug

Bettlaken

3.5.5 Mit nur einer Lichtquelle perfekt ausleuchten

Für gelungene Aufnahmen im Heimstudio benötigen Sie nicht gleich eine große Anzahl teurer Blitzgeräte samt Zubehör. Gute Porträts und Sachaufnahmen gelingen auch mit nur einer Lichtquelle. Ideal ist es, wenn Sie beispielsweise ein großes Fenster in Ihrem Studio haben. Für so genannte Low-Key-Bilder, die vornehmlich aus dunklen Helligkeitswerten bestehen, ist eine einzige Lichtquelle von der Seite ideal. Auch in der Porträt- oder Aktfotografie ist es eine oft gesehene Technik. Das Modell steht vor einem schwarzen oder dunklen Hintergrund und wird von einer seitlichen oder etwas erhöhten Lichtquelle angestrahlt. Die gegenüberliegende Seite versinkt im Schatten und die Körper- oder Gesichtsform wird durch die Übergänge von Licht zu Schatten plastisch dargestellt.

Bild 3.73 Wie hier zu sehen, genügt in der Aktfotografie oft eine einzige große Lichtquelle, um die Konturen eines Körpers zu modellieren.

Um ein Gefühl für Beleuchtung zu bekommen, sollten Sie von diesem einfachen Aufbau ausgehen und mit verschiedenen Lichtintensitäten, Positionen und Bildausschnitten experimentieren. Der Vergleich unterschiedlicher Bilder am Computer hilft, die Wirkung von Lichtquellen im Studio und die durch sie erzeugten Stimmungen kennen zu lernen.

3.5.6 Arbeiten mit Hauptlicht und Effektlicht

Bild 3.74 Bei diesem professionellen Studioporträt sieht man deutlich, wie ein Effektlicht eingesetzt werden kann. Die von links strahlende Lichtquelle ist auf so hohe Leistung gestellt, dass der Kopf dadurch sehr kräftig konturiert wird.

Zum klassischen Beleuchtungsaufbau in einem ambitionierten Studio gehören drei Lichtquellen: ein Hauptlicht, die Beleuchtung für den Hintergrund und ein so genanntes Effektlicht. Zusätzlich wird meist eine vierte Lichtquelle eingesetzt, die zum Aufhellen der Schatten auf der vom Hauptlicht abgewandten Seite dient. Dieser Aufheller kann entweder ein auf niedrige Leistung gestelltes Studiolicht oder ein Reflektor sein, der das Hauptlicht zurückwirft. Je nach Motiv kann die Hintergrundbeleuchtung entfallen. Bei sehr hellen, an Modefotos erinnernden Porträts mit hauptsächlich hellen Tonwerten kann es nötig sein, mehr als eine Lichtquelle für die Beleuchtung des Hintergrunds einzusetzen, damit dieser schattenlos weiß erscheint.

Hauptlicht optimal positionieren

Beginnen Sie beim Setzen von Licht immer mit dem Hauptlicht. Richten Sie den dafür vorgesehenen Blitz oder Strahler mit entsprechendem Vorsatz (Reflexionsschirm, Softbox, Standardreflektor) so aus, dass das Motiv bereits gut ausgeleuchtet wird. Alle weiteren Lichtquellen dienen der Verfeinerung. Die Positionierung des Hauptlichts ist für die Bildwirkung entscheidend. Seitliches Hauptlicht konturiert die Formen, Licht von schräg oben simuliert die Sonneneinstrahlung und wirkt recht natürlich. Licht von unten – gerade in Gesichtern – ist wenig schmeichelhaft.

Nun wird auf die gegenüberliegende Seite des Hauptlichts ein Aufheller (helle Fläche, Lichtquelle mit niedrigerer Leistung) gestellt, um die vom Hauptlicht verursachten Schatten gerade so auszuleuchten, dass in den Schatten noch Details erkennbar bleiben. Variieren Sie die Position des Aufhellers so lange, bis die vom Hauptlicht abgewandte Seite ausreichend ausgeleuchtet wird.

Hintergrund gestalten

Bild 3.75 Ein Hauptlicht von rechts vorn (man sieht die Spitzlichter in den Augen), ein Aufheller links und ein Effektlicht von oben auf die Haare zeigen – hier hat ein Profi gearbeitet.

Um den Hintergrund zu gestalten, können Sie entweder eine breit abstrahlende oder aber eine gerichtete Lichtquelle verwenden. Eine schräg gerichtete Lichtquelle schafft einen weichen Tonwertverlauf, eine direkt auf den Hintergrund ausgerichtete (mit Tubus oder Wabenfilter) bringt eher kreis- oder ellipsenförmige Verläufe. Abschließend kann noch ein Effektlicht von hinten oder oben gesetzt werden. Dies ist meist eine eng abstrahlende Lichtquelle, die helle Reflexe produziert.

Mit diesen grundlegenden Arbeitsweisen sind bereits viele Möglichkeiten der Gestaltung von Licht im Heimstudio gegeben. Darüber hinaus ist es wichtig zu experimentieren, seine Ausrüstung kennen zu lernen und aus anfänglichen Fehlern – zu starke Schatten, sich überkreuzende Schatten, überstrahlte und zu dunkle Bereiche – zu lernen. Betrachten Sie Ihre Fotos kritisch und fragen Sie sich immer, warum Ihnen ein Foto besser als andere gefällt. Wenn Sie das verstehen, lassen sich die Bilder erzielen, die Sie wirklich machen möchten.

TIPP Fotos wie Titelbilder von Modemagazinen

Wollen Sie Fotos von Menschen gestalten, die wie Titelbilder von Modemagazinen wirken, benötigen Sie dazu einen hellen Raum mit weißem Hintergrund und ein Blitzgerät mit einer großen Softbox. In der Modefotografie werden Modelle oft frontal mit einem Ringblitz mit ringförmiger Blitzröhre ausgeleuchtet. Solche Spezialblitzgeräte hellen Gesichter gleichmäßig auf und konturieren sie mit einem um den Kopf laufenden Schatten. Für Ihre Aufnahmen benötigen Sie eine große Lichtquelle wie eben eine große Softbox. Stellen Sie das Blitzgerät mit Softbox hinter sich auf, sodass Sie mit Ihrem Körper den inneren Bereich der Softbox abdecken. Dadurch entsteht ein ganz ähnlicher Effekt wie bei einem Ringblitz. Verfügen Sie über zwei Blitzgeräte oder Fotolampen, können Sie damit ebenfalls Stimmungen wie in der Modefotografie erreichen. Stellen Sie dazu die beiden Geräte – am besten mit Softboxen oder Reflexschirmen – nah nebeneinander vor Ihr Modell. Fotografieren Sie durch einen Spalt zwischen den beiden Lampen hindurch. Diese frontale Beleuchtung wird Ihr Modell wie eine Coverschönheit aussehen lassen. Um diesen Eindruck zu vervollkommnen, sollten Sie Ihre Kamera so einstellen, dass eine leichte Überbelichtung entsteht. Die Haut des Fotomodells wird dadurch ebenmäßiger dargestellt und Hautunreinheiten werden kaschiert.

3.6 Bewegung und Dynamik deutlich machen

Mit dem Drücken des Auslösers hält Ihre Kamera immer nur einen winzigen Augenblick der Wirklichkeit als Standbild fest. Und dennoch ist es auch mit dem Medium Fotografie möglich, Bewegungen und Dynamik zu veranschaulichen. Ob das vorbeifahrende Autos, Radfahrer, eine U-Bahn, rennende Kinder oder der Wind in den Bäumen sind – mit ein paar Tipps und Kniffen gelingen Ihnen Bilder, die dem Betrachter die Dynamik einer Szene deutlich machen. Manche dafür notwendigen fotografischen Techniken wie das Fotografieren mit längeren Verschlusszeiten sind schnell zu beherrschen. Andere wie das Mitziehen bedürfen einiger Übung, um perfekte Fotos zu machen.

Bild 3.76 Sehr kurze Verschlusszeiten frieren Bewegungen praktisch ein. Hier ist klar, dass sich der Skater bewegt, sonst würde er schließlich umkippen. Der Fotograf arbeitete mit leichter Weitwinkelbrennweite, was die Dynamik des Motivs noch zusätzlich verstärkt.

Die Sport- und Actionfotografie, bei der zum Teil rasend schnelle Bewegungen gezielt festgehalten und verdeutlicht werden, erfordert jahrelange Erfahrung und bei professionellem Einsatz eine extrem schnelle Digitalkamera. Deshalb gelten Sportfotografen auch als absolute Spezialisten. Als Grundvoraussetzung für gute Bewegungsbilder müssen Sie Ihre Kamera sicher beherrschen. Einsteiger lesen vor dem Fotografieren im Kamera-Handbuch nach, wie die im Folgenden beschriebenen Einstellungen vorzunehmen sind. Wie stellt man das Sportprogramm ein? Kann die Belichtungszeit manuell verändert werden? Wenn Sie sich erst mitten im Geschehen mit Ihrer Digitalkamera auseinander setzen, sind die interessantesten Gelegenheiten womöglich schon Vergangenheit.

3.6.1   Motive in Bewegung einfangen

Bild 3.77 Nur wenn die Kamera fest auf einem Stativ montiert ist, lassen sich solche Aufnahmen mit extremen Bewegungsschlieren machen. Vor allem an den schemenhaften Menschen auf dem Bürgersteig rechts erkennt man, wie lang der Kameraverschluss geöffnet war.

Möchten Sie Bewegungen einfangen, überlegen Sie schon vorher, welche dynamischen Abläufe zu erwarten sind und auf welche Weise Sie die Motive zeigen möchten. Beim Fußball sind es Zweikämpfe, Schüsse auf das Tor und die Paraden der Torhüter, beim Tennis die Augenblicke der Schläge, die am besten mit kurzen Verschlusszeiten »eingefroren« werden.

Verwischeffekte verdeutlichen Geschwindigkeit

Bild 3.78 Je näher ein sich bewegendes Objekt an der Kamera ist, desto deutlicher ist der Verwischeffekt bei längeren Verschlusszeiten. Hier sieht man, dass die entfernten Radfahrer noch deutlich schärfer im Bild sind als derjenige, der gerade direkt an der Kamera vorbeirast

Bei einem Radrennen können längere Verschlusszeiten zu Verwisch-
effekten führen, die die Geschwindigkeit verdeutlichen. Welcher
Kamerastandort ist notwendig, um nah genug an die Sportler heran-
zukommen? Reicht die Brennweite der Kamera aus, oder benötigen
Sie eventuell einen Konverter, um die Motive näher heranzuholen?
Haben Sie für längere Verschlusszeiten ein Stativ, um den statischen
Hintergrund scharf zu zeigen, während im Vordergrund die Bewe-
gung verwischt?

Erst an überschaubare Motive herantasten

Bild 3.79 Um die Bewegung des Wassers so zu zeigen, benötigen Sie ein
Stativ, da lange Verschlusszeiten für den duftigen Effekt nötig sind.
Und noch ein Tipp: Schützen Sie Ihre Kamera mit einer Plastikfolie
vor Spritzern, wenn Sie nah an den Wasserfall heranmüssen.

Um den Umgang mit der Kamera in der Actionfotografie zu beherrschen, sollten Sie sich zunächst an überschaubare Motive herantasten.

Sportveranstaltungen auf lokaler Ebene oder spielende Haustiere sind ideal, um ein Gefühl für die Möglichkeiten der Fotografie zu entwickeln. Neben dem Ausprobieren verschiedener Kameraeinstellungen, Bildausschnitte und Perspektiven sollten Sie auch immer ein Auge auf die Fotos in Zeitungen und Zeitschriften haben. Auf den Sportseiten von Tageszeitungen werden Sie unterschiedliche Varianten der Darstellung von Bewegung finden. Anhand dieser Fotos können Sie mit ein wenig Hintergrundwissen über die Fotografie viel darüber lernen, wie man Bewegungen festhält und wie man Sport- und Actionfotos gestaltet. Denn schließlich kommt es auch darauf an, ein Motiv so interessant wie möglich auf der Fläche eines Fotos zu platzieren.

TIPP **Fließendes Wasser gekonnt fotografieren**

Fließendes Wasser kann ebenso wie jede andere Bewegung auf zwei Arten fotografiert werden: mit kurzer Verschlusszeit in der Bewegung erstarrt (je nach Fließgeschwindigkeit z. B. 1/125 sek und weniger) oder mit langer Verschlusszeit (1/15 sek bis zu mehreren Sekunden) für eine romantische Wirkung. Dabei führt lediglich die Bewegung des Wassers zu Unschärfen und die anderen Elemente des Motivs bleiben scharf. Ohne Stativ oder eine erschütterungsfreie Unterlage sind solche Bilder nicht zu machen.

3.6.2 Scharfe Sportfotos indoor und outdoor

Stellen Sie an Ihrer Kamera das Aufnahmeprogramm für Sportfotos ein. Dabei wählt die Kamera in Abhängigkeit vom vorhandenen Licht die kürzestmögliche Verschlusszeit, um die Motive in ihrer Bewegung scharf festzuhalten.

Bild 3.80 So eine Aufnahme ist nur mit viel Geduld, vielen Versuchen und größtem technischem Aufwand perfekt hinzubekommen. Hilfreich ist hier ein nachführender Autofokus, mit dem man den Sportler verfolgen kann. So ein Autofokus passt die Fokussierung extrem schnell an das bewegte Motiv an.

Manuell auf einen Punkt scharf stellen

Besitzt Ihre Kamera keinen nachführenden Autofokus, ist es nicht möglich, ein sich bewegendes Motiv mit der Kamera zu verfolgen – der Fokus wird nicht angepasst. Stellen Sie deshalb besser manuell auf einen Punkt scharf, an dem das Motiv vorbeikommen wird, und drücken Sie im richtigen Augenblick ab. Bei Innenaufnahmen in Sporthallen ist das Licht in der Regel sehr schwach. Stellen Sie, um mit möglichst kurzen Verschlusszeiten fotografieren zu können, die Empfindlichkeit auf den höchsten verfügbaren ISO-Wert.

Blitz, Standortwechsel und variable Brennweite

Wenn Sie in Innenräumen nah an Ihre bewegten Motive herankommen können, fotografieren Sie mit Blitz. Dadurch wird das Motiv erstens besser ausgeleuchtet und zweitens in seiner Bewegung eingefroren, weil der Blitz nur sehr kurz aufleuchtet. Wechseln Sie bei größeren Sportveranstaltungen den Standort und machen Sie Fotos aus verschiedenen Perspektiven. Ebenso sollten Sie die Brennweite variieren, um verschiedene Bildausschnitte festzuhalten. Das bringt Abwechslung in die Bilderreihe und Sie erzielen eine größere Auswahl.

Bild 3.81 Für dieses Foto wurde die auf einem Stativ montierte Kamera zuvor manuell fokussiert. Blende und Verschlusszeit wurden ebenfalls vorher manuell festgelegt. Die Nordic-Walking-Gruppe wurde dann gebeten loszulaufen. Dieses Foto ist eines aus einer ganzen Reihe von Aufnahmen, die mit der Reihenbildfunktion einer digitalen Spiegelreflexkamera gemacht wurden. Die Kamera wurde, um den Hintergrund zu verwischen, horizontal mit der Gruppe mitbewegt.

3.6.3 Dokumentarische Fotos von Bewegungen

Bild 3.82 Obwohl die kämpfenden Bären nicht scharf sind, vermittelt das Bild seine Botschaft von Wildheit, Kampf und Dynamik. Das aufgerissene Maul und die durch die relativ lange Verschlusszeit von 1/15 sek erzeugte Bewegungsunschärfe vermitteln dem Betrachter, worum es geht. Sie sehen, perfekte Schärfe ist nicht immer notwendig.

Dokumentarische Fotos von Bewegungen arbeiten häufig mit dem Einfrieren des Motivs – es entstehen statische Bilder, die einen kurzen Moment festhalten. Um Dynamik und Bewegungsunschärfe ins Bild zu bringen, müssen Sie dagegen mit etwas längeren Verschlusszeiten fotografieren. Die Kunst bei dieser Technik besteht darin, nur gerade so viel Bewegungsunschärfe zu zeigen, dass nach wie vor erkennbar ist, um was und wen es sich handelt, und das Hauptmotiv möglichst scharf bleibt.

Bewegungsunschärfe erzeugen

Bewegungsunschärfe entsteht meist auf zwei Arten: Entweder stehen Sie und die Kamera still und das Motiv fährt, läuft oder fliegt an Ihnen vorbei, oder Sie bewegen die Kamera, während das Motiv stillsteht. Eine dritte Variante, bei der Sie die Kamera mit dem Motiv mitbewegen, wird als Mitziehen bezeichnet.

Um Bewegungsunschärfe zu erzeugen, wird die Kamera auf eine relativ lange Verschlusszeit von z. B. 1/15 sek eingestellt. Wenn mit Ihrer Kamera möglich, verwenden Sie die Blendenautomatik (T, Tv), wobei die Kamera die für korrekte Belichtungen notwendige Blende automatisch zur von Ihnen festgelegten Verschlusszeit regelt. Aber Vorsicht! Sind die Verschlusszeiten beim Fotografieren in einem schlecht beleuchteten Raum zu kurz, sodass selbst die größte Blende für die korrekte Belichtung nicht ausreicht – die Kamera gibt ein Warnsignal –, müssen Sie eine noch längere Verschlusszeit wählen oder die Empfindlichkeit des Sensors z. B. auf ISO 200 oder 400 erhöhen. Zwar wird durch höhere Empfindlichkeit auch das Bildrauschen verstärkt, bei Fotos mit Bewegungsunschärfe spielt das aber kaum eine Rolle.

Bild 3.83 Die Bewegung des Riesenrads wird durch die Verschlusszeit von 1/15 sek eingefangen. Um die statischen Bildteile im Vordergrund nicht zu verwackeln, war die Kamera auf einem Stativ montiert.

TIPP Bewegungen auf den Punkt einfrieren

Um eine Bewegung einzufrieren, müssen Sie mit kurzen Verschlusszeiten fotografieren. Je nach Geschwindigkeit des Motivs können Zeiten zwischen 1/125 sek und 1/4000 sek oder weniger nötig sein, um das Objekt ohne Bewegungsunschärfe abzubilden. Wenn Sie Ihre Kamera nicht manuell auf eine bestimmte Verschlusszeit einstellen können, verwenden Sie zum Fotografieren das Sportprogramm. Es wählt automatisch die je nach Lichtverhältnissen kürzestmögliche Verschlusszeit aus.

3.6.4 Fotografische Technik des Mitziehens

Besonders beeindruckende Fotos von bewegten Motiven entstehen mit der fotografischen Technik des Mitziehens. Dabei richten Sie Ihre Kamera auf ein sich bewegendes Motiv und verfolgen es mit einer Drehbewegung Ihres Körpers. Das Motiv sollte ständig in der Mitte des Suchers sein. Auch während des Drückens des Auslösers müssen Sie die Kamera weiterhin an die Bewegung des Motivs angepasst halten und dürfen Ihre Drehung nicht abrupt stoppen. Der Autofokus funktioniert bei dieser Technik natürlich nicht. Sie müssen manuell scharf stellen. Fokussieren Sie dazu auf einen Punkt, den das Motiv passieren wird und an dem Sie den Auslöser drücken.

Bild 3.84 Das Mitziehen gehört zu den fotografischen Techniken, die, wenn man sie einmal beherrscht, zu besonders dynamischen Fotos verhelfen. Erwarten Sie jedoch nicht, dass jedes Bild klappt. Wenn einer von 50 Versuchen toll aussieht, sollten Sie zufrieden sein.

Verwischter Hintergrund

Optimal sind solche Fotos dann, wenn der Hintergrund verwischt und dadurch die Bewegung deutlich macht, das Hauptmotiv aber möglichst scharf abgebildet wird. Der verwischte Hintergrund entsteht nur dann, wenn Sie keine zu kurzen Verschlusszeiten an der Kamera einstellen. Daher ist das Sportprogramm in diesem Fall nicht geeignet, weil es automatisch die kürzestmöglichen Verschlusszeiten einstellt. Falls Sie die Belichtungswerte manuell regeln können, stellen Sie für Tageslichtaufnahmen Verschlusszeiten von ungefähr 1/60 sek oder weniger ein. Länger als 1/15 sek sollten die Zeiten allerdings nicht sein, da es ansonsten sehr schwierig wird, das Hauptmotiv halbwegs in der Schärfe zu halten.

Bild 3.85 Um die Rotorblätter des Hubschraubers in der Bewegung nahezu einzufrieren, musst mit einer Verschlusszeit von 1/4000 sek fotografiert werden.

Ist es bei Ihrer Kamera nicht möglich, manuell in die Belichtung einzugreifen, verwenden Sie entweder die Automatik und schalten den Blitz ab, oder Sie probieren das Aufnahmeprogramm für Landschaftsfotos aus. Es wählt kleine Blenden und dadurch relativ lange Verschlusszeiten aus.

Kontrollieren Sie die Fotos gleich am Kameradisplay. Sind die Bewegungseffekte zu ausgeprägt, muss die Verschlusszeit verkürzt werden. Bei zu geringer Wirkung werden die Zeiten verlängert. Erwarten Sie auch nach längerem Üben nicht, dass jedes auf diese Weise geschossene Foto gelingt. Die Fehlerquote ist auch mit viel Erfahrung oft recht hoch.

3.6.5 Manuell auf einen Punkt scharf stellen

Damit Sie das Motiv scharf erwischen, haben Sie verschiedene Möglichkeiten. Hochwertige Kameras mit einem nachführenden Autofokus halten das Hauptmotiv – haben Sie es erst einmal im Sucher – permanent in der Schärfe, solange Sie den Auslöser halb durchgedrückt halten. Nur wenige digitale Kompaktkameras besitzen diese Technologie allerdings bisher bereits.

Am einfachsten ist es also, den Autofokus abzuschalten und manuell auf einen festen Punkt scharf zu stellen. Erreicht das bewegte Motiv diesen Punkt, drücken Sie den Auslöser. Die Auslöseverzögerung müssen Sie allerdings mit einkalkulieren. Am besten machen Sie mehrere Aufnahmen, damit Sie eine Auswahl haben. Um die Schärfentiefe, also die scharf abgebildete Bildtiefe, zu maximieren, können Sie mit möglichst kurzer Brennweite arbeiten. Dazu müssen Sie relativ nah an Ihr Motiv herankommen, was z. B. bei Sportveranstaltungen nicht immer möglich ist. Erwarten Sie anfangs nicht zu viel von Ihren Mitziehfotos – diese Technik erfordert wirklich viel Übung.

Lassen Sie sich jedoch nicht entmutigen. Sobald Sie die ersten gelungenen Bilder im Kasten haben, sehen Sie, dass sich die Mühe gelohnt hat.

TIPP **Arbeiten mit integriertem Blitz oder Zusatzblitzgerät**

Um sehr schnelle Bewegungen in der Nähe der Kamera einzufrieren, hilft der integrierte Blitz oder ein Zusatzblitzgerät. Die Leuchtdauer eines Blitzes ist viel kürzer als die kürzeste Verschlusszeit Ihrer Kamera. Ein bewegtes Motiv kann mit Blitzlicht eingefroren werden, weil es nur sehr kurz vom Blitz angestrahlt wird, und dieser kurze Lichtausbruch in die längere Verschlusszeit fällt.

3.6.6 Mehr Dynamik durch Einsatz des Blitzes

Üblicherweise fotografiert man mit Blitz, wenn nicht genügend Umgebungslicht vorhanden ist. Das in Ihre Kamera integrierte Blitzgerät, besser noch ein Zusatzblitz, kann bei richtigem Einsatz auch Dynamik in Ihre Fotos bringen.

In Verbindung mit relativ langen Verschlusszeiten, wie sie für die Technik des Mitziehens eingesetzt werden, bewirkt ein Blitz, das Hauptmotiv inmitten der Bewegungsunschärfe in seiner Bewegung einzufrieren. Das Prinzip dahinter: Der Blitz leuchtet extrem kurz auf und die ebenso kurze Reflexion des Lichts vom Hauptmotiv wird vom Kamerasensor während der im Vergleich dazu relativ langen Verschlusszeit erfasst. Sowohl Bewegungsschlieren sind sichtbar als auch im Idealfall ein scharfes Hauptmotiv.

Das Problem dabei: Der Blitz wird standardmäßig immer am Anfang der Verschlusszeit ausgelöst. Die Bewegungsschlieren entstehen dadurch vor dem Motiv. Um dem entgegenzuwirken, muss Ihre Kamera einen Blitzmodus unterstützen, der Blitzen auf den 2. Verschlussvorhang heißt. Dabei wird der Blitz erst am Ende der Belichtung gezündet. Dies führt dazu, dass die Kamera zunächst die Bewegungsschlieren und am Ende das durch den Blitz kurz angestrahlte Hauptmotiv aufnimmt. Wie bei allen Aufnahmen von Bewegungen ist auch hier das Timing wichtig. Je mehr Sie üben, desto größer wird die Ausbeute gelungener Fotos.

Bild 3.86 Das Blitzen auf den 2. Verschlussvorhang schafft Aufnahmen, bei denen hinter dem bewegten Motiv Schlieren auftauchen. Im Kamera-Handbuch steht, wie Sie diesen Blitzmodus aktivieren.

3.6.7 Mitziehen und Blitzen geschickt kombinieren

Sie können das Mitziehen und das Blitzen von Bewegung auch miteinander kombinieren. Kurze Verschlusszeiten oder das kurze Aufleuchten des Blitzes frieren Bewegungen ein. Lange Verschlusszeiten und Mitziehen bringen Bewegungsunschärfe ins Bild. Die Kombination aus geblitzter Bewegung und parallel zum Motiv geschwenkter Kamera verstärkt den Eindruck der Dynamik.

Zum richtigen Zeitpunkt auslösen

Zunächst müssen Sie die richtigen Belichtungswerte (lange Verschlusszeit von 1/30 sek oder länger) manuell festlegen und danach auf einen Punkt fokussieren, den das Motiv passieren wird. Dann sollte der Blitzmodus Blitzen auf den 2. Verschlussvorgang eingestellt werden. Um perfekte Fotos zu erhalten, müssen Sie während der Mitziehbewegung kurz vor dem fokussierten Punkt auslösen, damit der Blitz (2. Verschlussvorgang) an exakt der Stelle aufleuchtet, an der sich das Motiv genau in der Schärfe befindet. Ob Kinder, Haustiere, Sportveranstaltungen oder Straßenverkehr – Gelegenheiten, die genannten Techniken auszuprobieren, gibt es überall in Hülle und Fülle.

TIPP **Wasserspritzer in der Bewegung einfrieren**

Ein Test mit einer Kamera, an der man Fokus, Blende und Verschlusszeit manuell verändern kann, verdeutlicht die einfrierende Wirkung eines Blitzes. Dunkeln Sie einen Raum komplett ab und stellen Sie ein Gefäß mit Wasser auf, in das Sie später ein kleines Objekt wie eine Münze hineinfallen lassen. Schrauben Sie die Kamera auf ein Stativ und stellen Sie eine Verschlusszeit von 1/30 sek und Blende 11 ein. Fokussieren Sie manuell auf die Mitte des Gefäßes, wo die Münze ins Wasser eintauchen wird. Wählen Sie eine Brennweite, mit der das Eintauchen und das aufspritzende Wasser möglichst komplett erfasst werden. Ein Fernauslöser erleichtert den Versuch, aber auch der auf etwa zehn Sekunden gestellte Selbstauslöser hilft, die Wasserspritzer zu erwischen. Lösen Sie, nachdem Sie das Licht ausgeschaltet haben, mit der einen Hand die Kamera aus und lassen Sie mit der anderen die Münze ins Wasser fallen. Es entsteht ein Foto, das die vom Blitzlicht in der Bewegung eingefrorenen Wasserspritzer zeigt. Vermutlich werden Sie ein paar Versuche benötigen, bis das Timing stimmt. Sind die Fotos über- oder unterbelichtet, verändern Sie die Blende bei den nächsten Aufnahmen entsprechend.

3.7 Fotografie von Gebäuden und Denkmälern

Ob im Urlaub oder zu Hause – die Fotografie von Gebäuden, architektonischen Besonderheiten und Denkmälern ist immer eine Herausforderung. Und das gleich in verschiedener Hinsicht. Bei der Fahrt zur Arbeit, beim Spazierengehen oder während eines Ausflugs können Sie immer wieder auf lohnende Motive stoßen – es müssen nicht immer die Prachtbauten vergangener Jahrhunderte sein. Sie müssen nur einen Blick für außergewöhnliche Details entwickeln.

Bild 3.87 Machen Sie nicht den Fehler, Gebäude immer von vorn zu fotografieren und in der Bildmitte anzuordnen. Da sich Gebäude und Denkmäler nicht bewegen, haben Sie genügend Zeit für Experimente. Hier wurde der Bildausschnitt bewusst so gewählt, dass der alte Backofen im Anschnitt rechts liegt.

Wollen Sie ein architektonisches Motiv fotografieren, kommt es darauf an, das richtige Licht zu erwischen. Ein trüber Tag kann interessant für eine im Nebel verschwindende Brücke sein. Ein strahlend blauer Himmel passt ausgezeichnet zu südländischer Architektur. Harte Kontraste, die gut das Typische moderner Bauten unterstreichen, erhalten Sie zur Mittagszeit. Sanfte Lichtstimmungen, etwa für die Silhouette eines Fischerdorfs, herrschen morgens und abends vor. Sie sollten versuchen, zur richtigen Zeit am richtigen Ort zu sein, um für Ihre Fotos das Beste aus einem architektonischen Motiv herauszuholen.

Bild 3.88 Nutzen Sie für die Gebäudefotografie natürliche Rahmen. Im Bild oben wurde geschickt und farblich effektvoll das Geländer einer Treppe eingesetzt, um das Hochhaus im Bild zu umrahmen.

3.7.1 Mehr Flexibilität mit verschiedenen Brennweiten

Bild 3.89 Standortwechsel und der kreative Einsatz verschiedener Brennweiten sind das A und O in der Gebäudefotografie. Zwar ist der Eiffelturm auf dem linken Bild nicht komplett zu sehen, der Betrachter erkennt das Motiv trotzdem. Versteifen Sie sich nicht darauf, jedes Gebäude immer komplett aufs Bild zu bekommen, Details sind ebenso wichtig.

Für die bewusst gestaltete Gebäudefotografie und die Flexibilität bei der Wahl des Bildausschnitts benötigen Sie verschiedene Brennweiten. Die meisten kompakten Digitalkameras sind mit einem Zoomobjektiv ausgestattet, das die wichtigsten Brennweiten abdeckt. Weil Kompaktkameras in erster Linie für Familienschnappschüsse oder Urlaubsfotos konzipiert sind, beginnt der Brennweitenbereich der Zoomobjektive bei relativ kleinen (Weitwinkel)-Brennweiten, damit Sie möglichst viel auf das Bild bekommen.

Je nach Kamera reichen die Werte in den mittleren bis langen Telebereich hinein. Bezogen auf das Kleinbildformat bedeutet das, dass die Brennweiten von Zoomobjektiven bei etwa 28 bis 35 mm beginnen und bei mittleren Zooms bis etwa 100 mm, bei langen Zooms auch bis über 200 mm und mehr reichen. Kostspielige Digitalkameras verfügen über Superzoomobjektive, die einen Brennweitenbereich von rund 30 bis 400 mm abdecken können. Für die Gebäudefotografie sind vor allem Weitwinkel- bis mittlere Telebrennweiten interessant. Bei digitalen Spiegelreflexkameras können Sie Zoomobjektive und Festbrennweitenobjektive einsetzen. Sie können außerdem mit (sehr teuren) Spezialobjektiven für die Gebäudefotografie arbeiten, die perspektivische Verzerrungen, die so genannten stürzenden Linien, ausgleichen.

TIPP **Optische Fehler in der Weitwinkelfotografie**

Verzeichnung ist ein optischer Fehler, der besonders in der Weitwinkelfotografie auftreten kann. Hierbei werden gerade Linien gebogen gezeigt. Je weiter Linien wie Häuserkanten am Bildrand liegen, desto stärker wirkt sich die Verzeichnung aus. Bei der tonnenförmigen Verzeichnung werden Linien nach außen, bei der kissenförmigen nach innen gebogen. Der Grad der Verzeichnung hängt von der Qualität des Objektivs ab und kann nur mithilfe komplizierter Bildbearbeitungsverfahren korrigiert werden.

3.7.2 Optische Eigenschaften für die bewusste Bildgestaltung

Zoomobjektive sind ein Hilfsmittel, um bei der Bildgestaltung den Bildausschnitt zu wählen, ohne den Standort wechseln zu müssen. Die Wirkung eines Bildes wird beim Einsatz verschiedener Brennweiten lediglich dadurch beeinflusst, dass mehr oder weniger auf das Bild kommt. Verschiedene Brennweiten haben interessante optische Eigenschaften, die Sie für eine bewusste Bildgestaltung kennen sollten.

Weitwinkelfotografie

Wenn Sie mit Weitwinkel fotografieren, wollen Sie vermutlich eine Landschaft oder ein Gebäude komplett auf dem Bild haben. In Verbindung mit einer an der Kamera eingestellten kleinen Blende führen Weitwinkelbrennweiten zu ausgedehnter Schärfentiefe. Für die Gebäudefotografie bedeutet dies, dass Sie auch Nebenmotive in Ihrer Nähe – ein Tor, einen Brunnen oder einen Menschen – in den Bildaufbau einbeziehen können. Dadurch erhält ein Bild räumliche Tiefe. Allerdings bewirkt die Weitwinkelfotografie auch, dass Motive, die sich näher an der Kamera befinden, im Vergleich zu weiter entfernt liegenden deutlich größer, zuweilen sogar riesig wirken.

Eine spezielle Variante des Weitwinkelobjektivs sind so genannte Fisheye-Objektive. Diese zeigen einen extrem großen Blickwinkel, je nach Ausführung sogar bis zu 180°. Es gibt Fisheyes, die rechteckige Aufnahmen produzieren und dabei sämtliche Linien, die nicht in der Bildmitte verlaufen, verbiegen. Eine zweite Variante, bei der die Verzerrungen noch deutlicher auftreten, sind Fisheyes, die den Bildbereich kreisrund zeigen und eher für die experimentelle Fotografie geeignet sind. Fisheye-Objektive gibt es sowohl für Spiegelreflexkameras als auch in Form von aufschraubbaren Konvertern für digitale Kompaktkameras.

Bild 3.90 Wird die Kamera nach oben gekippt, entstehen im Bild die gefürchteten stürzenden Linien – der Passauer Dom scheint nach hinten zu kippen.

Bild 3.91 Das Vordergrundmotiv ist ebenso wie die hinten stehende Kapelle scharf abgebildet. Weitwinkelbrennweite und kleine Blende – in diesem Fall wurde mit Blende 16 fotografiert – erzeugen große Schärfentiefe.

Normalbrennweite

In der Kleinbildfotografie entspricht die Brennweite von 50 mm dem Eindruck, den Sie beim Betrachten des Motivs ohne Kamera haben. Ihre Motive werden im Sucher weder vergrößert noch verkleinert gezeigt. Man spricht bei dieser Brennweite von der Normalbrennweite. Sie ist in erster Linie für dokumentarische Aufnahmen geeignet. Gebäude werden »so wie sie sind« dargestellt. Je nach Sensorgröße Ihrer Digitalkamera liegt die Normalbrennweite jedoch bei einem anderen Wert. Ist Ihre Kamera mit einem Zoomobjektiv ausgestattet, probieren Sie durch Verstellen des Zooms aus, wann sich Ihre Sicht mit der der Kamera deckt.

Effekt mit Telebrennweiten

Fotografieren Sie mit Telebrennweiten (ab 100 mm bezogen auf das Kleinbildformat), entsteht ein Effekt, bei dem die Entfernung hintereinander stehender Motive scheinbar verkürzt oder gerafft wird. So scheint die in einiger Entfernung hinter einem Denkmal aufragende Gebäudefassade nah an das Hauptmotiv im Vordergrund heranzurücken. Bei der Verwendung von Weitwinkeleinstellungen entsteht der gegenteilige Effekt: Entfernungen zwischen einzelnen Motiven werden scheinbar vergrößert.

TIPP **Auf die Schnelle einen vorteilhaften Blickwinkel finden**

Wenn Sie auf Reisen Sehenswürdigkeiten fotografieren möchten, helfen oft Prospekte und Reiseführer weiter. Auf den darin abgebildeten Fotos sehen Sie meist, welchen Kamerastandpunkt der Fotograf gewählt hat. So sparen Sie viel Zeit auf der Suche nach einem vorteilhaften Blickwinkel. Natürlich schadet es nicht, ein Gebäude trotzdem zu umrunden.

3.7.3 Mit allen Sinnen auf das Bauwerk konzentrieren

Bild 3.92 Durch die Telebrennweite von ca. 150 mm wird die Perspektive der Landschaft geraubt; die Gebäude wirken dicht gedrängt.

Wenn Sie vor einem beeindruckenden Gebäude stehen, nehmen Sie immer auch die gesamte Umgebung wahr. Hupende Autos, Menschen im Gespräch, der Geruch eines Cafés oder einer Bäckerei, der Wind, die Hitze eines Sommertags – all diese Eindrücke können Sie nicht mit dem Fotoapparat festhalten. Deshalb sollten Sie sich beim Fotografieren voll und ganz auf das Bauwerk konzentrieren. Beginnen Sie damit, aus einiger Entfernung Gesamtansichten aufzunehmen. Wenn möglich, umrunden Sie Ihr Motiv und probieren verschiedene Perspektiven (von oben, von unten, seitlich) aus. Gibt es Nebenmotive im Vordergrund, die zur Wirkung des Gebäudes beitragen? Ein Denkmal, ein

Brunnen, die Straße mit Passanten können interessant sein. Außerdem liefern sie Anhaltspunkte zur Größeneinschätzung des Motivs. Das ist gerade dann wichtig, wenn Sie vor besonders großen oder kleinen Bauwerken stehen.

Bild 3.93 In einer Präsentation z. B. von Urlaubsfotos bringt die Kombination aus Totalen und Detailfotos den Reiz eines Motivs richtig zur Geltung.

Haben Sie bei den ersten Aufnahmen Ansichten entdeckt, die sich für Ausschnitte eignen, machen Sie als nächstes Fotos von Teilen des Bauwerks. Vermutlich werden Sie auch kleinere Details – Malereien, Reliefs, Intarsien etc. – entdecken, die es zu fotografieren lohnt. Wechseln Sie hierfür entweder den Standort oder arbeiten Sie mit dem Zoomobjektiv, um Details nah heranzuholen. Achten Sie bei

Detailaufnahmen besonders auf den Schattenwurf, denn je nach Sonnenstand kann ein kleines Relief an einer Hauswand ganz unscheinbar, wenige Stunden früher oder später aber hochinteressant wirken. Bei farbigen Details werden Sie oft in der Mittagssonne mit eher blassen Farben oder überstrahlten Flächen zu kämpfen haben. Auch hier bietet sich für kontrastreiche Bilder eine andere Tageszeit an.

3.7.4 Höhere ISO-Werte für gut belichtete Innenräume

Bei vielen Gebäuden ist es kein Problem, mit Kamera und Stativ (wichtig für schlecht beleuchtete Räume) auch in den Innenräumen zu arbeiten. In manchen Museen, Kirchen oder religiösen Bauwerken kann das Fotografieren jedoch verboten oder zumindest unerwünscht sein. Manchmal darf man zwar seine Kamera, nicht aber das Stativ mit nach innen nehmen, weil die Räume zu eng sind oder andere Besucher gestört werden können. Auch das Fotografieren mit Blitzlicht ist manchmal untersagt, um beispielsweise lichtempfindlichen Wandgemälden keinen Schaden zuzufügen. Versuchen Sie nicht, Verbote zu unterlaufen. Früher büßte man schlimmstenfalls seinen Film ein, heute ist es möglicherweise die teure Speicherkarte.

Erkundigen Sie sich auf jeden Fall vorher, ob und auf welche Weise es erlaubt ist, Fotos zu machen. Wenn kein Stativ erlaubt ist, müssen Sie wahrscheinlich mit höherer Empfindlichkeit fotografieren und diese dazu auf einen höheren ISO-Wert stellen. Zwar wird dadurch das Bildrauschen erhöht, Sie erhalten aber zumindest scharfe Bilder, weil die Belichtungszeiten wegen der hohen Sensorempfindlichkeit entsprechend verkürzt werden können und man aus der Hand fotografieren kann.

Bild 3.94 Bei extremen Hell-Dunkel-Unterschieden ist es ratsam, die Bilder sofort auf dem Display zu kontrollieren. Ist der Tonwertumfang eines Motivs zu hoch, werden entweder die Schatten pechschwarz oder die Lichter völlig überstrahlt und weiß. In so einer Situation helfen Belichtungsreihen, bei denen mehrere Aufnahmen mit unterschiedlichen Belichtungswerten gemacht werden. Ob und wie das mit Ihrer Kamera geht, steht im Handbuch.

Bild 3.95 Beim Fotografieren schummrig beleuchteter Gewölbe müssen Sie wegen langer Verschlusszeiten entweder mit Stativ arbeiten, um nicht zu verwackeln, oder Sie wählen eine höhere ISO-Empfindlichkeit an Ihrer Kamera aus. Nachteil der hohen ISO-Werte: Das Bildrauschen wird immer störender, je höher die Empfindlichkeit.

Bildstabilisator und Spotmessung

Wenn Ihre Kamera mit einem Bildstabilisator ausgestattet ist, haben Sie eventuell die nötige Belichtungsreserve für dunkle Innenräume. Die zwei bis drei Belichtungsstufen, die der Stabilisator bringen kann, reichen zusammen mit einer etwas höheren Empfindlichkeit möglicherweise schon aus. Je nach Motiv können Sie aber auch über eine Spotmessung, sofern Ihre Kamera über diese Funktion verfügt, vernünftig belichtete Aufnahmen machen. Die Spotmessung bietet sich an, wenn es im Innenraum ein deutlich helleres Motiv gibt, wie man es beispielsweise in Kirchen im Altarraum findet. Wollen Sie bei der Belichtung auf Nummer sicher gehen, sehen Sie im Handbuch Ihrer Kamera nach, ob sie Belichtungsreihen unterstützt. Dadurch erhalten Sie mit hoher Wahrscheinlichkeit zumindest immer ein gut belichtetes Foto.

3.7.5 Tolle Architekturfotos zur blauen Stunde

Bild 3.96 Das bläuliche Licht der Dämmerung und der gelbliche Schein der Baumbeleuchtung ergeben eine Lichtmischung, die die Stimmung der winterlichen Szenerie optimal transportiert.

Ganz entscheidend für gelungene Architekturfotos ist das Licht – ob es sich nun um das Sonnenlicht oder künstliches Licht von Scheinwerfern, Blitzgeräten oder Feuer handelt. Viele Fotografen sind für Gebäudefotos in der so genannten blauen Stunde unterwegs, der Zeit kurz vor Sonnenaufgang oder kurz nach Sonnenuntergang. Zu diesen Tageszeiten wirkt das Licht bläulich. Es ist besonders diffus, die Schatten sind sehr weich.

Atemberaubende Lichtstimmungen

Bild 3.97 Fotografieren Sie zur blauen Stunde mit der Sonne im Rücken, erhalten die Bilder den für diese Tageszeit typischen Charakter. Würden Sie sich in Richtung Sonnenuntergang drehen, würden Rot, Gelb und Orange die Farbigkeit eines Motivs bestimmen.

Weil die Lichtmenge zur blauen Stunde relativ gering ist, sind Fotos mit bester Bildqualität und maximaler Schärfentiefe (niedrige Empfindlichkeit, kleine Blende) meist nur mit Stativ möglich. In Kombination z. B. mit Scheinwerfern, die eine Kirche anstrahlen, oder mit Straßenlaternen, die eine Häuserfront ausleuchten, können atemberaubende Lichtstimmungen entstehen, die so zu keiner anderen Tageszeit gemacht werden können.

3.7.6 Stürzende Linien bei Gebäudefotos vermeiden

Der meist ungewollte Effekt der stürzenden Linien, bei dem Gebäude auf Ihren Fotos nach hinten zu kippen scheinen, lässt sich vermeiden, wenn Sie auf Augenhöhe mit dem Motiv stehen, Ihre Kamera absolut waagerecht halten und damit das gesamte Motiv erfassen können. Sobald Sie die Kamera nach oben oder unten kippen, laufen die Kanten eines Gebäudes perspektivisch zusammen. Wenn es nicht möglich ist, einen idealen Standort zum Fotografieren einzunehmen, entfernen Sie sich vom Gebäude und fotografieren mit Telebrennweiten. Hierdurch wird der störende Effekt verringert. Bei Gebäuden, die an Plätzen stehen, ist dies oft möglich, auch wenn dann nur mit einer Weitwinkelbrennweite fotografiert werden kann. Ist auch das nicht machbar, weil das Gebäude zum Beispiel mitten in einem Gebäudekomplex steht, bleibt als letzte Möglichkeit die Bildbearbeitung.

Bild 3.98 Haben Sie die Möglichkeit, sich vom Gebäude, das Sie fotografieren möchten, ein wenig zu entfernen, vermeiden Sie dadurch effektiv stürzende Linien. In diesem Fall kam dem Bild außerdem zugute, dass der Brunnen ein attraktives Vordergrundmotiv abgab. Die vorderen Brunnenfiguren blicken zum Gebäude, was den Blick des Betrachters zusätzlich zum Hauptmotiv leitet.

Mehr Dynamik gewinnen

Charakteristisch für Gebäudeaufnahmen mit stürzenden Linien ist die Froschperspektive, die das Gebäude deutlich größer erscheinen lässt. Wenn sich diese Perspektive nicht umgehen lässt, können Sie versuchen, diesen Eindruck aktiv in die Gestaltung Ihrer Bilder mit einzubeziehen. Nehmen Sie nicht den einzelnen Wolkenkratzer, sondern die ganze Straßenschlucht ins Bild. Durch die steil aufragenden Fassaden wirkt die Straße schmaler und die Komposition gewinnt an Dynamik.

3.8 Motiv und Beleuchtung optimal abstimmen

Bild 3.99 Zwielicht im Wald und ein paar durch die Bäume auf einen Wald-
weg fallende Sonnenstrahlen sind nicht nur in der Realität, sondern auch auf einem Foto atemberaubend. Hier ist es wegen des
großen Tonwertspektrums zwischen hellsten und dunkelsten
Bildteilen besonders wichtig, auf exakte Belichtung zu achten.
Machen Sie zur Sicherheit mehrere Aufnahmen mit unterschiedlichen Belichtungswerten, am besten per Belichtungsreihen.

Fotografie bedeutet grob übersetzt »Malen/Schreiben mit Licht«. Aber anders als ein Maler mit Pinsel und Leinwand, dessen Werke über lange Zeit entstehen können, hat der Fotograf oft nur einen kurzen Augenblick zur Verfügung, in dem Motiv und Beleuchtung optimal passen. Die Kunst des Fotografierens besteht zum großen Teil darin, Lichtstimmungen zu erkennen, diese in die Bildgestaltung einzubeziehen und die Lichtverhältnisse fotografisch korrekt festzuhalten.

Das feurige Licht eines atemberaubenden Sonnenuntergangs, die festliche Beleuchtung eines Weihnachtsmarkts oder das Glitzern im Wasser eines Springbrunnens zur Mittagszeit sind außergewöhnliche Impressionen. Fotografisch interessante Lichtsituationen zu erkennen hängt zum großen Teil von Ihrer Erfahrung ab. Je länger Sie fotografieren, desto mehr Motive werden Sie finden – und zwar von ganz allein. Denn immer wenn Sie mit der Kamera unterwegs sind, schulen Sie ganz automatisch Ihren Blick für außergewöhnliche Bilder. Neben der Erfahrung beim Erkennen von Motiv und Lichtstimmung brauchen Sie aber außerdem das technische Wissen, um diese Augenblicke mit der Kamera optimal in gelungenen Aufnahmen zu verewigen.

3.8.1 Mit der Kamera Belichtungsreihen aufnehmen

Gerade bei besonders interessanten Lichtstimmungen ist es meistens ein wenig komplizierter, korrekt belichtetes Material zu erhalten. Je nach Motiv kann manchmal eine leichte Über- oder Unterbelichtung nötig sein, um bildwichtige Bereiche besser herauszustellen. So ist das Fotografieren eines Sonnenuntergangs relativ knifflig, weil sich die von der Kamera vorgeschlagenen Belichtungswerte mit der kleinsten

Bewegung in Richtung Sonne sofort verändern. Im Zweifel machen Sie ein paar Testaufnahmen, kontrollieren sie auf dem Display und stellen dann die richtigen Belichtungswerte für Blende und Verschlusszeit manuell ein. Einfacher ist es, wenn Ihre Kamera Belichtungsreihen aufnehmen kann.

3.8.2 Probates Mittel für die richtige Belichtung

Bild 3.100 Eine winterliche Gegenlichtsituation stellt den Belichtungsmesser jeder Kamera auf eine harte Probe. Richten Sie die Kamera zur Ermittlung der richtigen Werte auf einen Bereich mittlerer Helligkeit; für die Aufnahme wird die Kamera mit halb gedrücktem Auslöser wieder zurückgeschwenkt.

Verfügt Ihre Kamera nicht über die Möglichkeit der manuellen Einstellung, bewegen Sie sie vom Hauptmotiv zu einem Bereich mittlerer Helligkeit und drücken den Auslöser dort halb durch. Die ermittelten Belichtungswerte werden dadurch gespeichert. Danach schwenken Sie die Kamera mit halb durchgedrücktem Auslöser wieder zurück, um den gewünschten Bildausschnitt fotografieren zu können. Die Kamera einen Punkt mittlerer Helligkeit anmessen zu lassen ist ein probates Mittel, um die richtige Belichtung zu erzielen.

3.8.3 Belichtungswerte mit der Spotmessung bestimmen

Sehen Sie im Handbuch Ihrer Kamera nach, wie die Spotmessung funktioniert. Dann können Sie in schwierigen Lichtsituationen damit arbeiten und die Belichtungswerte noch exakter bestimmen. Bei der Spotmessung wird nur ein sehr kleiner Bildbereich für die Messung herangezogen. Wenn es darum geht, ein bestimmtes Detail unabhängig vom Rest der Szene richtig zu belichten, ist die Spotmessung die zuverlässigste Art der Belichtungsmessung.

3.8.4 Jede Stimmung hat Ihre ganz eigene Farbe

Das Licht der Sonne beleuchtet je nach Tageszeit und Wetter die Welt in ganz unterschiedlichen Farben. Sonnenauf- und -untergänge tauchen die Umgebung in Rot und Orange. Das Tageslicht im Gebirge ist blau. An Regentagen und im Nebel sehen Farben aus, als wären sie mit einem Grauschleier überzogen.

Auch Kunstlicht verursacht ganz unterschiedliche Farben von Grün
(Gaslampen) bis Rot (Feuerschein), die Sie für stimmungsvolle Fotos
nutzen können. Das frontale, helle Licht eines Kamerablitzes ist für
das spontane Fotografieren von Lichtimpressionen jedoch ohne Vor-
planung und gezielte Steuerung des Lichtverlaufs nicht geeignet.

Bild 3.101 Das Licht der untergehenden Sonne erzeugt Bilder in Gelb,
Orange und Rot. Problematisch kann dieses Licht werden,
wenn der automatische Weißabgleich Ihrer Kamera versucht,
den vermeintlichen Farbstich auszugleichen. Probieren Sie in so
einer Situation am besten verschiedene Weißabgleichseinstellungen aus.

3.8.5 Richtung des Lichts für unterschiedliche Eindrücke

Sind Sie mit der Kamera draußen unterwegs, sollten Sie genau darauf achten, wo sich die Sonne gerade befindet, und wann immer möglich Ihren Standort zum Motiv entsprechend anpassen. Je nachdem, aus welcher Richtung das Licht auf ein Motiv fällt, lassen sich völlig andere Eindrücke erzielen.

Bild 3.102 Die langen Schatten zeigen, dass hier am späten Nachmittag fotografiert wurde. Für Landschaftsaufnahmen ist die tief stehende Sonne ideal, weil durch die Schatten die Landschaft perfekt modelliert wird. Das ist übrigens auch ein Grund, warum viele Landschaftsfotografen vor allem im Herbst fotografieren: Die Sonne steht niedrig am Himmel, und das Licht ist durch die Farben der Natur besonders stimmungsvoll.

Licht von schräg oben

Das Licht von schräg oben entspricht der gewohnten Sichtweise des Menschen. Die Schatten fallen nach schräg unten. Konturen werden deutlicher herausgearbeitet, je tiefer das Licht steht. Wenn möglich, fotografieren Sie immer mit der Sonne im Rücken. Die Beleuchtung ist dann relativ ausgeglichen und Sie haben keine Probleme mit so genannten Blendenflecken. Scheint die Sonne mehr oder weniger direkt in das Objektiv der Kamera, entsteht auf den Fotos eine Reihe kreisrunder Blendenflecken in verschiedenen Größen und Farben. Solche Flecken können bei Motiven, die etwa die Hitze eines Sommertags thematisieren, reizvoll sein. Sie reduzieren aber punktuell die Farbsättigung und lassen sich mithilfe der Bildbearbeitung nur mit höchstem Aufwand retuschieren. Falls es sich nicht vermeiden lässt, in Richtung der Sonne oder einer anderen starken Lichtquelle zu fotografieren, lassen sich Blendenflecken durch den Einsatz einer Gegenlichtblende minimieren.

Licht des frühen Morgens

Für stimmungsvolle Landschafts-, Natur- und Architekturfotos ist das Licht des frühen Morgens und des späten Nachmittags ideal. Seitlich einfallendes Sonnenlicht arbeitet die Strukturen deutlich durch kontrastreiche Licht-Schatten-Übergänge heraus. Das rötliche Licht des beginnenden und endenden Tages taucht die Motive in warme Farben.

Seitliche Beleuchtung

Eine seitliche Beleuchtung ist für die Darstellung von Konturen optimal und verleiht jedem Motiv Dreidimensionalität. Allerdings sind Motive mit seitlichem Licht oft etwas schwierig zu belichten, da die angestrahlte Motivseite extrem hell ist und die der Lichtquelle abgewandte Seite in tiefem Schatten liegt. Das kann den Sensor Ihrer

Digitalkamera überfordern, weil er das vorherrschende Helligkeitsspektrum nicht erfassen kann. Sie müssen sich entscheiden, ob Sie
lieber die hellen Bereiche oder die dunklen korrekt belichtet haben
möchten, und die Kamera zur Belichtungsmessung auf den entsprechenden Motivteil richten.

Bild 3.103 Das von rechts hinten auf die Szene fallende Licht der Nachmittagssonne ist sehr diffus, sorgt aber dennoch für deutliche Hell-
Dunkel-Kontraste. Dadurch werden die Formen im Bild sehr
plastisch herausgearbeitet.

Licht von oben

Bei Licht von oben – zum Beispiel an einem heißen Hochsommertag
– wirken Licht und Schatten hart. Landschaften sehen flach aus, weil
die Schatten sehr klein sind. Beim Fotografieren von Personen im
Freien ist das Mittagslicht ebenfalls problematisch, weil Gesichter

hässliche Schatten unter Augen, Nase und Kinn erhalten. Allerdings hat das Mittagslicht auch den Vorteil, dass es vom Betrachter intuitiv erkannt wird. Urlaubsfotos zur Mittagszeit in einem mediterranen Land vermitteln sehr gut die Hitze, das grelle Licht, ganz allgemein die Stimmung eines heißen Urlaubstages.

Bild 3.104 Stimmungsvolles Licht gibt es nicht nur draußen. Halten Sie die Augen auf und suchen Sie nach ganz alltäglichen Motiven, denen ungewöhnlicher Lichteinfall – wie hier das Gegenlicht von links hinten – zu besonderem Ausdruck verhilft.

3.8.6 Gegenlichtaufnahmen – eine echte Herausforderung

Eine echte Herausforderung für jeden Fotografen sind Gegenlicht-aufnahmen, bei denen die Hauptlichtquelle ein Motiv von hinten anstrahlt. Dazu gehören z. B. Naturdetails wie Bäume oder Blüten, die vor der dahinter stehenden Sonne zu Silhouetten werden, oder Menschen in einem dunklen Torbogen, die man aus einem Innen-raum heraus aufnimmt. Gelungene Gegenlichtmotive wirken beson-ders professionell und stimmungsvoll, sodass sich der Aufwand, sich mit den damit verbundenen Schwierigkeiten auseinander zu setzen, auf alle Fälle lohnt.

Bild 3.105 In der Produktfotografie von gläsernen oder durchscheinenden Gegenständen wird oft mit Gegenlicht gearbeitet. Das von hin-ten einfallende Licht lässt transparente Dinge leuchten.

Gegenlicht wirkt gestalterisch auf zweierlei Art: Es lässt erstens massive, undurchsichtige Objekte als dunkle, scherenschnittartige Silhouetten erscheinen und verursacht zweitens um halbtransparente und durchscheinende Motive einen hellen Lichtsaum – ein interessanter Effekt.

3.8.7 Blendende Bilder auch bei schlechtem Wetter

Bild 3.106 Aufreißende Gewitterwolken lassen Sonnenlicht auf eine ansonsten trübe Landschaft fallen. Dadurch entstehen ausdrucksstarke Kontraste. Ist der Himmel für ausgeglichen belichtete Fotos zu hell, verwenden Sie einen Grauverlaufsfilter, der vor das Objektiv geschraubt wird. Diese Filter sind drehbar, Sie können sie so einstellen, dass der helle Himmel abgedunkelt wird.

Bei uns in Mitteleuropa gehört schlechtes Wetter – Regen, Nebel, Schnee – zum Leben dazu. Doch es wäre schade, wenn man den grauen Tagen nicht auch ein paar gute Seiten abgewinnen würde. Vor allem, wenn Sie sich für Landschaftsfotografie begeistern können, werden Sie für das Ertragen von ein wenig Kälte und Nässe mit tollen Impressionen belohnt.

Das Wichtigste bei schlechtem Wetter: Verstauen Sie die in der Kameratasche befindliche Digitalkamera zusätzlich in einem Plastikbeutel und nehmen Sie sie nur für die Fotos aus der Umhüllung. Wischen Sie falls nötig Regentropfen nach dem Fotografieren sofort mit einem weichen Tuch ab.

TIPP **Die Kamera vor Regen schützen**

Fotografieren Sie bei schlechtem Wetter mit einem Stativ, besorgen Sie sich bei Ihrem Fotohändler eine Schirmhalterung. Diese wird ans Stativ geschraubt und schützt die Kamera effektiv vor Regen.

Unterwassergehäuse als Regenschutz

Wenn Sie für Ihre Kamera ein Unterwassergehäuse besitzen, ist das natürlich der beste Schutz vor Regen. Hierbei sollten Sie jedoch bedenken, dass jede weitere Glas- oder Plastikscheibe vor dem Objektiv die Bildqualität mehr oder weniger verringert. Nur bei hochwertigen Unterwassergehäusen ist dieser Faktor zu vernachlässigen. Für optimale Bildqualität sollte das Objektiv auf jeden Fall »freie Sicht« haben.

Grauverlaufsfilter bei Schlechtwetteraufnahmen

Zusätzlich zum Regenschutz kann bei Schlechtwetteraufnahmen ein Grauverlaufsfilter hilfreich sein. Wenn der von Wolken bedeckte Himmel aufreißt und sich die Sonne zeigt, können die Hell-Dunkel-Kontraste sehr groß werden. Dann sollten Sie den Himmel mit dem

TIPP **Im Regen fotografieren**

Wenn Sie Regen fotografieren möchten, müssen Sie ein paar Dinge bedenken. Möchten Sie Regentropfen im Flug »einfrieren«, brauchen Sie Verschlusszeiten, die kürzer als 1/125 sek sind. Um den Regen in Streifen zu zeigen, arbeiten Sie mit längeren Verschlusszeiten z. B. von 1/30 sek und mehr. Je länger die Verschlusszeit ist, desto länger sind die von den Regentropfen gezeichneten Streifen. Damit Regentropfen auf einem Foto sichtbar werden, benötigen Sie einen dunklen Hintergrund oder Flächen, auf denen die Regentropfen aufschlagen. Nehmen Sie z. B. für Wellenmuster eine Pfütze oder einen See mit ins Bild. Der Aufschlag von Tropfen auf Pflanzenblättern oder dem Lack eines Autos kann ebenfalls interessante Regenmotive produzieren.

Grauverlaufsfilter abdecken, damit der Kamerasensor das gesamte Helligkeitsspektrum erfassen kann. Fotografieren Sie mit einer kompakten Digitalkamera, die mit einem Zoomobjektiv ausgestattet ist, sollten Sie den gesamten Brennweitenbereich ausnutzen. Visieren Sie jedes Schlechtwettermotiv mit verschiedenen Brennweiten an. Weitwinkelaufnahmen vermitteln optimal die Weite der Landschaft, was sich vor allem bei dramatischem Wolkenhimmel toll macht. Integrieren Sie bei Weitwinkelfotos wenn möglich ein interessantes Vordergrundmotiv in die Bildgestaltung, um den Betrachter ins Bild einzuführen. Falls kein solches Motiv im Vordergrund zu finden ist, suchen Sie sich einen Blickfang im Bild, der zur Licht- und Wetterstimmung passt. Dies können ein einsamer Baum im Schnee und Regenschirme von Passanten sein. Bei der Arbeit mit Telebrennweiten wird die Perspektive im Bild gerafft und hintereinander liegende Motive scheinen zusammenzurücken – ein Effekt, der z. B. für die Aufnahme einer drohend aufragenden Gewitterfront hinter einem Haus toll wirkt.

Landschaften bei schlechtem Wetter

Die Belichtung von Landschaften bei schlechtem Wetter können Sie meistens der Automatik der Kamera überlassen. Ausnahmen sind sehr dunkle Motive wie schwarze Wolken, sehr helle Motive und Gegenlichtaufnahmen, bei denen die Sonne direkt ins Objektiv strahlt. Arbeiten Sie in solchen Situationen mit der Spotmessung und richten Sie die Kamera zum Ermitteln der Belichtungswerte auf einen Bereich mittlerer Helligkeit (Gras, Asphalt). Oder machen Sie eine Belichtungsreihe und wählen Sie später bei der Bildkontrolle nur die besten Bilder aus.

TIPP   Windgeschützte Kamerastandorte finden

Bedenken Sie, dass der Wind Ihre Kamera trotz Stativ in Bewegung versetzen kann. Digitalkameras und entsprechende Stative sind relativ leicht und selbst leichter Wind führt schon zu verwackelten Fotos. Stellen Sie Ihre Ausrüstung also windgeschützt auf.

3.9   Prächtige Feuerwerke punktgenau einfangen

Farbenprächtige Feuerwerke sind immer ein ganz besonderer Anlass für tolle Fotos. Um die feurigen, bunten Kaskaden optimal aufs Bild zu bekommen, brauchen Sie die richtige Ausrüstung, ein wenig Hintergrundwissen über Nachtaufnahmen und ein paar Tipps zur Bildgestaltung.

Bild 3.107 Feuerwerke zu fotografieren bedeutet auch immer, sich Gedanken um den Bildausschnitt zu machen. Wollen Sie auch die Umgebung aufs Bild bekommen, arbeiten Sie mit Weitwinkelbrennweiten. Das Foto entstand mit mittlerer Telebrennweite.

Ein wesentliches Merkmal guter Bilder vom nächtlichen Spektakel ist die Darstellung einzelner oder kombinierter Bildmotive, wie sie sich dem Betrachter nur über einen Zeitraum von einer Sekunde und mehr erschließen. Versuchen Sie, nicht nur eine Rakete, sondern gleich einen ganzen Schwarm oder mehrere hintereinander abgeschossene Feuerwerkskörper vom Aufsteigen bis zur Explosion auf ein Bild zu bekommen.

Das stellt nicht nur an die Ausstattung Ihrer Kamera gewisse Ansprüche, sondern bedeutet auch, dass es mit ein paar spontanen Bildern nichts wird. Feuerwerksbilder wollen geplant sein. Entschädigt werden Sie dafür mit außergewöhnlichen Aufnahmen von absoluter Einzigartigkeit, denn der Inhalt Ihrer Bilder ist niemals mehr reproduzierbar.

TIPP **Bildrauschen mit niedriger Empfindlichkeit vermeiden**

Digitalkameras sind in Bezug auf Langzeitbelichtungen leider empfindlicher als analoge Kameras. Weil sich der Sensor während der Belichtung erwärmt, wird das so genannte Bildrauschen verstärkt. Zu dessen Minimierung sollten Sie mit niedriger Empfindlichkeit (ISO 100 oder weniger) fotografieren und die Verschlusszeit auf maximal einige Sekunden beschränken.

Lange Verschlusszeiten

Die wichtigste Grundlage für solche Fotos sind lange Verschlusszeiten. Deshalb sollten Sie sich zunächst über die möglichen Belichtungszeiten Ihrer Kamera im Handbuch informieren. Je länger die einstellbaren Verschlusszeiten sind, desto flexibler können Sie arbeiten und desto mehr Explosionen und Lichtspuren bekommen Sie auf ein Bild.

Erleichtert wird Ihnen die Aufnahme durch den hohen Kontrast am Nachthimmel und die Bewegung der Lichtkörper. Mit einer geeigneten Kamera können Sie problemlos das Lichtspiel eines Feuerwerkskörpers nahezu komplett auf die Speicherkarte bannen, weil die Bewegung mit der Langzeitbelichtung optimal erfasst wird.

3.9.1 Ausrüstungstipps für gelungene Feuerwerksfotos

Ohne Stativ lässt sich ein Feuerwerk nicht fotografieren. Würden Sie mit kurzen Verschlusszeiten (z. B. 1/60 sek oder weniger) arbeiten, damit verwacklungsfreie Fotos aus der Hand möglich sind, hätten Sie vom Feuerwerk bestenfalls ein paar Lichtpunkte erwischt. Bilder eines Feuerwerks wirken aber erst durch die Lichtstreifen, die durch die explodierenden Raketen erzeugt werden. Um einzelne Lichtstreifen zu fotografieren, sind lange Verschlusszeiten von mindestens 0,5 sek notwendig. Ohne Stativ würden die Aufnahmen mit Sicherheit verwackeln. Sie können sich zur Not mit einer festen Unterlage behelfen, auf die Sie die Kamera legen. Optimal ist diese Lösung jedoch nicht, weil sich der Bildausschnitt nicht flexibel auswählen lässt. Erst mit Stativ samt Neigevorrichtung können Sie die Kamera exakt auf das Feuerwerk ausrichten.

Maximale Belichtungszeiten erzielen

Digitale Kompaktkameras bieten oft als maximale Belichtungszeit nur eine Sekunde an, was für einfache Feuerwerksaufnahmen ausreicht. Da das Aufsteigen der Raketen und die nachfolgenden Explosionen aber auch mehrere Sekunden dauern können, wäre eine entsprechend lange Belichtungszeit besser. Gut ausgestattete Kameras lassen Belichtungen von bis zu 30 sek zu. Bei einigen Modellen – vor allem bei Spiegelreflexkameras – bleibt der Verschluss durch permanentes Drücken des Auslösers oder des Fernauslösers beliebig lang geöffnet. Der Fernauslöser ist hierbei die bessere Lösung, da Sie die Kamera nicht berühren müssen und die Bilder so nicht verwackeln.

Bild 3.108 Um die vielen Kaskaden aufs Bild zu bekommen, war eine Verschlusszeit von einer Sekunde nötig. Fotografiert wurde mit Blende 11, die Kamera stand auf einem Stativ und wurde per Fernauslöser betätigt

Falls Ihre Kamera diese Art der Langzeitbelichtung beherrscht, sollten Sie einen schwarzen Karton in der Größe A4 vors Objektiv halten, anstatt den Verschluss loszulassen. Mit dem Karton vermeiden Sie den Einfall von nächtlichem Streulicht z. B. durch Scheinwerfer, während Sie auf die nächste Feuerwerkskaskade warten. Durch den vor das Objektiv gehaltenen schwarzen Karton ist es viel einfacher, sich auf die Bildgestaltung zu konzentrieren. Vor allem bei kleineren Feuerwerken, wenn nicht ständig eine große Menge an Raketen in den Himmel schießt, können Sie so bei einer Belichtungszeit von beispielsweise 30 sek und länger selbst entscheiden, wann genügend Explosionen auf dem Bild sind. Halten Sie immer dann, wenn gerade keine Raketen abgefeuert werden, den Karton direkt vors Objektiv und entfernen Sie ihn, wenn es weitergeht.

3.9.2 ISO-Werte, Blende und Verschlusszeit festlegen

Für gute Feuerwerksfotos benötigen Sie eine Kamera, an der Sie die Werte für Empfindlichkeit (ISO), Blende und Verschlusszeit manuell festlegen können. Zwar bieten die meisten Digitalkameras einen Nachtaufnahmemodus, die Belichtungszeiten sind dabei jedoch nicht lang genug. Außerdem wird im Nachtmodus in der Regel der Blitz ausgelöst, um im Vordergrund stehende Motive auszuleuchten. Dies bringt für ein Feuerwerk natürlich nichts.

Stellen Sie für Feuerwerksbilder die Empfindlichkeit auf ISO 100 und die Blende auf 11 oder 16 ein und fotografieren Sie mit Verschlusszeiten von mehreren Sekunden oder mit der manuellen Öffnung des Verschlusses durch einen Fernauslöser. Bei diesen Einstellungen werden automatisch nur die durch die Feuerwerkskörper erzeugten Lichtstreifen vom Sensor erfasst. Der dunkle Himmel bleibt je nach Umgebungsbeleuchtung oder Restlicht der Dämmerung mehr oder weniger dunkel. Falls Straßenlaternen im Bildfeld stehen, werden diese bei langen Belichtungszeiten eventuell überbelichtet. Verändern Sie in diesem Fall den Bildausschnitt.

Bild 3.109 Ist das Feuerwerk bereits einige Zeit in Gang, kann Rauch den klaren Blick auf die Explosionen trüben. Hier hilft, den Bildausschnitt mit größerer Brennweite einzuschränken.

3.9.3 Geeignete Standorte für Feuerwerksfotos

Suchen Sie sich einen leicht erhöhten Standort, von dem aus Sie das Feuerwerk und die nähere Umgebung überblicken und fotografieren können. Gehen Sie nicht zu nah an den Abschussbereich heran, damit Sie die Flugbahnen der Raketen vom Boden bis zum Explosionspunkt aufs Bild bekommen.

Werden die Raketen in der Nähe einer Stadt abgefeuert, ist es vielleicht möglich, ein typisches Bauwerk wie eine Kirche oder eine Brücke mit aufs Bild zu bekommen. Stellen Sie sich nicht gerade dort auf, wo die größte Menschenansammlung zu befürchten ist. Sonst besteht die Gefahr, dass jemand versehentlich Ihre Ausrüstung umstößt oder während der Belichtung plötzlich eine Person vor dem Objektiv auftaucht.

3.9.4 Bildaufbau auf dem Kameradisplay kontrollieren

Ist die Kamera vorbereitet und auf ein Stativ geschraubt, sind der Bildaufbau durch die Auswahl eines Standorts und die Brennweite festgelegt, machen Sie die ersten Bilder und kontrollieren dann rasch den Bildaufbau auf dem Kameradisplay. Denn wirklich gute Fotos entstehen erst, wenn Sie die Umgebung mit einbeziehen und auf den Bildaufbau achten.

Sind im Vordergrund Menschen zu sehen, die begeistert nach oben schauen? Beziehen Sie diese Personen mit ein, auch wenn sie wegen der Langzeitbelichtung des Feuerwerks durch Bewegungsunschärfen verschwimmen. Immerhin ist das Publikum ein zentraler Bestandteil eines Feuerwerks.

Rauch als Effekt mit einbeziehen

Je mehr Feuerwerkskörper abgeschossen werden, desto verrauchter wird die Luft. Der Rauch kann, wenn kein Wind herrscht, ziemlich störend sein, weil die Explosionen der Raketen im Rauch stattfinden. Die Farben leuchten dann nicht mehr so intensiv, und der Rauch wird in den Fotos deutlich sichtbar, weil er von den Feuerwerkskörpern beleuchtet wird. Zieht der Rauch dagegen ab, können Sie ihn in die Bildgestaltung einbauen, indem Sie die Leuchtspuren der aufsteigenden Raketen ein wenig außerhalb der Bildmitte platzieren. Die Rauchschwaden ziehen dann nach rechts oder links aus dem Bild heraus.

Variieren Sie die Verschlusszeiten und die Menge an Raketen und Explosionen, die auf einem Foto eingefangen werden. Je länger die Verschlusszeit ist und je mehr Explosionen Sie festhalten, desto diffuser und unruhiger wird der Bildaufbau. Fotografieren Sie auch einzelne Raketen und Explosionen. Kontrollieren Sie zwischenzeitlich die Bilder auf dem Display der Kamera und steigern Sie langsam die Verschlusszeiten und damit die Zahl der Explosionen auf einem Bild.

TIPP **Die Kamera vor Erschütterungen schützen**

Bei Langzeitbelichtungen reagiert die Kamera, selbst wenn sie auf ein Stativ montiert ist, besonders empfindlich auf Erschütterungen. Wählen Sie eine Stellfläche, die nicht durch das Herumlaufen der Zuschauer erschüttert wird. Fester Kies oder eine Grasfläche sind besser als z. B. ein Holzboden, der Vibrationen weitergibt. Falls es sehr windig ist, stellen Sie sich vor das Stativ und halten den Wind so gut wie möglich ab. Um Ihr Stativ zusätzlich zu stabilisieren, können Sie Ihre Kameraausrüstung innen an die Streben hängen.

3.10 Stimmungen bei Abend und bei Nacht

Bild 3.110 Gute Nachtaufnahmen sind schon in technischer Hinsicht schwierig genug. Wenn zur technischen auch noch die gestalterische Perfektion hinzukommt, kann ein in der Nacht aufgenommenes Motiv atemberaubend sein.

3.10.1 Hohe Empfindlichkeit für Nacht-aufnahmen

Bild 3.111 Sind Sie in der Nacht unterwegs, achten Sie auf alles, was be-leuchtet ist. Das Zusammenspiel der Farben bringt die Fassade zur Geltung.

Für Nachtaufnahmen, die in der Regel längere Belichtungszeiten erfordern, sollte Ihre Digitalkamera mehrere Empfindlichkeitsstufen (ISO) bieten. Je nach Modell variieren die ISO-Werte zwischen 100 und 400, können aber durchaus auch höher liegen. Je höher die an der Kamera eingestellte Empfindlichkeit ist, desto weniger Licht ist für korrekt belichtete Aufnahmen nötig. Sie können dementsprechend mit kürzeren Verschlusszeiten arbeiten. Wie Sie die Empfindlichkeit manuell verändern, können Sie in Ihrem Kamera-Handbuch nachlesen. Der Vorteil hoher Empfindlichkeiten besteht darin, auch in relativ dunkler Umgebung noch aus der Hand fotografieren zu können. Der Nachteil ist, dass das Bildrauschen in den Digitalfotos zunimmt und feine, an ein Filmkorn erinnernde Strukturen entstehen.

TIPP **Lange Verschlusszeiten bei Nachtaufnahmen**

Nächtliche Aufnahmen erfordern manchmal Verschlusszeiten, die bei 10, 20 oder mehr Sekunden liegen. Wenn Sie Ihre Kamera für maximale Schärfentiefe manuell auf eine kleine Blende wie z. B. 11 oder 16 einstellen, kann die nötige Verschlusszeit den Rahmen dessen sprengen, was die Kamera zu bieten hat. Einfache Kompaktkameras, die auf Zeiten bis zu maximal einer Sekunde beschränkt sind, eignen sich nur bedingt für Nachtaufnahmen.

Kompromiss zugunsten der Bildqualität

Neben hoher Empfindlichkeit z. B. von ISO 400 und mehr verstärkt ein weiterer Faktor das unerwünschte Bildrauschen: Liegt die für eine korrekt belichtete Nachtaufnahme nötige Verschlusszeit bei mehreren Sekunden – was bei Nachtaufnahmen durchaus üblich ist –, erwärmt sich der Sensor und produziert dadurch ebenfalls stärkeres Rauschen. Damit die Bildqualität nicht zu sehr leidet, müssen Sie einen Kompromiss zwischen hoher Empfindlichkeit, kleiner Blende (für große Schärfentiefe) und kürzestmöglicher Verschlusszeit finden.

Neben der Einstellung der Empfindlichkeit sollte Ihre Kamera für gezielte Nachtaufnahmen auch die Möglichkeit bieten, Blenden und Verschlusszeit manuell zu beeinflussen. Zur Not lässt sich mit der Einstellung für Nachtaufnahmen arbeiten. Je nach Kameramodell haben Sie dann aber keinen Einfluss auf die Empfindlichkeit.

Wenn Sie Ihre Kamera auf ein nächtliches Motiv wie eine angestrahlte Fassade oder eine Straße mit vorbeifahrenden Autos richten und den Auslöser halb durchdrücken, um die Belichtungswerte zu messen, wird sie vermutlich Werte für Blende und Verschlusszeit liefern, die das verwacklungsfreie Fotografieren aus der Hand unmöglich machen. Liegt die Verschlusszeit über einem bestimmten Wert – Fotos mit Weitwinkelbrennweiten lassen sich bei ruhiger Hand vielleicht noch mit etwa 1/30 sek machen, Telebrennweiten erfordern noch kürzere Zeiten –, benötigen Sie entweder ein Stativ, müssen die Kamera auf eine stabile Unterlage legen oder sich an eine Wand anlehnen.

Bild 3.112 Feuer ist normalerweise nicht ausreichend hell für perfekt belichtete Fotos. Für ein interessantes Gegenlichtmotiv war das Licht des großen Lagerfeuers jedoch vollkommen ausreichend.

Bild 3.113 Hier macht die Kombination aus bewegten und unbewegten Motivteilen den Reiz der Aufnahme im Dunkeln aus. Während der beleuchtete Clown still steht, bewegen sich die Kabinen des Karussells und produzieren wegen der langen Verschlusszeit Lichtstreifen.

TIPP **Vordergrundmotiv farbig gestalten**

Wenn Sie ein Vordergrundmotiv, das durch den Blitz ausgeleuchtet wird, farbig gestalten möchten, halten Sie eine farbige Filterfolie (im Fotofachhandel erhältlich) vor den Blitz (nicht vor das Objektiv!). Das dadurch eingefärbte Licht überträgt die Farbe auf alle Motive, die in Reichweite des Blitzlichts sind.

3.10.2 Blitzlicht für Motive im Vordergrund nutzen

Fotografieren Sie nachts mit Vollautomatik, wird der Blitz beim Drücken des Auslösers automatisch ausgelöst. Dies ist nicht immer sinnvoll, denn ein weit entferntes Motiv wird vom Blitzlicht nicht erreicht. Steht im Vordergrund am Rand des Blickfelds aber noch ein Baum, ein Mensch oder ein anderes Objekt, wird dieses angestrahlt und lenkt den Blick vom eigentlichen Hauptmotiv ab. Hier muss man den Blitz abschalten oder auf eine manuelle Belichtungsbetriebsart der Kamera umschalten.

Blickfang im Vordergrund mit einbeziehen

Manchmal kann es bei Nachtaufnahmen ganz reizvoll sein, einen im Vordergrund befindlichen Blickfang in den Bildaufbau zu integrieren und ihn dazu mit dem Blitz auszuleuchten. Ein Zaun, ein alter, verwitterter Grabstein vor einer Kirche oder vorbeilaufende Personen bringen Dreidimensionalität in ein Foto. Das automatische Belichtungsprogramm für Nachtaufnahmen oder die Kombination aus langer Verschlusszeit und Blitz (oft mit Slow-Sync bezeichnet) ist in solchen Fällen am besten geeignet. Es sorgt einerseits mit langer Verschlusszeit für die richtige Belichtung des entfernten Hintergrunds und andererseits für die Ausleuchtung des Vordergrunds durch den Blitz.

3.10.3 Dämmerungslicht und Flutlicht kombinieren

Bild 3.114 Bedeutende Bauwerke werden nachts mit Flutlicht angestrahlt. Diese Beleuchtung ist zwar ausreichend für Architekturaufnahmen, mit längeren Verschlusszeiten muss man aber dennoch rechnen und ein Stativ dabeihaben.

Sehenswürdigkeiten wie Kirchen, Denkmäler oder Brücken werden nachts meistens mit Flutlicht angestrahlt. Dieses allein bewirkt in vielen Fällen keine besonders stimmungsvollen Ansichten auf Fotos. Erst die Kombination aus Flutlicht und dem Licht der Dämmerung ist ideal. Ein paar von der untergegangenen Sonne beschienene Wolken geben einen tollen Hintergrund ab. Die Belichtung solcher Motive kann knifflig sein. Hier ist die Spotmessung hilfreich, bei der nur ein kleiner Motivbereich, z. B. der gleichmäßig beleuchtete Teil einer

Häuserfront, für die Belichtungswerte vermessen wird. Sehen Sie im Handbuch nach, ob Ihre Kamera diese Art der Belichtungsmessung beherrscht

Motiv mit Flutlicht bei Nacht

Bild 3.115 Das Licht der Dämmerung ist schon so schwach, dass man nur mit sehr hoher ISO-Empfindlichkeit noch Fotos aus der Hand machen kann. Dabei wird das Bildrauschen verstärkt. Wird so eine Aufnahme in Schwarzweiß umgewandelt, stört das Bildrauschen kaum noch.

Sind Sie im Urlaub und möchten eine bestimmte Sehenswürdigkeit mit Flutlicht in der Nacht fotografieren, erkunden Sie tagsüber den geeigneten Standort. Begeben Sie sich dann mit Stativ und Kamera bei Sonnenuntergang dorthin. Der richtige Zeitpunkt ist entscheidend. Fotografieren Sie zu früh, überlagert das Tageslicht das künstliche

Licht. Warten Sie zu lange, bleibt nur noch das Flutlicht, und die Umgebung versinkt in der nächtlichen Schwärze. Machen Sie am besten während der gesamten Stunde direkt nach Sonnenuntergang – der so genannten blauen Stunde – ständig Fotos und kontrollieren Sie sie auf dem Display. Dann sehen Sie einerseits, ob die Belichtungswerte stimmen, und können andererseits abschätzen, wann das Verhältnis Tageslicht – Flutlicht am wirkungsvollsten ist.

TIPP **Tipp für interessante Lichteffekte**

Suchen Sie sich eine viel befahrene Straße, eine Kreuzung oder – was besonders interessante Gestaltungen ergibt – einen Kreisverkehr. Stellen Sie die Kamera am besten auf eine etwas erhöhte Position wie eine Brücke, um die Lichtspuren ins Bild hinein- bzw. hinauslaufen lassen zu können.

Von fahrenden Autos produzierte Lichtstreifen

Ein echter Klassiker in der Nachtfotografie sind die von fahrenden Autos produzierten Lichtstreifen. Während von den Fahrzeugen auf den Fotos praktisch nichts zu sehen ist, nimmt der Sensor während einer langen Belichtungszeit von bis zu mehreren Sekunden die roten und weißen Lichter der hinteren und vorderen Scheinwerfer auf und verwandelt sie je nach Dauer der Belichtung in lang gezogene Streifen.

Am besten klappen solche Aufnahmen, wenn Sie an Ihrer Kamera die Belichtung manuell einstellen können. Der integrierte Belichtungsmesser wird aufgrund der Dunkelheit dazu neigen, die Bilder zu hell zu belichten. Eine Alternative zum Ermitteln der richtigen Blende passend zu einer langen Verschlusszeit durch Testaufnahmen ist das Belichtungsprogramm Blendenautomatik (T, Tv) bei gleichzeitiger Reduzierung der Belichtung um zwei Blendenwerte über die Belichtungskorrekturfunktion der Kamera. Ob Ihre Kamera die Blenden-automatik beherrscht und wie sich die Belichtung manuell reduzie-ren lässt, erfahren Sie in Ihrem Kamera-Handbuch.

Bild 3.116 Lichterspuren sind keine fotografische Zauberei. Stellen Sie die Kamera auf ein Stativ, und wählen Sie eine lange Verschlusszeit vor.

Fotografieren Sie mit einer vollautomatischen Kamera – die aller-dings für solche Bilder kaum geeignet ist –, achten Sie darauf, den bei Nacht automatisch auslösenden Blitz abzuschalten (siehe Hand-buch), um die Autofahrer nicht zu beeinträchtigen.

Aufgrund der langen Belichtungszeiten für solche Fotos müssen Sie mit Stativ arbeiten oder Ihre Kamera auf eine stabile Unterlage stel-len. Dann haben Sie allerdings weniger Möglichkeiten, den Bildauf-bau zu verändern. Für besonders interessant wirkende Lichtspuren sollten Sie nach Sonnenuntergang fotografieren, wenn noch ein wenig Restlicht den Himmel und die Wolken beleuchtet.

Bild 3.117 Hier entstanden die Lichtspuren nicht durch das bewegte Motiv wie im Bild auf der vorigen Seite, sondern weil die Kamera die Bewegung des Scooters verfolgt hat. Dadurch verschwimmen die eigentlich statischen Lichter im Hintergrund zu farbigen Streifen.

Bild 3.118 Das Foto ist ein Paradebeispiel für ausgezeichnete Bildgestaltung: Vorder- und Hintergrund sind klar voneinander getrennt, die Skulptur rahmt das Hauptmotiv ein, das Licht der Dämmerung passt perfekt, und die Lichtspuren geben dem eher statischen Motiv Dynamik.

3.11　Fotografie im Wechsel der Jahreszeiten

Wetter, Licht und Vegetation verändern sich während des gesamten Jahres ständig. Der Wechsel der Jahreszeiten lässt sich fotografisch anhand einiger ganz typischer Motive und Bildgestaltungen verdeutlichen. Blühende Apfelbäume, aufbrechende Knospen und saftige Wiesen, Menschen am See oder im Urlaub bei knalligem Sonnenlicht, fallende Blätter, Bäume im Nebel und ein Farbenmeer in Rot und Gelb, Schneelandschaften, Eiszapfen und Skifahrer sind nur ein paar der Motive, die sofort mit den jeweiligen Jahreszeiten in Verbindung gebracht werden.

Jede Jahreszeit hat typische Eigenheiten bezüglich des Lichtes. Steht die Sonne hoch am sommerlichen Himmel, erzeugt sie viel kürzere Schatten als um die gleiche Tageszeit im Winter. Die Kontraste sind deutlich kräftiger als zu anderen Zeiten. Auch die Lichtfarbe variiert, weil das Licht bei niedrig stehender Wintersonne durch die Atmosphäre auf andere Weise gebrochen wird. Daher ist das Tageslicht im Sommer einen Tick blauer als beispielsweise im Spätherbst. Möchten Sie einer Aufnahme eine etwas andere jahreszeitliche Lichtstimmung verleihen, ist das mithilfe der Bildbearbeitung kein Problem.

Machen Sie sich beim Fotografieren immer klar, in welcher Zeit des Jahres Sie sich gerade befinden. Sie können dann Farben und Lichtintensität, aber auch die für eine Jahreszeit typischen Elemente wie Blüten, Herbstlaub oder Schnee in Ihre Überlegungen zur Bildgestaltung mit einbeziehen.

Frühling – schöne Fotos zu jeder Tageszeit

Sobald der Schnee schmilzt, die ersten Schneeglöckchen und grünen Triebe an Bäumen und Sträuchern erscheinen, bieten sich viele Gelegenheiten für Nah- und Makroaufnahmen. Da die Sonne früh im Jahr noch relativ niedrig steht, können Sie zu praktisch jeder Tageszeit fotografieren, weil seitliches Licht die Formen plastisch erscheinen lässt. Sonnige Tage sind ideal, wenn Sie Motive mit kräftigen Kontrasten fotografieren möchten. An bedeckten Tagen sind die Schatten sehr weich und die Kontraste eher gering.

Frische Knospen an austreibenden Bäumen oder aus dem noch teilweise schneebedeckten Boden sprießende Blumen sind interessante Farbtupfer in der noch ziemlich farblosen Natur. Je länger der Frühling dauert, desto satter werden die Farben auf den Wiesen und an den Bäumen. Auch in den Städten lassen sich Motive finden, die den Frühling zum Ausdruck bringen. Das können die ersten im Straßencafé sitzenden Menschen sein, die noch in dicke Wintermäntel gehüllt sind, spielende Kinder in Parks oder eine Reihe geöffneter Fenster, durch die die Frühlingsluft ins Haus strömt.

Der Frühling ist die ideale Jahreszeit, um Motive im Freien zu fotografieren, die man den Winter über nicht gesehen hat. Am besten geeignet für solche Ausflüge sind Digitalkameras, die mit einem Zoomobjektiv ausgerüstet sind. Dadurch haben Sie die Möglichkeit, den Bildausschnitt schnell zu verändern. Sie können außerdem von der weiten Landschaft mit restlichen Schneeflecken bis zu Nahaufnahmen erster Blüten zwischen Weitwinkel- und Telebrennweiten wechseln.

Bild 3.119 Frühlingszeit ist Blumenzeit. Aufgehende Blüten sind immer ein hübsches Symbol für das Erwachen der Natur nach dem Winter. Diese Krokusse wurden mit einem 200-mm-Teleobjektiv fotografiert, um den Hintergrund in Unschärfe verschwimmen zu lassen.

Bild 3.120 Ist der Frühling schon fortgeschritten, ist Grün in unseren Breitengraden die vorherrschende Farbe. Achten Sie hier auf den korrekten Weißabgleich, da die menschliche Wahrnehmung sehr sensibel auf Farbstiche in grünen Landschaften reagiert.

3.11.1 Sommer – Licht und Hitze einfangen

Der Sommer ist die Zeit strahlend blauen Himmels, badender Menschen, trockener Feldwege und zuweilen quälender Hitze. Der Sommer lässt sich besonders gut zur Mittagszeit darstellen, wenn die Sonne fast senkrecht steht und die Schatten extrem kurz sind. Zwar sind dann auch die Kontrastverhältnisse besonders hart, tiefe Schlagschatten unter Bäumen oder Sonnenschirmen drücken aber gerade die besonders hoch stehende Sonne aus. Wenn Sie die Belichtung Ihrer Kamera z. B. an einer Wiese oder Straße ausrichten, werden die Schatten dadurch besonders dunkel in den Bildern erscheinen. Bei Menschen, die Sie aus der Nähe fotografieren, können die Schlagschatten unter Augen, Nase und Kinn allerdings unschön wirken. Versuchen Sie, für Porträts im Freien einen schattigen Platz zu finden, der weicheres, aber noch immer ausreichendes Licht für Ihre Aufnahmen bietet.

Stimmung eines Sommertags einfangen

Wenn Ihnen für Ihre Fotos das Licht am Mittag zu kontrastreich erscheint, warten Sie auf die Stunde nach Sonnenaufgang bzw. vor Sonnenuntergang. Die Kombination aus rötlichem Licht der auf- und untergehenden Sonne und länger werdenden Schatten ist ebenfalls bestens geeignet, die Stimmung eines Urlaubs- oder Sommertages einzufangen.

Nah- und Makroaufnahmen im Sommer

Für Nah- oder Makroaufnahmen bieten sich im Sommer eine Vielzahl an Motiven, denn besonders zu dieser Jahreszeit können Sie Schmetterlinge vielfältigster Art und Farben fotografieren. Bei Blütenmotiven haben Sie im Sommer bereits Kontraste zwischen blühenden und ersten verwelkten Blüten, was die fortschreitende Jahreszeit reizvoll verdeutlicht. Wenn Sie aus Ihren Bildern beispielsweise einen Kalender machen möchten, finden Sie in der Natur ideale Blickfänge.

Tipps für gelungene Sommerfotos

Bild 3.121 Knallblauen Himmel im Spätsommer kann man verstärken, indem man einen Polfilter vor das Objektiv schraubt. Je nach Lichteinfall und Stellung des Filters – der Polfilter lässt sich drehen – erzielt man damit enorm satte Farben.

Auch die Haupturlaubszeit fällt in den Sommer. Daher bringt jede Art von Urlaubsfoto die Atmosphäre dieser Jahreszeit gut zum Ausdruck. Vor allem zählen natürlich Fotos vom Strand, von Aktivitäten wie Rad fahren, wandern und baden, aber auch von typischen Sehenswürdigkeiten zum sommerlichen Repertoire eines Fotografen. Sind Sie in einer Stadt unterwegs, sehen Sie sich nach Cafés mit Terrassen um, wo Menschen draußen sitzen und die Sonne genießen. Kaum etwas gibt das sommerliche Flair einer Stadt besser wieder als die Szenerie eines Straßencafés. Und noch ein Tipp für den Stadtbummel: Sehen Sie sich nach Springbrunnen um, an denen Kinder spielen. Die Kombination aus Kindern in bunter Sommerkleidung und dem Glitzern des Wassers kann tolle Effekte produzieren. Bei Fotos mit Wasser hilft ein Polarisationsfilter, zu starke Reflexe zu vermindern und dadurch mehr Details sichtbar zu machen.

Bild 3.122 Haben Sie im Urlaub die Gelegenheit, den absoluten Urlaubs-strandpalmen-Fotoklassiker zu schießen – die überhängende Palme am weißen Sandstrand –, warten Sie auf den passenden Augenblick. Denn erst, wenn keine Menschen am Strand zu sehen sind, auch kein Schiff am nahen Horizont ist, das Sonnenlicht fast senkrecht von oben kommt und die Wellen nur sanft ans Ufer branden, dann sollten Sie sich in Ruhe mit einem Stativ in den Schatten stellen und sich Gedanken über die Bildgestaltung machen. Die Belichtung kann knifflig sein, weil das Sonnenlicht harte Schatten erzeugt. Machen Sie zur Sicherheit Belichtungsreihen mit unterschiedlichen Verschlusszeiten. Zumindest eine der Aufnahmen ist dann mit großer Wahrscheinlichkeit ein Treffer.

3.11.2 Herbst – Farbenpracht und intensives Licht

Wenn Sie sich für die Landschaftsfotografie begeistern, dürfen Sie den Herbst auf gar keinen Fall verpassen! Keine Jahreszeit lässt eine solche Vielfalt an warmen Farben entstehen wie der Herbst. Einerseits steht die Sonne schon nicht mehr so hoch am Himmel wie im Sommer, was das Licht fast unmerklich rötlicher erscheinen lässt, andererseits färben die welkenden Blätter der Bäume und Sträucher die Natur in Gelb, Rot, dunkles Grün und Ocker.

Optimale Tageszeiten im Herbst

Bild 3.123 Der Herbst ist die Zeit mit dem wärmsten Licht. Was könnte diese Jahreszeit besser zeigen als welkes Laub bei Sonnenuntergang?

Noch wichtiger als zu anderen Zeiten ist es im Herbst, Fotos entweder früh oder erst vor Sonnenuntergang zu machen. Dieses Licht verstärkt die Farbigkeit der Natur und taucht sie zusätzlich in intensives Licht. Gehen Sie möglichst an einem wolkigen Tag auch in einen Herbstwald. Das diffuse Licht eines bedeckten Himmels ist ideal für eine ausgewogene Beleuchtung in weichem Licht.

Bild 3.124 Die ersten roten Blätter an einem Baum sind ein schönes Symbol für den Beginn des Herbstes. Solche Fotos müssen nicht geplant sein, halten Sie für spontane Schnappschüsse einfach die Augen offen, wenn Sie zu Fuß unterwegs sind.

Einige typische Herbstmotive sind Getreidefelder, bunt gefärbte Wälder, der mit Blättern bedeckte Waldboden und Pilze, aber auch die ersten Nebel und Nachtfröste. Sind Sie auf der Suche nach Herbstmotiven, ist eine Kamera mit Zoomobjektiv hilfreich, um bei der Bildgestaltung flexibel sein zu können. Landschaften werden üblicherweise mit Weitwinkelbrennweiten und kleinen Blenden für große Schärfentiefe fotografiert. Hierbei ist ein Stativ sinnvoll, um auch mit längeren Verschlusszeiten noch verwacklungsfreie Bilder zu bekommen. Ist viel Himmel mit im Bild, kann ein Grauverlaufsfilter hilfreich sein, um den Himmel ein wenig abzudunkeln, damit er nicht überbelichtet wird.

Für stimmungsvolle Details wie ein paar welke Blätter, eine Hand voll Pilze oder leuchtend rote Beeren an einem Strauch sind Telebrennweiten gut geeignet. Mehr zu Nahaufnahmen finden Sie in Nahaufnahmen und Makro.

Bild 3.125 Lange Schatten und rötliches Licht machen deutlich, dass dieses Motiv an einem Herbstabend entstanden ist.

3.11.3 Winter – Schnee, Eis und stahlblauer Himmel

Den Winter mit Schnee und Eis zu fotografieren ist in Bezug auf die Motivwahl nicht sehr schwierig. Vor allem Landschaften und Landschaftsdetails, aber auch Menschen beim Skifahren, Rodeln, beim Wandern im Schnee oder mit typischen Winteraccessoires wie Handschuhen und Mützen verdeutlichen den Winter sehr gut.

Im Winter bereitet die Belichtungsmessung regelmäßig Probleme. Denn da der kcamerainterne Belichtungsmesser auf mittleres Grau geeicht ist, an dem die korrekten Werte für Blende und Verschlusszeit ausgerichtet werden, interpretiert die Kamera hellen Schnee im Bildausschnitt falsch und belichtet zu knapp. Das Resultat sind deutlich zu dunkle Aufnahmen. Unterbelichtete Fotos lassen sich zwar mithilfe der Bildbearbeitung retten. Geben Sie Ihre Fotos aber unkorrigiert über einen Fotodrucker aus, sollten Sie keine allzu professionell wirkenden Ergebnisse erwarten.

Manuelle Belichtungskorrektur einsetzen

Da die Bildqualität bei der Korrektur am PC an Schärfe und Farbsättigung leidet, sollte die Kamera gleich zur richtigen Belichtung eingestellt werden. Das geschieht über die Funktion zur manuellen Belichtungskorrektur. Sehen Sie im Handbuch Ihrer Kamera nach, wie Sie die automatisch errechneten Belichtungswerte manuell kompensieren können, und stellen Sie für Winterfotos mit viel Schnee eine Korrektur von mindestens +1 ein. Verlängern Sie also entweder die Verschlusszeit (z. B. von 1/125 sek auf 1/60 sek) oder öffnen Sie die Blende (z. B. von 5,6 auf 2,8) um eine Stufe. Die Fotos werden dann um den eingestellten Wert heller belichtet. Kontrollieren Sie die ersten Aufnahmen auf dem Kameradisplay und variieren Sie die Belichtungskorrektur entsprechend. Bei ausgedehnten Schneeflächen kann die nötige Kompensation durchaus auch bei Werten um +2 liegen. Um die Variation der Belichtung zu automatisieren, bieten viele Kameras das so genannte Bracketing bzw. Belichtungsreihen an.

Bild 3.126 Bilder von Landschaften oder wie hier die Totale eines winterlichen Ortes lassen sich im Winter am besten am frühen Vormittag oder späten Nachmittag machen. Das Licht ist dann relativ sanft, die durch die tief stehende Sonne erzeugten Schatten geben der Landschaft Konturen. Wenn sehr viel Schnee im Bild ist, achten Sie auf die Belichtung. Die Bilder werden dann leicht zu dunkel, weil der Schnee den Belichtungsmesser der Kamera irritiert. Korrigieren Sie die Belichtungswerte in diesem um ein bis zwei Stufen nach oben, z. B. durch die Verlängerung der Verschlusszeit von 1/250 sek auf 1/125 sek oder 1/60 sek.

Lichtstimmungen im Winter

Auch im Winter sollten Sie darauf achten, welches Licht vorherrscht. Mittags bei strahlendem Himmel sind die Schatten relativ kurz, Strukturen und Details werden dann wenig konturiert. Im Schatten liegende Schneeflächen erhalten eine bläuliche Färbung und wirken dadurch noch kälter. Die seitlich stehende Sonne am Morgen und am Abend modelliert Landschaften mit langen Schatten und beleuchtet die Umgebung rötlich. Der Kontrast zwischen der Kälte des Winters und dem warmen Licht eines Sonnenuntergangs kann auf Fotos sehr reizvoll sein.

> **TIPP**   **Akkus unbedingt vor Kälte schützen**
>
> In der Kälte geben Akkus sehr viel schneller als gewohnt ihre Energie ab. Sind Sie im Winter länger unterwegs, nehmen Sie sie aus der Kamera und stekken sie möglichst nah am Körper in eine Tasche. Die Körperwärme hilft dabei, die Ladung der Akkus zu erhalten. Außerdem sollte man im Winter immer einen Ersatzakku dabeihaben.

3.12 Table-Top-Fotografie und Stillleben

Bild 3.127 Stillleben sind das fotografische Genre, das neben der Landschaftsfotografie wohl am meisten bewusstes Gestalten fördert. Um ein Arrangement egal welchen Themas optimal in Szene zu setzen, brauchen Sie einen Tisch oder eine andere, zu den Motiven passende Unterlage, verstellbare Lichtquellen und viel Zeit zum Experimentieren. Um das Gefühl für Bildgestaltung zu schulen und Erfahrung im Umgang mit Kamera und Licht zu machen, sind Stillleben ideal.

Im Grunde genommen ist die Table-Top-Fotografie nichts anderes als die Arbeit an Stillleben. Ein Motiv, das aus einem Teil oder mehreren einzelnen besteht, wird aufgebaut, beleuchtet und fotografiert. Der Begriff Table-Top bezeichnet dabei lediglich eine besondere Form des Aufnahmetisches. Table-Tops, deren Größen variieren, werden von unterschiedlichen Herstellern angeboten. Es gibt Tische für Objekte, die zwischen wenigen Zentimetern und bis zu rund einem Meter groß sind. Je nach Größe und Ausstattung mit integrierter Beleuchtung oder Lampenfassungen können diese Tische bis zu mehreren hundert Euro kosten.

Wenn Sie häufig Waren in Onlineauktionen verkaufen, sollten Sie über die Anschaffung eines Aufnahmetisches nachdenken. Ein Table-Top wird Ihnen Ihre Arbeit erleichtern. Zudem wirken die Verkaufsobjekte deutlich hochwertiger, wenn sie professionell ausgeleuchtet vor einem einheitlichen, meist weißen Hintergrund fotografiert werden.

TIPP **Perfekte Aufnahmen für Online-Auktionen**

Gehen Sie für Aufnahmen, die für Online-Auktionen bestimmt sind, so nah wie möglich mit der Kamera an das Verkaufsobjekt heran. Achten Sie darauf, nicht zu verwackeln. Unscharfe Fotos wirken dilettantisch und machen misstrauisch. Will der Verkäufer vielleicht kleine Fehler kaschieren? Wählen Sie eine Perspektive, die möglichst viel vom Objekt zeigt, um so viel Information wie möglich in das Foto zu packen. Sie sollten in der Regel immer ein Table-Top oder einen gleichmäßigen weißen Hintergrund verwenden. Strukturierte Tischplatten, Tücher oder Teppiche lenken stark vom Gegenstand ab.

3.12.1 Table-Tops mit unterschiedlicher Ausstattung

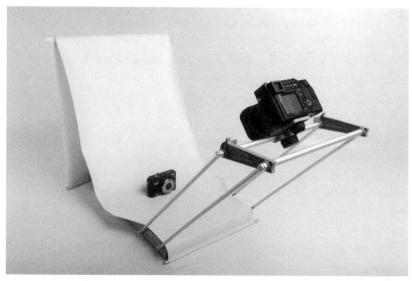

Bild 3.128 Das Studio-out-of-the-Box von Kaiser Fototechnik (www.kaiser-fototechnik.de) ist eine günstige Lösung für professionelle Produktaufnahmen, wie sie für Online-Auktionen benötigt werden.

Ein Table-Top besteht aus einem Tisch oder Gestell, an dem ein Hinter- bzw. Untergrund meist in Form einer Hohlkehle angebracht wird. Auf diese Weise entsteht hinter dem Motiv ein sanfter Verlauf, der nicht ablenkt. Der mit den Tischen ausgelieferte Hintergrund ist üblicherweise weiß. Man erhält auf Anfrage aber auch einen farbigen oder schwarzen Hintergrund. Je nach Modell werden halbtransparente oder undurchsichtige Hintergrundfolien verwendet. Ein halbtransparenter Hintergrund bietet den Vorteil, dass zusätzlich von hinten oder unten beleuchtet werden kann. Dadurch lassen sich vom Fotoobjekt verursachte Schatten nahezu vollständig eliminieren. Ideal ist das, wenn Sie ein Objekt für eine Fotomontage freistellen möchten. Undurchsichtige Hintergrundfolien gibt es in glänzender und matter Ausführung. Mit glänzenden Folien können Sie interessante Spiegelungseffekte erzielen. Hierfür besonders geeignet ist ein schwarz glänzender Untergrund.

Beleuchtung für Table-Tops

Neben dem Hintergrund, der am Gestell des Table-Tops befestigt wird, gehört zu einem vollständigen Aufnahmetisch die passende Beleuchtung. Sehr einfache Table-Tops bieten keine Möglichkeit, Lampen anzubringen. Besser ausgestattete Modelle haben Halterungen für Lampenfassungen, in die auch normale Glühbirnen geschraubt werden können. Die Lampenfassungen müssen flexibel sein, damit Sie die Lampen ganz nach Bedarf ausrichten können. Die Lichtstärke einzelner Leuchtmittel wird bei Glühlampen durch den Abstand zum Motiv, alternativ mittels eines Dimmers oder auch durch unterschiedliche Leistungen der eingesetzten Glühbirnen variiert. Besitzen Sie bereits ein kleines Heimstudio mit Studioblitzgeräten, können Sie diese natürlich ebenfalls verwenden. Die Lichtintensität ist dann über Regler an den Blitzgeräten einstellbar.

Für eine besonders weiche Ausleuchtung kann man Table-Tops mit so genannten Lichtzelten aufrüsten. Dabei wird eine halbtransparente Hintergrundfolie in einem Bogen über das Motiv gespannt und die Beleuchtung über diesem Bogen platziert. Die Folie weicht das Licht auf und es entstehen auf und unter dem Motiv keine harten Schlagschatten.

Bild 3.129 Wenn Sie sich schnell ein Erfolgserlebnis beim Fotografieren von Stillleben wünschen, versuchen Sie es mit einem gefüllten Weinglas. Stellen Sie das Glas vor eine Lichtquelle, am besten mit Softbox (alternativ einen mit Backpapier bespannten Rahmen vor der Lichtquelle aufstellen). Decken Sie dann den mittleren Teil des hellen Hintergrunds mit schwarzem Karton ab. Sorgen Sie dafür, dass der Raum beim Fotografieren so dunkel wie möglich ist, um Reflexe im Glas zu vermeiden. Die hinter dem Glas befindliche Lichtquelle ist dann für die Lichtsäume am Rand verantwortlich. Tasten Sie sich an die richtigen Belichtungswerte am besten durch einige Versuche heran und löschen Sie die verunglückten Bilder einfach wieder.

3.12.2 Halterung oder Stativ für Stillleben

Nur in Ausnahmefällen – wie beim Studio- out-of-the-box – haben Table-Tops auch eine Halterung für Ihre Kamera. Geeignet sind solche Halterungen in der Regel nur für digitale Kompaktkameras. Ist die Haltevorrichtung am Aufnahmetisch fest montiert, lässt sich dadurch die Perspektive bei der Aufnahme nur eingeschränkt variieren. Flexibler können Sie mit einem Stativ die Blickrichtung und damit auch den Bildausschnitt wählen. Arbeiten Sie mit einer schweren Spiegelreflexkamera, benötigen Sie sowieso ein Stativ, da die Halterungen von Table-Tops für das Gewicht solcher Kameras nicht geeignet sind.

Ein Stativ oder eine Halterung ist in jedem Fall ratsam, da für die Objektfotografie auf einem Table Top für maximale Schärfentiefe kleine Blenden notwendig sind. Diese wiederum machen längere Verschlusszeiten nötig, wenn Sie mit dem Licht von Glühlampen fotografieren. Zudem hilft ein Stativ dabei, bewusster zu arrangieren und somit professionellere Aufnahmen zu erzielen.

3.12.3 Stillleben offenbaren fotografische Qualität

Stillleben mögen nicht gerade im Trend liegen, haben aber einen festen Platz im Repertoire der meisten Künstler und Fotografen. Denn die Beschäftigung mit leblosen Objekten für eine gelungene Fotografie ist eine große Herausforderung. Beim Stillleben kommt es besonders auf die Kreativität des Fotografen und seinen Blick für gelungene Arrangements, abgestimmte Farben und eine stimmige Beleuchtung an. Wenn Sie Ihr Auge schulen und in der Bildgestaltung Fortschritte machen wollen, sollten Sie sich ab und zu mit dem Thema Stillleben beschäftigen.

Für Stillleben eignet sich fast alles: Schuhe, Nägel, Werkzeuge, Blumen und Tücher, Gläser, Lebensmittel, alltägliche Gebrauchsgegenstände, Münzen oder Spielzeug – mit allem lässt sich ein interessantes Arrangement gestalten. Alte Töpfe, Teller, Besteck, Kleidung und Stoffe vom Flohmarkt können zum Fundus stimmungsvoller Gegenstände gehören, die eine Geschichte zu erzählen haben. Wann immer etwas Ihre Aufmerksamkeit auf sich zieht, sollten Sie darüber nachdenken, ob es nicht für ein paar Versuche mit der Kamera geeignet wäre.

Bild 3.130 Ein passender Hintergrund und eine Hand voll blühender Sonnenblumen – mehr ist für ein schönes Stillleben nicht nötig.

3.12.4 Der Hintergrund unterstreicht die Bildwirkung

Bild 3.131 Bei scheinbar einfachen Motiven wie den Tomaten kommt es neben bewusst gewählter Ausleuchtung vor allem auch auf die Bildgestaltung an. Deshalb erscheint die mittlere Tomate ein wenig links oberhalb der Bildmitte.

Was für Requisiten gilt, sollte auch für den passenden Hintergrund gelten: Fällt Ihnen ein bestimmter Hintergrund ins Auge, merken Sie ihn sich für die spätere Verwendung. Denn für die Bildwirkung eines Stilllebens sind Hinter- und Untergrund ganz entscheidend. Die Umgebung wird in erster Linie durch die gewählten Motive bestimmt. Ein Arrangement aus altem Geschirr benötigt wahrscheinlich einen stilistisch passenden Tisch oder eine Tischdecke. Der Hintergrund kann farbig oder weiß sein. Eine altmodische Tapete könnte ebenso den passenden Rahmen abgeben wie eine Wand mit abbröckelndem Putz, zerschlissene Stoffe oder ein Gemälde. Moderne Stillleben mit metallischen, gläsernen oder technisch anmutenden Objekten entfalten ihre beste Wirkung vielleicht eher vor einem schwarzen oder weißen Hintergrund.

Tipps für den letzten Kick

Manchmal fehlt trotz des passenden Hintergrunds der letzte Kick. Bei Gegenständen aus Metall oder Glas hilft Wasser. Eine Sprühflasche, wie sie zum Benetzen von Grünpflanzen verwendet wird, ist perfekt geeignet, um Wassertropfen auf ein Stillleben zu bringen.

Mit Spiegelungen arbeiten

Möchten Sie mit Spiegelungen arbeiten, können Sie entweder Spiegel als Untergrund einsetzen, oder Sie verwenden schwarzes Plexiglas. Spiegel können problematisch sein, da sie neben den Motiven des Stilllebens auch Gegenstände in nächster Nähe zeigen können. Schwarzes Plexiglas ist einfacher zu handhaben und erzeugt ebenfalls perfekte Spiegelungen. Um Farbe in polierte Gegenstände zu bringen, können Sie bunte oder regenbogenfarbene Papiere einsetzen, die Sie im Schreibwarenladen bekommen. Platzieren Sie das bunte Papier so, dass es selbst nicht auf dem Foto zu sehen ist, sich jedoch in den Oberflächen der polierten Gegenstände spiegelt. Einfarbige Flächen nehmen dadurch die Farben des Papiers an.

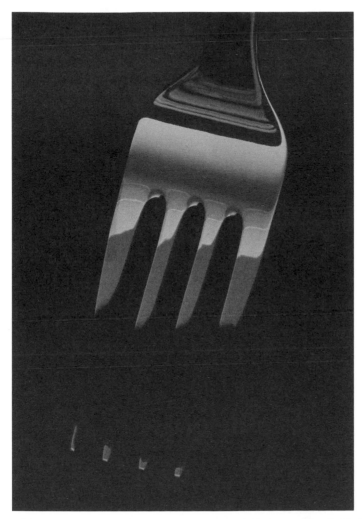

Bild 3.132 Die vor schwarzem Hintergrund in einem abgedunkelten Raum aufgenommene Gabel bekam Ihre Farbe von einem mehrfarbigen Kartonfächer. Der Fächer wurde mit einer Lampe angestrahlt, die hinter der Gabel stand. In der Gabel sieht man die Reflexion.

3.12.5 Wie man eine gewünschte Lichtsituation erzielt

Neben dem Bildarrangement ist die Lichtgestaltung ein weiterer Faktor, bei dem Sie Ihrer Kreativität freien Lauf lassen können. Von einer weichen Ausleuchtung mit sanft modellierenden Formen und Strukturen bis hin zu harten schwarzen Schatten, die die Motive zerteilen, ist alles möglich. Aber wie erzielt man die gewünschte Lichtsituation.

Weiche Ausleuchtung

Haben Sie vor einer terrakottafarbenen Wand eine Vase mit getrockneten Blumen aufgestellt und möchten eine romantische Stimmung erzeugen, benötigen Sie eine weiche Ausleuchtung. Fensterlicht, durch das die Sonne nicht direkt hereinscheint, liefert besonders diffuses Licht für so eine Szene. Hängen Sie das Fenster mit transparentem Stoff oder Papier ab, wird das Licht zusätzlich gestreut. Einen ähnlichen Effekt erzielen Sie mit einem Blitz, vor dem eine Softbox montiert ist. Aber auch eine einfache Lampe hinter einer Milchglasscheibe kann zur weichen Ausleuchtung verwendet werden.

Harte Schatten

Harte Schatten – zum Beispiel für ein Stillleben technischer Geräte – erzielt man mit Blitzgeräten oder Lampen. Aber auch das durch ein Fenster einfallende Licht der Mittagssonne lässt harte Schatten entstehen. Falls Sie für eine punktförmige Ausleuchtung lediglich einen kleinen Lichtfleck benötigen, können Sie das Fenster mit einem schwarzen Karton abdecken und einen Spalt oder eine kreisförmige Öffnung frei lassen.

Licht in Schattenpartien

Bild 3.133 Für Stillleben ist nicht immer Studiobeleuchtung notwendig. Dieses Arrangement wurde ausschließlich mit natürlichem Licht fotografiert. Dazu wurde ein Fenster mit Architektenpapier abgehängt, um das Sonnenlicht weicher zu gestalten.

Gerade bei direkter, harter Ausleuchtung versinken die dem Licht abgewandten Motivseiten in völliger Schwärze und auf den Fotos ist später keine Zeichnung mehr zu erkennen. Um trotzdem ein wenig Licht in die Schattenpartien zu bekommen, sollte Sie je nach Größe der Motive ein paar Reflektoren oder Spiegel so platzieren, dass sie im späteren Bild nicht zu sehen sind und dabei trotzdem das Licht der Hauptlichtquelle in die Schatten hinein reflektieren. Dies ist vor dem Festlegen des Bildausschnitts und dem Betätigen des Auslösers der letzte und mitunter wichtigste Schritt beim Arrangement eines Stilllebens.

Kapitel 4 Inhalt

4 Digitalfotos perfekt drucken

4.1 Alles eine Frage des Formats

Die Sensoren der Digitalkameras sind unterschiedlich groß und haben verschiedene Seitenverhältnisse: 4:3 und 3:2 haben sich durchgesetzt. Auch Abzüge aus dem Labor haben unterschiedliche Seitenverhältnisse. Sie müssen sich deshalb bei der Bestellung Gedanken machen, damit keine weißen Ränder entstehen oder Inhalte abgeschnitten werden.

Trotz digitaler Aufnahmetechnik, Begutachtung der Fotos auf dem Kameradisplay, dem PC oder am Fernseher und der Weitergabe von Fotoshows auf CD-ROM – die besten Bilder möchte man doch in den Händen halten und lässt sie deshalb im Labor vergrößern oder ausdrucken. Früher gab es dabei keine großen Probleme, weil das Aufnahmemedium – der Kleinbildfilm – immer gleich groß war. Die Negative wurden entwickelt und auf Fotopapier belichtet, dessen Standardgrößen nahezu unverändert geblieben sind: 9 x 13 cm, 10 x 15 cm, 13 x 18 cm sind die gängigen Formate für Fotos von Kleinbildmaterial. Zwar wurden auch bei diesen Formaten die Ränder ein wenig beschnitten, weil die Seitenverhältnisse von Negativ und Abzug nicht absolut übereinstimmten. Da man seine Bilder in der Regel jedoch erst als Abzug kontrollieren konnte, fiel es nicht auf, wenn links und rechts etwas fehlte. Mit der Digitalfotografie und der Bildkontrolle am PC-Monitor stellt sich die Formatfrage neu, weil die Seitenverhältnisse der Aufnahmesensoren sich von denen der Kleinbildfilme unterscheiden.

Bild 4.1 Am Beispielbild sieht man die Problematik unterschiedlicher Seitenverhältnisse beim Ausdruck von Fotos. Der rote Rahmen zeigt den Ausschnitt, wenn man einen Abzug im Format 13 x 18 cm bestellen würde. Die meisten Sensoren bilden das Motiv im Verhältnis 4:3 ab (gelb). Der weiße Rahmen zeigt den Bildinhalt in einem 3:2-Format, z. B. 10 x 15 cm. Je nach Seitenverhältnis werden verschiedene Bereiche einfach abgeschnitten.

4.1.1 Auf das richtige Seitenverhältnis beschnitten

Das Negativ eines Kleinbildfilms hat das Format 24 x 36 mm (Höhe x Breite). Das entspricht einem Seitenverhältnis von 2:3. Dieses Seitenverhältnis findet man nur bei den Sensoren sehr weniger Digitalkameras. Bei digitalen Spiegelreflexkameras können in diesem Fall die Objektive der Analogkameras weiter verwendet werden, denn die meisten Wechselobjektive sind für das Kleinbildformat und damit das Seitenverhältnis 3:2 optimiert. Die Bildqualität beim Einsatz an einer Kamera mit einem 4:3-Sensor, wie er bei Digitalkameras die Regel ist, würde leiden. Einige Hersteller bemühen sich allerdings seit einigen Jahren darum, das so genannte Four-Thirds-System auch für die Spiegelreflexfotografie durchzusetzen. Dabei sind dann die neu entwickelten Kameras, Sensoren und Objektive auf das Verhältnis 4:3 abgestimmt.

In der Computerwelt und auch in der Digitalfotografie mit Kompaktkameras herrscht das Seitenverhältnis 4:3 vor, das auch dem Seitenverhältnis normaler Computerbildschirme und Fernsehgeräte (Ausnahme: spezielle Breitformat- oder 16:9-Geräte) entspricht. Die mittlerweile gängige Monitorauflösung mit der Bezeichnung SXGA beträgt 1280 x 1024 Bildpunkte (Verhältnis 4:3,2). Auch die meisten Sensoren von Digitalkameras werden in diesem Format entwickelt.

Entsprechend müssten also von den Fotolabors Bildformate in diesem Verhältnis angeboten werden, damit von den Digitalfotos so wenig wie möglich abgeschnitten wird oder auf den Abzügen keine weißen Ränder auftreten. Die Labors haben sich darauf eingestellt und bieten neben den herkömmlichen Formaten auch Zwischenformate an, die ungefähr dem Seitenverhältnis von 4:3 entsprechen oder diesem zumindest sehr nahe kommen. Ein Beispiel dafür ist das Format 13 x 17 cm mit dem Verhältnis von 4:3,06. Andere Labors gehen der Formatfrage elegant aus dem Weg, indem bei der Bestellung der Abzüge von Digitalfotos nur noch der Wert für die Bildhöhe angegeben wird (z. B. 13er-Format). Die Breite wird, wenn die entsprechende Option bei der Bildbestellung aktiviert ist, automatisch angepasst, sodass keine weißen Ränder entstehen.

Falls Ihr Labor die Bildgrößen in Breite und Höhe angibt und Sie die Bildfläche eines Laborabzugs optimal auszunutzen möchten, sollten Sie entweder im Handbuch Ihrer Digitalkamera nachlesen, was für ein Sensor eingesetzt wird und welches Seitenverhältnis er besitzt, oder – was praktischer ist – eines Ihrer Fotos mit PhotoImpact öffnen und das Seitenverhältnis dort kontrollieren.

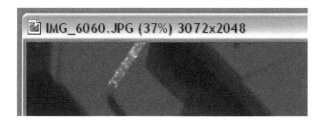

Öffnen Sie ein beliebiges Foto. Im Menü *Datei* wählen Sie dazu den Befehl *Öffnen*. In der Titelleiste des Bildfensters sehen Sie rechts neben dem Dateinamen und der Angabe der Ansicht in Prozent die Bildmaße in Pixeln. Das Beispielbild wurde mit einer digitalen Spiegelreflexkamera mit einem 3:2-Sensor gemacht. Sehen Sie im Handbuch Ihrer Kamera nach, welches Seitenverhältnis der Aufnahmesensor hat. In den meisten Fällen dürfte es ein Verhältnis von 4:3 sein.

Wenn die Seitenverhältnisse von Bilddatei und Ausdruckformat stark voneinander abweichen, werden die Bildränder beschnitten oder es treten weiße Ränder auf. Das lässt sich mit PhotoImpact und seinem *Zuschneidewerkzeug* vermeiden.

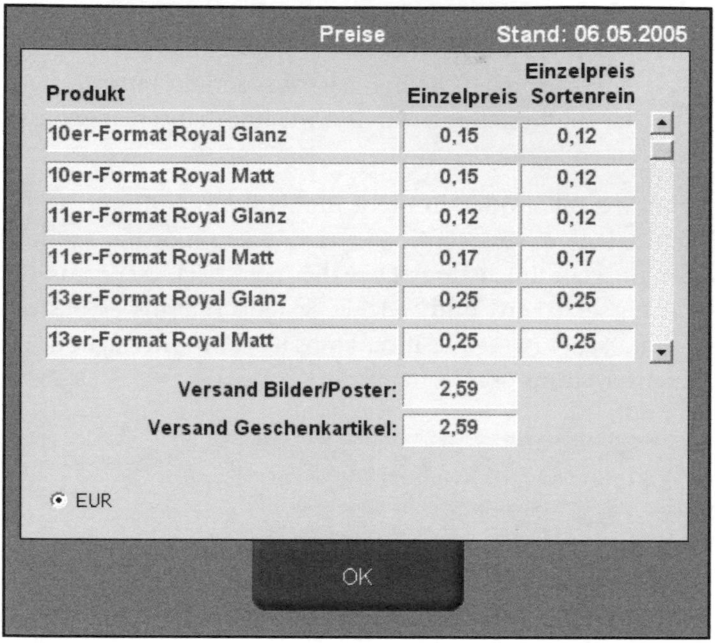

Preise		Stand: 06.05.2005
Produkt	**Einzelpreis**	**Einzelpreis Sortenrein**
10er-Format Royal Glanz	0,15	0,12
10er-Format Royal Matt	0,15	0,12
11er-Format Royal Glanz	0,12	0,12
11er-Format Royal Matt	0,17	0,17
13er-Format Royal Glanz	0,25	0,25
13er-Format Royal Matt	0,25	0,25
Versand Bilder/Poster:	2,59	
Versand Geschenkartikel:	2,59	

EUR

OK

Bild 4.2 In der Preisliste einiger Internetlabors, wird lediglich die Höhe des gewünschten Abzugs ausgewählt. Die Breite kann auf Wunsch automatisch angepasst werden.

HINWEIS In diesem Kapitel werden die Fotos lediglich auf das richtige Seitenverhältnis beschnitten. Es geht dabei nicht um das Anpassen (Vergrößern/Verkleinern, also »Skalieren«) der Bilder auf die Druckgröße. Schicken Sie Ihre Bilddaten an ein Labor, ist vor allem das Seitenverhältnis wichtig. Die Skalierung auf die richtige Größe wird im Labor automatisch erledigt.

4.1.2 Fotos vor dem Papierabzug selbst zuschneiden

Wenn Sie sich einmal festgelegt haben, in welchem Format Sie Papierabzüge Ihrer besten Bilder vom Fotolabor bestellen möchten, sollten Sie die Bilddateien selbst schon so vorbereiten, dass beim Ausdrucken nichts schief gehen kann.

Sonst kann es passieren, dass die Ausdrucke beschnitten oder mit einem weißen Rand versehen werden. Gleiches gilt übrigens auch, wenn Sie Ihre Fotos selbst ausdrucken.

HINWEIS Die meisten Angaben im Ausklappmenü **Form** beziehen sich auf international übliche Fotoformate, die in Zoll angegeben sind. **4" x 6"** entsprechen dem bei uns üblichen Format 10 x 15 cm, **5" x 7"** dem Format 13 x 18 cm.

Möchten Sie in DIN-Formaten drucken, finden Sie die entsprechenden Einträge für fest voreingestellte A4-Ausschnitte im unteren Drittel der Menüliste.

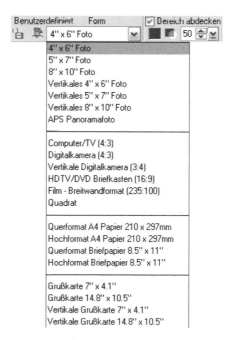

Sie sollten zuvor wissen, welches Maß das im Drucker liegende Fotopapier hat, und die Bilder vorher auf das entsprechende Seitenverhältnis zuschneiden. Beachten Sie: In dieser Anleitung geht es nicht
darum, ein Bild auf die exakte Druckgröße in Zentimetern oder
Pixeln zu bringen. An dieser Stelle erfahren Sie, wie Sie ein Foto in
einem bestimmten Seitenverhältnis beschneiden können.

4.1.3 Step by Step – Zuschneiden

1 Zuschneidewerkzeug aktivieren

Nachdem Sie die Bilddatei geöffnet haben, die Sie auf das
gewünschte Seitenverhältnis zuschneiden wollen, aktivieren Sie mit einem Klick der linken Maustaste auf das entsprechende Symbol in der Werkzeugleiste das **Zuschneidewerkzeug**.

Gleichzeitig mit dem Aktivieren des Werkzeugs erscheint die
zugehörige Attributleiste.

Weil Sie Ihre Fotos in einem festen Seitenverhältnis
beschneiden möchten, klicken Sie zuerst auf das Schlosssymbol im Bereich **Benutzerdefiniert** links neben dem
Ausklappmenü **Form**. Das Schloss wird daraufhin
geschlossen dargestellt. Wäre das Schlosssymbol offen, hätten die mit dem **Zuschneidewerkzeug** aufgezogenen Auswahlen
immer freie Seitenverhältnisse.

2 Voreinstellungen des Werkzeugs verwenden

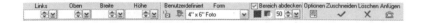

Das Ausklappmenü **Form** in der Attributleiste hält etliche voreingestellte Seitenverhältnisse bereit, die Sie in bestimmten Fällen

sofort einsetzen können. Klicken Sie mit der linken Maustaste auf das Pfeilsymbol rechts am Ausklappmenü, um den Inhalt des Menüs anzeigen zu lassen.

Im oberen Bereich des Menüs sehen Sie die internationalen Standardformate für Fotos in Zoll. Die oberen drei Formate stehen für Querformat-, die nächsten drei für Hochformatfotos. Wenn Sie eines dieser Formate auswählen, wird eine mit dem **Zuschneidewerkzeug** aufgezogene Auswahl exakt dem eingestellten Seitenverhältnis entsprechen.

3 Eigenes Seitenverhältnis einstellen

Um sich das Umrechnen von Zoll- in Zentimetermaße zu ersparen, können Sie das **Zuschneidewerkzeug** auch ganz individuell auf ein bestimmtes Seitenverhältnis einstellen. Wie bereits oben in Schritt 1 erläutert, ist das zugesperrte Schlosssymbol in der Attributleiste die Voraussetzung dafür, dass beim Zuschneiden tatsächlich das eingestellte Seitenverhältnis angewendet wird.

Klicken Sie nun mit der linken Maustaste auf das Symbol rechts vom Schloss – den stilisierten Künstler. Im Bereich **Form** tauchen dann anstelle des zuvor angezeigten Ausklappmenüs zwei Zahlenfelder auf.

Im linken Zahlenfeld wird die Breite, im rechten die Höhe des individuellen Seitenverhältnisses eingestellt. Für ein Querformatfoto, das im Seitenverhältnis von 13 x 18 cm ausgedruckt werden soll, tragen Sie links den Wert **18**, rechts den Wert **13** ein. PhotoImpact möchte zunächst die Breite wissen, dann die Höhe, während bei den gängigen Formatangaben wie 9 x 13 cm zuerst die Höhe genannt wird.

Auf diese Weise können alle von den Fotolaboren angebotenen Formate bzw. Seitenverhältnisse eingetragen werden. In die Zahlenfelder lassen sich nur ganze Zahlen, also keine Werte mit Nachkommastellen, eingeben. Wenn Sie es trotzdem versuchen, bekommen Sie einen freundlichen Hinweis.

4 Bild zurechtschneiden

Für eine bessere Übersicht beim Zuschneiden sollten Sie die Ansicht des Bildes, das beim Öffnen zunächst in einem Fenster gezeigt wird, maximieren. Klicken Sie mit der linken Maustaste auf das entsprechende Symbol in der Titelleiste des Fensters.

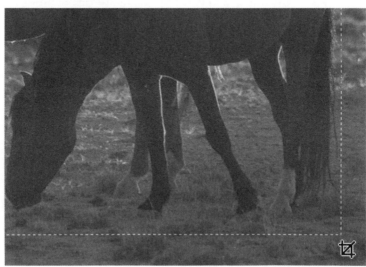

Bewegen Sie den Mauszeiger nun z. B. an die linke obere Ecke des Bildbereichs, der gedruckt werden soll. Drücken Sie die linke Maustaste und ziehen Sie bei gedrückter Maustaste einen Rahmen auf. Bewegen Sie dazu die Maus in die gegenüberliegende Ecke des gewünschten Bildbereichs.

Lassen Sie die Maustaste los und der Außenbereich der Auswahl wird abgetönt gezeigt. Diese getönten Bereiche fallen beim Zuschneiden weg. Klicken Sie mit der linken Maustaste auf die Schaltfläche **Zuschneiden** in der Attributleiste.

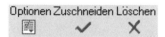

Bild 4.3   Möchten Sie die Auswahl verändern, bewegen Sie die Maus in die Auswahl und ziehen das Rechteck bei gedrückter linker Maustaste an eine neue Position. Wollen Sie die Auswahl wiederholen, drücken Sie ⎡ESC⎤. Der Zuschneiderahmen verschwindet.

Speichern Sie die Datei mit dem Befehl **Speichern unter** im Menü **Datei** unter einem anderen Namen ab, damit die Datei mit dem unbeschnittenen Bild nicht überschrieben wird. Soll ein Abzug oder Ausdruck angefertigt werden, ist das JPG-Format dafür am sinnvollsten.

TIPP Haben Sie schon einen Zuschneiderahmen aufgezogen, können Sie das Seitenverhältnis ändern, ohne den Rahmen neu aufziehen zu müssen. Tragen Sie dazu in die Zahlenfelder im Bereich Form neue Werte ein. Der Rahmen wird dann automatisch diesem neuen Seitenverhältnis angepasst. Im Beispielbild wurde der Breitenwert **18** gegen den Wert **9** ausgetauscht, wodurch der Rahmen zum Hochformat im Verhältnis 9:13 gewandelt wurde.

4.2 Fotos und Bildausschnitte gekonnt vergrößern

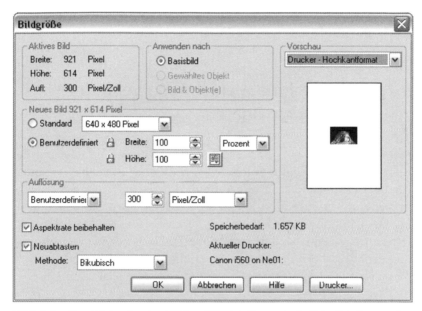

Bild 4.4   Das Dialogfenster **Bildgröße** ist die zentrale Schaltstelle, um Fotos in PhotoImpact an ein gewünschtes Ausgabeformat anzupassen und die Größe zu verändern.

Bei der analogen Fotografie ist Größe kein Thema. Sie ergibt sich aus dem Negativformat. Zwischen einem Fotoabzug von 9 x 13 cm und 13 x 18 cm ist qualitativ kein Unterschied zu erkennen. Die Größe von Digitalfotos im Ausdruck wird unter anderem durch ihre Größe in Pixeln oder Bildpunkten (Auflösung) definiert. Veränderungen der ursprünglichen Dimensionen eines Digitalbildes bedeuten eine Veränderung der Pixel-Werte, die der Computer berechnen muss. Vergrößerungen oder

vergrößerte Ausschnitte sind problematisch, denn dem »Hinzurechnen«
von Pixeln sind Grenzen gesetzt. Hier hilft die richtige Technik, um ein
Bild oder einen Ausschnitt problemlos zu vergrößern. Bei PhotoImpact
gibt es im Menü Format den Befehl Bildgröße, mit dem ein Digitalfoto
prinzipiell beliebig skaliert werden kann. Einige Dinge sind jedoch zu
beachten.

4.2.1 Jede Bildneuberechnung verändert die Originaldaten

Jede Neuberechnung – und nichts anderes ist die Veränderung der
Bildgröße mithilfe einer Software – geht einher mit einer Veränderung der Originaldaten. Diese Veränderung ist aus technischer Sicht
immer eine Verschlechterung, da die im Original vorhandenen Bildpunkte manipuliert werden. Bei der Vergrößerung werden Bildpunkte rechnerisch hinzugefügt (interpoliert). Nach der Neuberechnung
und dem Speichern der Datei können die Daten nicht wieder in den
Originalzustand zurückversetzt werden.

Aus ästhetischer Sicht mag die Vergrößerung keine Qualitätseinbußen erzeugt haben. Wollen Sie ein gutes Foto aber später noch in
einem anderen Projekt verwenden, sollten Sie beim Vergrößern z. B.
für ein Plakat lieber mit einer Kopie arbeiten. Diese Kopie sollten Sie
dann auf jeden Fall nach dem Vergrößern ein wenig nachschärfen,
um den ursprünglichen Schärfeeindruck wieder herzustellen.

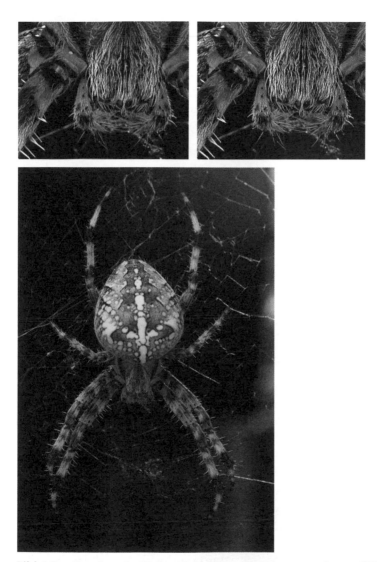

Bild 4.5   Der Ausschnitt aus dem Foto der Spinne wurde um 300% vergrößert. Der Originalausschnitt wirkt ein wenig schwammig, weil zu bestehenden Pixeln neue hinzugerechnet wurden. Der Ausschnitt rechts wurde nachgeschärft.

4.2.2 Qualitätseinbußen bei der Neuberechnung

Wird ein Digitalfoto von der Software vergrößert (interpoliert), werden aus den Informationen über vorhandene Bildpunkte auf komplizierte Weise neue Bildpunkte hinzugerechnet.

Für diese Aufgabe gibt es Spezialsoftware, die für die Skalierung von Digitalfotos entwickelt wurde. Diese Software ist beispielsweise für Sie interessant, wenn Sie über eine Digitalkamera mit einer Auflösung von weniger als 4 Megapixeln verfügen und dennoch großformatige Bilder ausgeben möchten oder wenn Sie noch ältere Digitalfotos mit geringerer Auflösung, aber tollen Motiven besitzen. Bei 3 Megapixeln ist etwa bei hochwertigen Ausgaben im Format 18 x 13 cm das Ende der Fahnenstange erreicht. Da ein solches Bild nicht ohne sichtbare Einbußen vergrößert und ausgegeben werden kann, kommt die Spezialsoftware ins Spiel. Sie verwendet Berechnungsmodelle, die weitaus komplexer als die Algorithmen der Bildbearbeitungssoftware sind.

So eine Berechnung ist schwierig: Die einfachste Lösung wäre eine Wiederholung jedes Pixels, dann wäre das Bild genau doppelt so groß. Allerdings scheitert dieser einfache Weg in der Praxis daran, dass es häufig mit der Verdoppelung eben nicht getan ist. Bei Zwischenstufen ist eine solche Skalierung nicht möglich, denn eine Kante ist entweder ein oder zwei Pixel breit – dazwischen gibt es nichts. Deshalb versuchen die verschiedenen Modelle sowohl Farbübergänge als auch Pixel-Positionen so zu errechnen, dass Zwischenstufen möglich werden. Dazu wird mit zusätzlichen Helligkeitswerten und für die Berechnung künstlich erhöhter Auflösung gearbeitet. Aber selbst diese Berechnung stößt an Grenzen, die erkennbare Qualitätseinbußen bedeuten. Auch Spezialprogramme können nicht beliebig vergrößern.

Die Qualität der verschiedenen Interpolationsalgorithmen (**Interpolation**) zeigt sich darin, wie natürlich ein Bild nach der Vergrößerung noch wirkt. Je nach eingesetztem Rechenmodell ist nach der Neuberechnung keine oder kaum eine Qualitätsminderung sichtbar. Meistens erkennen Sie diese Qualitätsunterschiede überhaupt erst dann, wenn Sie das Foto auf dem Computermonitor in starker Vergrößerung betrachten. Für den Heimgebrauch oder die Vergrößerung eines Bildes für ein kleines Plakat genügen die Bordmittel von PhotoImpact auf jeden Fall.

HINWEIS **Interpolation**

Wenn Software aus einer vorhandenen Anzahl von Pixeln/Bildpunkten zum Vergrößern eines Fotos eine höhere Anzahl errechnet, dienen die vorhandenen Bildinformationen als Ausgangsmaterial. Die Software berechnet (interpoliert) aus den bestehenden Pixel-Informationen Zwischenwerte (Helligkeit/Farbe) für künstlich eingefügte neue Pixel. Das von einem Programm verwendete Berechnungsverfahren (Algorithmus) bestimmt die Qualität des Resultats. Je besser dieser Interpolationsalgorithmus ist, desto realistischer wird das künstlich vergrößerte Foto.

4.2.3 Den richtigen Interpolationsalgorithmus wählen

Bei der Einstellung des richtigen Interpolationsalgorithmus zur Vergrößerung eines Fotos werden Sie drei Fachbegriffe lesen, die der näheren Erklärung bedürfen. Im Dialogfenster *Bildgröße* – mehr Informationen dazu in der Anleitung auf den folgenden Seiten – müssen Sie eine Methode zum Neuabtasten auswählen.

Zur Auswahl stehen die drei Methoden *Bikubisch*, *Bilinear* und *Nächstliegendes*. Für das Vergrößern von Fotos kommt nur die Einstellung *Bikubisch* infrage, da mit dieser Methode die neu hinzuzurechnenden Bildpunkte am gleichmäßigsten an die bereits vorhandenen angepasst werden. Ganz besonders bei Fotos und Bildern mit hoher Auflösung bringt die bikubische Methode die besten Ergebnisse.

Die Methode *Bilinear* bringt ebenfalls ordentliche Ergebnisse und sie ist etwas schneller als *Bikubisch*. Selbst bei großen Bildern benötigt die bikubische Methode jedoch nie mehr als ein paar Sekunden. Deshalb sollten Sie lieber auf die hochwertige Einstellung *Bikubisch* setzen. Bei der dritten Methode *Nächstliegendes* werden aus den vorhandenen Bildpunkten keine neuen interpoliert. Die vorhandenen Bildpunkte werden lediglich vervielfältigt. Daher ist die Methode *Nächstliegendes* nur für kleine Pixel-Grafiken wie die hier gezeigten Bildschirmsymbole geeignet, die lediglich aus nur wenigen Hundert Pixeln bestehen.

Wenn Sie Bilder oder Ausschnitte hochwertig vergrößern, machen Sie immer einen Probeausdruck auf dem geplanten Medium. Der Bildschirmeindruck genügt nicht.

Bild 4.6 An Pinsel und Verknüpfungspfeil des Desktop-Symbols von PhotoImpact erkennt man deutlich den Unterschied zwischen den beiden Interpolationsmethoden **Nächstliegendes** und **Bikubisch**. Die Methode **Nächstliegendes** reproduziert (verdoppelt) die vorhandenen Bildpunkte lediglich. Die bikubische Methode dagegen »interpretiert« bei der Vergrößerung der Vorlage, welche Farb- und Helligkeitswerte neue, zwischen den vorhandenen Original-Pixeln liegende Bildpunkte haben sollten.

4.2.4 Richtig vergrößern und in Fotoqualität drucken

Wenn Sie ein Bild z. B. als Hintergrund für ein Plakat vergrößern wollen, benötigen Sie zwei Informationen: Welche Größe und welche Auflösung (in Pixel pro Zoll oder dpi) soll das Endprodukt haben?

An dieser Stelle behandeln wir das Vergrößern eines Fotos oder eines Ausschnitts und den Ausdruck in Fotoqualität. Wichtig! Für Fotos in bester Druckqualität muss die Fotodatei eine Auflösung von 300 dpi (dots per inch – Pixel pro Zoll) haben. Die meisten Thermosublimationsdrucker – eine ausschließlich für den Fotodruck geeignete Druckerart – arbeiten mit dieser Auflösung. Fotolabors liefern bei dieser

Auflösung ebenfalls die besten Ergebnisse. Die möglicherweise bei Ihrem Drucker angegebene weitaus höhere Auflösung hat nichts mit der Auflösung des Bildes zu tun. Sie besagt lediglich, wie viele Punkte der Druckkopf setzen kann. Für die Druckqualität ist zunächst vor allem die Auflösung des Ausgangsbildes entscheidend.

Bild 4.7 Der Hahn, der im Original eine Druckbreite von ca. 13 cm bei 300 dpi hat, soll auf eine Breite von 20 cm vergrößert werden.

Für das nachfolgende Beispiel wurde eine Datei verwendet, die zunächst eine Auflösung von 96 dpi hat – ein Wert, mit dem sehr viele Digitalkameras ihre Fotos speichern. Manche Kameras arbeiten mit 72 dpi, professionelle Geräte mit 300 dpi. Die in der Anleitung verwendete Datei ist ein Bildausschnitt und hat eine Größe von 2000 x 1500 Pixeln. Sie soll nach der Neuberechnung als Foto mit einer Breite von 20 cm ausgegeben werden.

kap7_2_1_anfang.jpg (39%) 1500x2000

Bild 4.8   In der Titelleiste des Bildfensters unten werden die Werte für Höhe und Breite in Pixeln angegeben.

4.2.5 Step by Step – Bildmaße anpassen

1 Dialog aufrufen

Aktivieren Sie im Menü **Format** mit einem Klick der linken Maustaste den Befehl **Bildgröße**.

2 Dialogfensterangaben nutzen

Das Dialogfenster Bildgröße zeigt im Bereich **Aktives Bild**, welche Pixel-Maße und welche Auflösung die Originaldatei hat. Nach der Neuberechnung muss hier für Fotoqualität eine Auflösung von 300 dpi angezeigt werden.

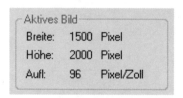

Wichtig für die Neuberechnung der Datei ist der Bereich **Neues Bild**. Unter **Benutzerdefiniert** – die Option kann mit einem Mausklick in das Optionsfeld links aktiviert werden – wird später die neue Größe in Zentimetern eingetragen.

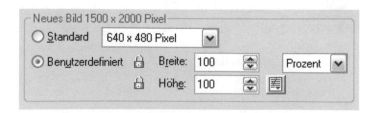

Die beiden Schlosssymbole links von **Breite** und **Höhe** bedeuten, dass bei einer Änderung eines der beiden Werte der andere automatisch so angepasst wird, dass das ursprüngliche Seitenverhältnis bestehen bleibt.

Wenn Sie die **Höhe** oder **Breite** ändern – das Bild verzerren – möchten, deaktivieren Sie die Option **Aspektrate beibehalten**.

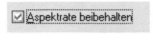

Weiterhin wichtig ist der Bereich **Auflösung**, in dem die oben bereits erwähnten **300 dpi** definiert werden. Das müssen Sie im nächsten Schritt anpassen.

3 Neue Breite und Höhe festlegen

Unter **Neues Bild** wird im Ausklappmenü rechts neben den Zahlenfeldern für **Breite** und **Höhe** die Maßangabe **Prozent** angezeigt. Klicken Sie mit der linken Maustaste auf das Pfeilsymbol, um den Inhalt des Ausklappmenüs zu öffnen. Wählen Sie den Eintrag **Cm** (Zentimeter) aus.

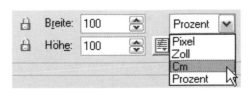

Die Werte in den Zahlenfeldern werden dabei automatisch angepasst und zeigen nun die Größe des Bildes in Zentimetern. Weil die Auflösung noch auf 96 dpi eingestellt ist – viel zu wenig für den Fotodruck –, sind Breite und Höhe bisher zu groß.

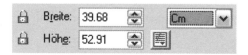

Tragen Sie in das Zahlenfeld für **Breite** den Wert **20** ein. Der Wert für die **Höhe** wird automatisch auf **26,67** angepasst, um das Seitenverhältnis des Fotos zu erhalten.

4 Auflösung einstellen

Für die Fotoqualität müssen Sie nun noch die **Auflösung** des Fotos anpassen. Tragen Sie dazu im Bereich Auflösung in das Zahlenfeld den Wert **300** ein.

Sie erinnern sich vielleicht noch: Die Auflösung gibt die Anzahl der Pixel auf einer Strecke von einem Zoll wieder. Vergrößert man die Auflösung, wird das Bild kleiner. Die Anzahl der Punkte pro Zoll wird erhöht. Um die Auflösung zu erhöhen, wird das Bild später neu berechnet.

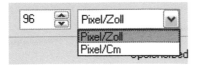

Voreingestellt ist die Maßangabe **Pixel/Zoll**, da in der Computer-
und Druckerwelt ausschließlich mit diesem internationalen Maß
bzw. dem Pendant **dpi** (dots per inch) gearbeitet wird. Ansonsten
müssten Sie den Wert für Pixel pro Zoll jedes Mal durch den Faktor 2,54 teilen (1 Zoll = 2,54 cm), um die Auflösung in Pixel/Zen-
timeter zu errechnen.

Das Ausklappmenü links im Bereich **Auflösung** hilft nicht son-
derlich weiter, weil die dort vorgeschlagenen Werte für **Drucker**
(600 dpi) und **Anzeige** (96 dpi) in der Praxis nicht sinnvoll sind.
Die meisten Monitore haben eine Auflösung von rund 80 dpi. 96
dpi ist also ein wenig zu hoch. Deutlich zu hoch ist der Wert für
Drucker. Ab 300 dpi erkennt das menschliche Auge keine Qualitätsunterschiede mehr, weil einzelne vom Drucker aufs Papier
gebrachte Druckpunkte nicht mehr unterschieden werden können. Eine Einstellung von 600 dpi vergrößert also nur unnötig die
Datenmengen.

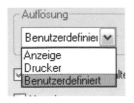

Bild 4.9 Belassen Sie die Voreinstellung immer auf Benutzerdefiniert. Die anderen Einstellungen sind nicht praxisgerecht.

Belassen Sie die Methode für das Neuabtasten auf **Bikubisch** und
klicken Sie zum Schluss mit der linken Maustaste auf die Schaltfläche **OK**.

Das Foto wird nun neu berechnet. Speichern Sie das Bild für den Fotodruck als JPG-Datei mit dem Befehl **Datei/Speichern unter**. Vergeben Sie, falls Sie mit dem Original gearbeitet haben, einen neuen Dateinamen, um das Original nicht zu überschreiben.

Bild 4.10 Nach der Neuberechnung der Bildgröße sehen Sie in der Titelleiste, welche Pixel-Maße die neue Datei hat.

4.3 Darstellungsqualität und Auflösung

*Auf den Begriff der Aufösung wurde schon im vorangegangenen Kapitel hingewiesen. Die Qualität der Darstellung eines Fotos – ob auf dem Monitor, als Foto oder als Plakat – hängt ganz entscheidend von der Auflösung des Bildes ab. Der Wert für die Auflösung wird entweder in **ppi** (pixel per inch – Pixel pro Zoll) oder **dpi** (dots per inch – Druckpunkte pro Inch/Zoll) angegeben. Leider sorgt der Begriff regelmäßig für Verwirrung, weil die Maße **ppi** und **dpi** nicht immer gleichgesetzt werden können. Bei einem Bild liegen immer Bildpunkte/Pixel vor, die pro Zoll entsprechend verteilt werden. Bei Druckern wird die Auflösung in Druckpunkten angegeben. Daher ist die Auflösung des Druckers im Vergleich zur Auflösung des Bildes fast astronomisch hoch.*

Nehmen Sie ein Foto mit einer 6-Megapixel-Kamera auf, erhalten Sie ein Bild, das aus 6 Millionen Pixeln oder Bildpunkten besteht. Es hat die ungefähren Maße von 3000 x 2000 Pixeln (Breite x Höhe).

Die meisten portablen Fotodrucker sind **Thermosublimationsdrucker** die überwiegend mit einer Auflösung von 300 dpi arbeiten. Pro Inch/Zoll können also exakt 300 Druckpunkte gesetzt werden. Ein Foto mit der Breite von 3000 Pixeln würde als Ausdruck mit 300 dpi also eine Breite von 10 Zoll oder 25,4 cm (1 Zoll = 2,54 cm) haben. Jedes Pixel des Fotos wird exakt von einem Druckpunkt dargestellt. In diesem Fall sind die Angaben für Pixel pro Zoll (ppi) und Druckpunkt pro Zoll (dpi) identisch.

HINWEIS **Thermosublimationsdrucker**

Dieser Drucker arbeitet nicht wie Tintenstrahldrucker mit mehreren Druckpunkten für einen Bildpunkt des Digitalfotos. Er erzeugt für jeden Bildpunkt einen Druckpunkt. Während beim Tintenstrahldruck Tinte auf die Papieroberfläche gespritzt wird, werden bei der Thermosublimation wachsartige Farbstoffe durch Erhitzen auf das Spezialpapier gebracht. Thermosublimationsdrucker arbeiten nur jeweils mit dem vom Hersteller angebotenen Spezialpapier. Geräte für den Heimgebrauch drucken in der Regel maximal Fotos in der Größe von 10 x 15 cm aus.

Bild 4.11 Thermosublimationsdrucker mit einer Auflösung von 300 dpi sind perfekt für den Ausdruck von Fotos in Laborqualität. (Foto: Canon)

4.3.1 Auflösungsvermögen von Tintenstrahl-druckern

Verwirrend wird der Begriff der Auflösung, wenn man die Hersteller-angaben zum Auflösungsvermögen von Tintenstrahldruckern betrachtet. Diese geben nämlich oft vierstellige Auflösungen von z. B. 2400 oder 4800 dpi an. Grundsätzlich ist diese Angabe korrekt, weil Tintenstrahldrucker tatsächlich so viele Druckpunkte aufs Papier bringen können. Allerdings stehen diese Angaben im Widerspruch zu der allgemein üblichen Faustregel, nach der ein Foto am besten aussieht, wenn es mit 300 dpi gedruckt wird.

Genau hier liegt das Problem, denn im allgemeinen Sprachgebrauch der Digitalkamera- und Drucktechnik hat sich leider durchgesetzt, die Maße ppi und dpi gleichzusetzen. Eigentlich sollte die Empfeh-lung lauten: Ein Foto muss für beste Qualität in 300 ppi ausgedruckt werden. Das heißt, 300 Pixel des Fotos müssen auf einer Strecke von einem Zoll/Inch untergebracht sein, damit man die einzelnen Pixel nicht mehr mit dem bloßen Auge identifizieren kann. Ein Bild mit einer Auflösung von 72 ppi kann also selbstverständlich von einem Drucker mit 300 dpi zu Papier gebracht werden, es wird allerdings kleiner. Beträgt die Kantenlänge bei 72 ppi 10 cm, werden daraus beim Druck mit 300 dpi knapp 2,5 cm, weil der Drucker viermal so viele Pixel auf einen Zoll verteilt. Die Angabe der Auflösung ist ohne Angabe der Größe also nur begrenzt informativ.

Die Lösung des Problems beim Tintenstrahldruck sieht folgender-maßen aus: Ein Pixel des Digitalfotos wird bei der Ausgabe auf einem Tintenstrahldrucker aus mehreren Druckpunkten (Tintentröpfchen) zusammengesetzt (gerastert). Die Anzahl der Druckpunkte, die für die Wiedergabe eines Pixels benötigt wird, variiert je nach Drucker.

Ein 2400-dpi-Drucker, der für einen Pixel eines Digitalfotos etwa acht Druckpunkte setzt, schafft also tatsächlich eine Auflösung von ungefähr 300 ppi (2400 : 8 = 300). Dies ist nur ein sehr grober Näherungswert, bedeutet aber, dass Drucker mit höherer Auflösung grundsätzlich für den Fotodruck besser geeignet sind. Allerdings ist die Druckqualität noch von weit mehr Faktoren als nur von der Auflösung abhängig. Tinte, Papier, Druckkopftechnik und die Qualität des Fotos spielen dabei eine ebenso große Rolle.

4.3.2 Berechnen der maximalen Druckgröße in Fotoqualität

Um abschätzen zu können, für welche Druckgröße eine digitale Bilddatei geeignet ist, müssen Sie die Auflösung des Fotos sowie die Druckauflösung des Ausgabegeräts kennen. Mit ein wenig Mathematik können Sie so schnell herausfinden, ob Ihre Bilder z. B. für den DIN-A4-Fotodruck geeignet sind.

Möchten Sie die maximale Druckgröße in Fotoqualität (300 dpi) berechnen, ersetzen Sie in der Formel den Wert 150 durch 300. Die Rechnung sieht dann folgendermaßen aus:

(2000 : 300 dpi) x 2,54 = 16,94 cm

Der Fotodruck mit maximaler Qualität ist in einer Breite von 16,94 cm möglich.

HINWEIS   **Richtige Auflösung**

Richtwerte für Druck- bzw. Darstellungsauflösungen

Monitor:	ca. 72 dpi
Tageszeitung:	ca. 150 dpi
Plakat:	150 bis 200 dpi
Magazin:	ca. 250 bis 300 dpi
Fotodruck (Labor):	300 dpi

Wenn Sie ein Foto in der Tageszeitung (150 dpi) drucken lassen möchten, sieht die Größenberechnung für eine 3-Megapixel-Datei (2000 x 1500 Pixel) folgendermaßen aus:

2000 : 150 dpi = 13,34 Inch (Zoll)
Breite in Pixel : Druckauflösung = Breite in Inch (Zoll)

13,34 Inch x 2,54 = 33,87 cm
Breite in Inch x Faktor 2,54 = Breite in Zentimetern

Fotos einer 3-Megapixel-Digitalkamera können in einer Tageszeitung also in einer Breite von knapp 34 cm gedruckt werden.

4.3.3   Auflösungsvermögen von TFT- und Röhrenmonitoren

Monitore – egal ob es sich um Röhrenmonitore oder TFTs handelt – haben je nach Hersteller und Monitortechnik in der Regel eine Auflösung von etwa 72 bis 96 dpi. Wenn Sie sich den Monitor mit einer Lupe ansehen, können Sie die einzelnen Punkte deutlich erkennen.

HINWEIS **Druckauflösungen**

Die wichtigsten Formate (in Pixel bzw. cm) für die Arbeit mit
PhotoImpact

2 Megapixel ca. 1600 x 1200 ca. 27 x 20 ca. 20 x 15 ca. 14 x 10
3 Megapixel ca. 2000 x 1500 ca. 34 x 25 ca. 25 x 19 ca. 17 x 13
4 Megapixel ca. 2300 x 1700 ca. 38 x 29 ca. 29 x 22 ca. 19 x 14
5 Megapixel ca. 2600 x 1900 ca. 44 x 32 ca. 33 x 24 ca. 22 x 16
6 Megapixel ca. 3000 x 2000 ca. 51 x 34 ca. 38 x 25 ca. 25 x 17
8 Megapixel ca. 3500 x 2400 ca. 59 x 41 ca. 44 x 30 ca. 30 x 20

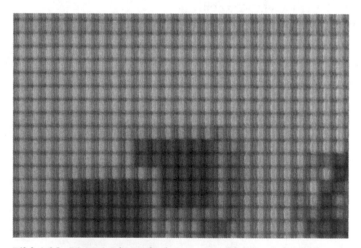

Bild 4.12 Diese Makroaufnahme zeigt die einzelnen Bildpunkte eines TFT-
Monitors. Jeder Bildpunkt wird ebenso wie die Bilder einer Digitalkamera zusammengesetzt aus je einem roten, grünen und
blauen Farbanteil mit unterschiedlicher Helligkeit.

HINWEIS   **TFT**

Abkürzung für **Thin-Film Transistor** (Dünnfilmtransistor). Bezeichnet ein elektronisches Bauteil, das vor allem bei Monitoren und Displays von Digitalkameras eingesetzt wird. Aus einer Matrix dieser Transistoren setzen sich die so genannten LCD-Bildschirme (**L**iquid **C**rystal **D**isplay – Flüssigkristallanzeige) zusammen.

Im Gegensatz zur Auflösung z. B. eines Fotoabzugs aus dem Labor hat der Monitor eine relativ geringe Auflösung. Daraus ergeben sich für die Beurteilung der Qualität eines Digitalfotos ein paar Probleme. Nach der oben genannten Formel müsste ein 72-dpi-Monitor, der eine 3-Megapixel-Datei (2000 x 1500 Pixel) in Originalgröße anzeigen soll, eine Breite von etwa 70 cm haben. Erst dann würde ein Pixel der Fotodatei von einem Bildpunkt des Monitors dargestellt und man könnte perfekt abschätzen, welche Qualität das Foto aufweist.

Tatsächlich aber wird ein Digitalfoto, das in Originalgröße (z. B. 3000 x 2000 Pixel) vorliegt, auf dem Monitor verkleinert gezeigt, wenn es als Ganzes betrachtet wird. Die für die Darstellung von Bildinhalten verantwortliche Grafikkarte des Computers rechnet die vorhandene Anzahl an Bildpunkten im Foto herunter – natürlich ohne dabei die Originaldaten zu verändern. Dies führt zu einem gewissen Qualitätsverlust bei der Darstellung auf dem Monitor.

Dazu eine wichtige Faustregel: Um ein großes Digitalfoto am Monitor gut beurteilen zu können, stellen Sie in Ihrem Bildbearbeitungsprogramm die Darstellungsgröße auf 100, 75, 50 oder 25% ein. Hierbei werden die tatsächlich vorhandenen Bildpunkte von der Grafikkarte ohne Verzerrungen reduziert. Bei Zwischenwerten (z. B. 33 oder 66%) können die Bildpunkte nur sehr schlecht umgerechnet werden. Die Darstellung wirkt dabei »pixelig« und ist nicht geeignet, Schärfe und Strukturen des Fotos richtig abzuschätzen.

Um ein Originalfoto z. B. für eine Internetseite oder für eine Diashow am PC zu optimieren, muss das Foto mit PhotoImpact und dem Befehl *Bildgröße* im Menü *Format*verkleinert bzw. in der Auflösung reduziert werden.

Wie bereits gesagt, liegt die Auflösung eines Computermonitors bei 72 bis 96 dpi. In der Praxis hat sich durchgesetzt, Fotos, die für die Betrachtung am Monitor vorbereitet werden (Webseite, Diashow, Desktop-Hintergrund), auf eine Auflösung von 72 dpi zu reduzieren.

HINWEIS **Originalgröße darstellbar?**

Soll ein Bild in der Größe von ca. 10 x 15 cm (ca. 4 x 6 Inch/ Zoll) auf einem 72-dpi-Monitor gezeigt werden, muss es eine Bildgröße von 288 x 432 Bildpunkten oder Pixeln haben: 4 Inch x 72 dpi = 288, 6 Inch x 72 dpi = 432.

Zum Vergleich: Der 10 x 15 cm große fotorealistische Ausdruck mit 300 dpi würde eine Größe von 1200 x 1800 Pixeln erfordern.

Um ein Foto für die Monitordarstellung vorzubereiten, kommt der PhotoImpact-Befehl *Format/Bildgröße* zum Einsatz.

Im Dialogfenster *Bildgröße* sind zwei Einstellungen wichtig: Bei *Auflösung* wird der Wert *72 Pixel/Zoll* eingetragen. Bei *Benutzerdefiniert* geben Sie die gewünschten Werte für *Höhe* und *Breite* in Pixeln (Maßeinheit Pixel im Aufklappmenü rechts mit der linken Maustaste auswählen) an.

Nach einem abschließenden Klick mit der linken Maustaste auf die Schaltfläche *OK* wird das Bild neu berechnet. Sie sehen das Foto auf Ihrem Monitor jetzt ungefähr in der Größe, wie es jemand, dem Sie das Bild per E-Mail geschickt oder auf CD-ROM gegeben haben, mit einem ähnlich eingestellten Monitor auch sehen würde.

4.3.4 Druckauflösung im professionellen Plakatdruck

Je weiter Sie von einem Plakat entfernt sind, desto größer können die einzelnen Druckpunkte sein, ohne dass sie erkennbar wären. Sie haben bei einem professionell gedruckten Plakat den Eindruck, ein homogenes, scharfes Bild zu sehen. Betrachten Sie das Plakat aus nächster Nähe, wird das Druckraster (die einzelnen Druckpunkte) deutlich sichtbar.

Bei Ihren eigenen Bildern kann die Auflösung in dpi für ein Plakat, das aus einem gewissen Abstand betrachtet wird, also weitaus geringer sein als für den Fotodruck. Als Richtwert wurden in der Tabelle am Anfang dieses Kapitels 150 bis 200 dpi für den Plakatdruck angegeben. Dieser Wert gilt für Plakate in den Größen zwischen DIN A2 (200 dpi) und DIN A0 (150 dpi).

Gerade beim Druck von Plakaten sollten Sie die Auflösung eines Fotos oder einer Vorlage nicht unnötig erhöhen, da die Druckdateien je nach Größe des Plakats enorm groß werden können. Übertragen Sie Ihre Daten an eine Druckerei per E-Mail, kann die Übertragung unter Umständen Stunden dauern. Im schlimmsten Fall verweigert Ihr eigenes oder das E-Mail-Postfach der Druckerei sogar die Annahme der Datei, weil das Postfach nicht für so große Datenmengen ausgelegt ist.

Zwei Regeln für das Anlegen und Speichern von Bilddateien für Plakate: Achten Sie beim Anlegen einer neuen Datei für den Plakatentwurf in PhotoImpact von vornherein auf eine realistische Auflösung zwischen 150 und 200 dpi. Um eine Datei für ein Plakat anzulegen, wählen Sie im PhotoImpact-Menü *Datei/Neu* den Befehl *Neues Bild* aus. Im Dialogfenster können die Werte für Breite und Höhe sowie die Auflösung festgelegt werden. Nach einem Klick auf *OK* erhalten Sie eine neue Datei, in die Sie Bilder und Texte einfügen können.

Tittlinger Sitzweil 2006

7.6.
Race-Night

in Zusammenarbeit mit dem MSC Dreiburgenland

Promi-Kart-Rennen, Präsentation von Wettbewerbsfahrzeugen
Live-Band ATTENTION, Hip-Hop und Breakdance

12.7.
Jamaica-Feeling

Tänzerinnen und Trommler, LIVE-Reggae-Musik
Feuerzauber, Sandstrand am Marktplatz

Alle Veranstaltungen mit abwechslungsreichem Kinderprogramm!

Beginn ist jeweils um 18.30 Uhr am Marktplatz Tittling.
Bei schlechtem Wetter fallen die Veranstaltungen aus.

Veranstalter: Tittlinger Sitzweil-Wirte in Zusammenarbeit
mit der Wirtschaftsgemeinschaft Tittling. Die Programme der
Veranstaltungen können kurzfristig geändert werden.

Fotos und Layout: SCHAETZL @HAASZ-MEDIEN GbR, Tittling

Bild 4.13 Dieses Plakat wurde in der Größe 40 x 60 cm in einer Auflösung von 200 dpi gedruckt und als JPG-Datei an die Druckerei gegeben.

Ist der Entwurf fertig, speichern Sie ihn mit dem Befehl *Datei/Speichern unter* als JPG-Datei mit niedriger Kompression (hoher Qualität). Im Dialogfenster wählen Sie dazu im Aufklappmenü *Dateityp* den Eintrag *JPG* aus. Als JPG-Datei bleibt die Bildqualität sehr gut erhalten. Die Dateigröße wird aber effektiv reduziert, was die Weitergabe z. B. per E-Mail vereinfacht.

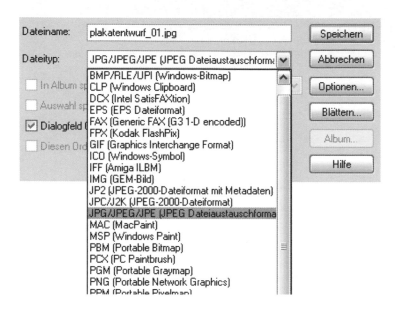

Wenn Sie danach auf *Speichern* klicken, erscheint ein weiteres Dialogfenster, in dem die *Kompressionsstufe* festgelegt wird. Stellen Sie unter *Qualität* einen Wert von *90* ein. Das stellt einen guten Kompromiss aus Bild- bzw. Druckqualität und Dateigröße dar. Über den beiden Vorschaufenstern sehen Sie, welche Größe die Datei unkomprimiert hat (linkes Vorschaufenster) und welche sie nach der Komprimierung haben wird.

TIPP **Vorsicht beim Speichern!**

Wenn Sie ein Foto mit dem Befehl **Bildgröße** verändern, sollten Sie das Bild auf jeden Fall unter neuem Namen speichern, um das Original nicht zu überschreiben. Detailverluste durch die Veränderung von Bildgröße oder Auflösung lassen sich nach dem Speichern nicht mehr rekonstruieren.

Bild 4.14 Wenn Sie mit der linken Maustaste auf die Schaltfläche 1:1 unter
dem linken Vorschaufenster klicken, wird ein kleiner Teilbereich
der Datei in beiden Fenstern in Originalgröße angezeigt. Sie können dann besser abschätzen, welche Auswirkungen die JPG-Kom-
pression auf das Bild haben wird.

4.3.5 Bilder für ein Plakat vorbereiten

In dieser Anleitung wird gezeigt, wie Sie mit PhotoImpact ein 8-Megapixel-Foto so vorbereiten, dass es als Hintergrund für ein weihnachtliches Plakat verwendet werden kann. Das Plakat soll eine Größe von 40 x 60 cm und eine Druckauflösung von 200 dpi haben. Im Gegensatz zu der für den Ausdruck von Fotos benötigten Auflösung von 300 dpi braucht man bei einem Plakat nur 200 dpi, weil der Betrachtungsabstand viel größer ist. Plakate werden in der Regel so entworfen, dass ihre Inhalte aus einiger Entfernung erkennbar sind. Die hohe Detailauflösung von 300 dpi eines Fotos, das aus wenigen Zentimetern betrachtet wird, würde nur zu unnötig großen Datenmengen führen. Sehen Sie sich ein Plakat aus einer Entfernung von einem Meter an, sind beim Druck in 200 dpi keine einzelnen Druckpunkte mehr erkennbar.

4.3.6 Step by Step – Auflösung anpassen

1 Auflösung für das Plakat aufrufen

Das Bild sollte, da es deutlich vergrößert gedruckt wird, möglichst die maximale Pixel-Größe haben. Arbeiten Sie mit einer Kopie des Originals und nicht mit einer zuvor für ein anderes Projekt verkleinerten Datei. Auf die Bildoptimierung (Helligkeit, Kontrast, Farben) wird hier nicht eingegangen. Nach dem Öffnen rufen Sie im Menü **Format** den Befehl **Auflösung** auf.

2 Neue Auflösung eingeben

Der Befehl **Auflösung** bewirkt, dass die Druckgröße eines Fotos angepasst wird. Die Qualität eines Bildes wird nicht durch Neuberechnung (Interpolation) geschmälert, sondern es wird lediglich die Ausgabegröße für den Druck verändert. Wird die Auflösung verkleinert, wird das Bild größer gedruckt, da weniger Pixel pro Zoll verwendet werden. Für ein Plakat reicht die Ausgabegröße trotz Reduzierung der Auflösung zwar noch nicht aus, allerdings lässt sich hier vor der Neuberechnung im nächsten Schritt schon die Auflösung korrekt einstellen. Stellen Sie im Dialogfenster im Bereich Benutzer den Wert 200 (Pixel/Zoll) für den Plakatdruck ein. Zur Anwendung des Befehls klicken Sie dann mit der linken Maustaste auf die Schaltfläche OK.

Bild 4.15 In der Vorschau des Dialogfensters **Auflösung** wird das Foto wie auf einem A4-Ausdruck gezeigt. Da für die Datei eine niedrigere Auflösung eingestellt und die Druckgröße dadurch erhöht wurde, findet das Bild auf einem A4-Blatt keinen Platz. Deshalb werden die Ränder in der Vorschau abgeschnitten.

Oben neben **Aktuelle Auflösung** sehen Sie, mit welcher Auflösung das Originalfoto gespeichert wurde. Die Originaldateien von Digitalkameras haben normalerweise Auflösungen von 72, 96, 180 oder 300 dpi.

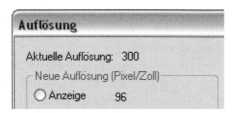

3 Dialogfenster Bildgröße einstellen

Rufen Sie mit einem Mausklick im Menü **Format** den Befehl **Bildgröße** auf, um die endgültige Ausgabegröße des Fotos als Plakat festzulegen.

Bild 4.16 Lassen Sie sich nicht von der Vorschau rechts im Dialogfenster **Bildgröße** irritieren. Ebenso wie die Vorschau im Dialogfenster **Auflösung** bezieht sich die Darstellung in diesem Vorschaufenster auf die mögliche Ausgabegröße eines DIN-A4-Druckers. Die neu eingestellte Bildgröße überschreitet diese Fläche. Deshalb wird der Hinweis **Größe** überschreiten eingeblendet.

Öffnen Sie das Ausklappmenü mit den Maßangaben für **Breite** und **Höhe** und wählen Sie mit einem Mausklick den Eintrag **Cm** aus.

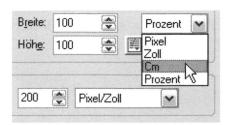

4 Neue Bildgröße festlegen

Aktivieren Sie das Kontrollkästchen **Aspektrate beibehalten** mit einem Mausklick (mit einem Häkchen versehen). Dadurch wird gewährleistet, dass durch die Änderung eines der Werte für **Breite** oder **Höhe** der jeweils andere Wert automatisch um den gleichen Faktor angepasst wird. Das Seitenverhältnis bleibt also gleich, wenn Sie die Breite oder Höhe verändern.

Belassen Sie die **Neuabtasten-Methode** bei **Bikubisch** und klicken Sie abschließend auf die Schaltfläche OK, um das Foto neu zu berechnen.

Tragen Sie in das Zahlenfeld für die **Breite** den Wert **40** ein.

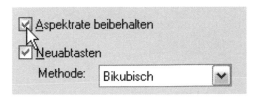

TIPP Falls Sie die neu definierte Bildgröße für mehrere Projek-
te benötigen, können Sie Ihre persönlichen Werte für Breite und
Höhe in eine Liste mit eigenen Größenangaben übernehmen.
Klicken Sie dazu auf die Schaltfläche rechts neben dem Zahlen-
feld für Höhe und dann auf die Option **Benutzerdefinierte
Größe anfügen**.

Es erscheint daraufhin ein Dialogfenster, in dem Sie für Ihre indi-
viduelle Größenangabe einen Namen, beispielsweise »Plakat«,
eintragen können.

Ihre selbst definierte Größe können Sie in Zukunft auch für andere Plakate mit einem Klick auf diese Schaltfläche aufrufen!

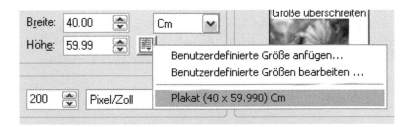

4.4   Fotos vom Drucker oder als Laborabzug

Die digitale Bilderflut steigt und steigt. Nicht nur mit Digitalkameras kann man heute Bilder machen. Auch Handys und digitale Camcorder liefern inzwischen brauchbare Ergebnisse. Da sich die meisten Menschen von ihren besten Schnappschüssen nach wie vor Papierabzüge wünschen, hat sich die Labortechnik entsprechend angepasst. Früher musste man seine Filme oder Datenträger beim Fotohändler abgeben. Der schickte sie ans Fotolabor und erst nach einigen Werktagen konnte man seine entwickelten Bilder abholen und begutachten. Heutzutage dauert dieser ganze Arbeitsprozess lediglich ein paar Minuten – wenn man zu Hause einen eigenen Fotodrucker besitzt oder aber einen (Foto-) Händler findet, der ein Bilderterminal mit Sofortservice im Laden stehen hat.

Gehen Sie heute in einen Elektronikfachmarkt oder zu einem der größeren Fotohändler, finden Sie dort in den meisten Fällen Bestellterminals für Digitalfotos. Je nach Ausstattung nehmen diese Terminals Ihre Fotodaten von der Speicherkarte oder der CD-ROM auf und zeigen die Bilder auf einem Monitor an. Sie können dann in Ruhe auswählen, welche Bilder in welcher Größe und Ausstattung (glänzend, matt, Postkarte etc.) Sie gern als Papierabzug hätten.

Bild 4.17 Viele Bestellterminals können alle Arten von digitalen Speicherkarten und CD-ROMs verarbeiten. Die Digitalfotos werden gesichtet, ausgewählt und zur Bestellung vorgemerkt. Die Bestellung wird direkt vom Kundenterminal an das angeschlossene Labor weitergeleitet. (Foto: Fuji)

Bei diesen Bestellterminals handelt es sich um Spezialcomputer mit integriertem Monitor, auf denen eine Software zur Anzeige und Bestellung von Bildern eingerichtet ist.

Die Benutzeroberflächen sind so gehalten, dass für das Durchsehen und Bestellen von Digitalfotos keinerlei Vorkenntnisse erforderlich sind. Unter anderem wird Ihnen signalisiert, ob die Auflösung Ihrer Bilddateien für die gewünschte Größe der Abzüge ausreichend ist. Sind die Dateien nicht groß genug, wird die Qualität der Abzüge immer nur unbefriedigend ausfallen.

Ein Tipp für die Fotobestellung im Laden: Falls Sie Probleme mit einem Terminal haben sollten, lassen Sie sich von einem der Kundenberater helfen! Wenn Sie Wert auf besten Service und eine persönliche Beratung legen, sollten Sie sich besser an ein Fotofachgeschäft wenden.

Der Nachteil von einfachen Bestellterminals ist, dass Sie ein paar Tage auf Ihre Fotos warten müssen, da die Terminals Ihre Bestellung lediglich weiterleiten.

Bild 4.18 Mit manchen Mobiltelefonen lassen sich Fotos aufnehmen, die auch für Abzüge in der Größe 10 x 15 cm geeignet sind. Für schnelle Abzüge der Bilder aus Foto-Handys sind Bilderterminals hervorragend geeignet. (Foto: Samsung)

4.4.1 Sofortabzüge an der Printstation im Fotostudio

Bild 4.19 Printterminals gibt es auch als Selbstbedienungsgeräte, in die man den Preis für die bestellten Fotos gleich einwerfen kann. Die Fotos erhält man schon nach wenigen Minuten. (Foto: Fuji)

Bestellterminals gibt es auch mit angeschlossenen oder integrierten Fotodruckern. Vor allem kleinere Fotostudios, die sich z. B. auf Passbilder spezialisiert haben, können mit diesen so genannten Printstationen oder Printterminals relativ schnell eine geringe Anzahl an Abzügen in Fotoqualität herstellen. Für größere Bestellmengen sind diese Drucker nicht geeignet, weil sie relativ langsam sind.

Haben Sie wenige Fotos, von denen Sie möglichst schnell Abzüge benötigen, fragen Sie beim Fotohändler nach. Zwar dürfte der Preis pro Bild nicht mit dem günstigen Preis eines Laborabzugs zu vergleichen sein, dafür haben Sie Ihre Bilder aber schon nach ein paar Minuten in der Hand. Eine eventuelle Bearbeitungs- und Versandpauschale für den Laborauftrag fällt ebenfalls weg

4.4.2 Fotoaufträge an ein Mini-Lab vergeben

Größere Fotofachgeschäfte betreiben häufig so genannte Mini-Labs (Fotolabor im Miniaturformat), an denen sie die Fotoaufträge ihrer Kunden sofort bearbeiten können. Da diese Terminals sich für den Händler erst ab einer bestimmten Auftragsmenge lohnen, sind derartige Schnellservices meist nur bei Fotohändlern mit einem großen Auftragsvolumen zu finden.

Die Bedienung funktioniert im Prinzip genauso wie bei den oben beschriebenen Bestellterminals. Der Kunde steckt Speicherkarte, CD-ROM oder ein anderes Speichermedium in den vorgesehenen Schacht des Terminals und die Daten werden ausgelesen. Danach kann man auf einem Monitor oder einem kleinen Display die Fotos sichten, zum Ausdruck markieren und festlegen, welche Größe und Ausstattung die Bilder haben sollen.

Mini-Labs bestehen aus einem Bilderterminal zum Aussuchen der Fotos und dem Drucker bzw. Belichter, wobei die Druckeinheit meist nicht im Kundenbereich aufgestellt ist und der Händler Ihnen die Fotos nach ein paar Minuten an die Theke bringt.

4.4.3 Passende Bilddateiformate für Bestellterminals

Print- oder Bestellterminals für digitale Fotos kommen mit den üblichen, universell lesbaren Bilddateiformaten JPG und TIF zurecht, in denen Digitalkameras ihre Fotos auf der Speicherkarte ablegen. Viele Digitalfotografen lassen ihre Kameras die Aufnahmen jedoch im so genannten RAW-Format speichern, bei dem die Daten ohne Komprimierung oder Optimierung durch die Kamerasoftware gesichert werden. Für diese Daten gibt es keinen gemeinsamen Standard, an den die Hersteller von Digitalkameras gebunden wären. Deshalb liefern die Kamerahersteller zur Verarbeitung ihres eigenen RAW-Formats mit den Kameras auch eigene Spezialprogramme, mit denen sich die Daten öffnen lassen.

Speichern Sie Ihre Fotos und auch die am Computer bearbeiteten Bilder deshalb immer im JPG-Format mit maximaler Qualität, wenn Sie die Fotos direkt von der Speicherkarte oder CD-ROM an einem Bilderterminal bestellen oder ausdrucken lassen wollen. Mit dem universell verarbeitbaren JPG-Format sind Sie garantiert auf der sicheren Seite.

4.4.4 Unterschiede bei der Bildqualität?

Die Bildqualität von Abzügen am Bilderterminal oder im Mini-Lab ist mit der von Laborabzügen nahezu identisch. Je nach Hersteller der Druckeinheit werden unterschiedliche, aber immer sehr hochwertige Fotopapiere und Farben verwendet. Die größte Einschränkung der Bilderterminals, an denen man seine Fotos gleich mitnehmen kann, betrifft das Format. Sie sind für die Standardgrößen von etwa 9 x 13 cm bis 13 x 18 cm ausgelegt, die den größten Teil der Fotobestellungen ausmachen. Die Preise dieser Abzüge sind vergleichbar mit denen aus dem Labor.

Größere Abzüge, etwa in den Formaten 20 x 30 cm oder 30 x 45 cm, werden vom Händler immer an ein Fotolabor weitergeleitet. Die Alternative: Sie bestellen größere Abzüge direkt über einen Online-Bilderservice im Internet. Hier sind Übergrößen in der Regel kein Problem, wenn auch nicht ganz billig. Die zweite Möglichkeit: Geben Sie dem Händler eine CD-ROM mit den Fotos, die Sie im größeren Format benötigen.

4.4.5 Abzüge direkt von einem Fotodrucker

Wenn Sie keinen Fotohändler oder Fachmarkt mit Bilderterminal für schnelle Abzüge in der Nähe haben, könnte ein spezieller Fotodrucker für Sie interessant sein. Daran lässt sich Kamera oder Speicherkarte direkt anschließen. Sie können also ganz ohne den Umweg über den Computer Fotos drucken. Für den Abzug auf die Schnelle sind solche Geräte sehr zu empfehlen. Zwar kostet ein Abzug mehr als ein Foto aus dem Labor, dafür sparen Sie sich die Kosten für das Übertragen der Daten ans Labor, die Versand- und Bearbeitungskosten sowie die Wartezeit, bis die Fotos aus dem Labor wieder eintreffen.

Drucker, mit denen sich Abzüge in Fotoqualität herstellen lassen, gibt es in ganz unterschiedlichen Ausführungen. Es kommen Tintenstrahldrucker infrage, die über eine spezielle Schnittstellentechnologie meist samt Kartenleser verfügen (**USB, Infrarot, Bluetooth**). Es werden aber auh Thermosublimationsdrucker angeboten, die speziell für Fotos konzipiert sind und in der Regel randlos bis etwa 10 x 15 cm drucken können. In diese Drucker sind meist Schnittstellen oder auch direkt Kartenlesegeräte integriert, mit denen man Speicherkarten ohne Kamera und PC auslesen kann. Die Auswahl der zu druckenden Fotos findet entweder über ein kleines Display am Drucker, via Display der Kamera oder auf einem so genannten Index-Print statt, der alle auf der Speicherkarte vorhandenen Fotos in Miniaturansicht mit Beschriftung zeigt.

HINWEIS **USB**

Abkürzung für **U**niversal **S**erial **B**us. Eine Schnittstellentechnologie, die sich für den Anschluss von Geräten in den Bereichen Computer und Digitalfotografie durchgesetzt hat und in den Versionen 1.1 oder 2.0 in aktuellen PCs vorhanden ist. USB-Geräte lassen sich einfach mit einem Computer verbinden. Aktuelle Windows-Versionen erkennen neue über ein USB-Kabel angeschlossene Geräte automatisch.

Bild 4.20 Thermosublimationsdrucker, die Laborqualität bei Fotodrucken erreichen, sind auch als Heimgeräte für einen akzeptablen Preis erhältlich. (Foto: Canon)

HINWEIS   **Infrarot, IrDA**

Abkürzung für **I**nfrared **D**ata **A**ssociation. Relativ langsame und vor allem bei Handys verbreitete Technologie zum Verbinden von Geräten über infrarotes Licht über kurze Strecken. Die beiden Geräte müssen für die Kommunikation »Sichtkontakt« haben.

Bild 4.21 Auch für das schnelle, kleine Bild vom Foto-Handy werden Drucker angeboten, die per Infrarot mit Foto-Handys kommunizieren. (Foto: Fuji)

HINWEIS   **Bluetooth**

Eine moderne und zuverlässige Funktechnologie, die Computer mit Peripheriegeräten wie Druckern, Modems oder Handys verbinden kann. Die Kommunikation erfolgt kabellos und kann je nach Geräten in einer Reichweite zwischen 10 und 100 Metern stattfinden.

Achten Sie beim Kauf eines Druckers, mit dem Sie Fotos ohne Umweg über den PC ausdrucken wollen, darauf, dass er den Standard *Pict-Bridge* unterstützt. Diese Funktion gewährleistet, dass eine Digitalkamera direkt über Kabel (USB) sowie kabellos über Infrarot oder Bluetooth an einen Drucker angeschlossen werden kann.

Bild 4.22 Rasche Ausdrucke von Digitalkameras oder Handys bieten Drucker mit Bluetooth-Ausstattung für die drahtlose Verbindung von Drucker und Kamera. Sinnvoll ist es, wenn die Drucker außerdem an einen PC angeschlossen werden können. (Foto: Epson)

Tintenstrahldrucker sind im Einsatz weit flexibler als kleine Thermodrucker, da man sie auch für die alltägliche Arbeit im Büro verwenden kann. Mit Standardtintenstrahldruckern können Sie Papiere im

Format A4, mit teureren Modellen bis A3 oder sogar A3+ – ein nicht genormtes Format, dessen Maße von Hersteller zu Hersteller leicht unterschiedlich sein können – randlos in Fotoqualität drucken. Thermodrucker lassen sich zwar auch an den Computer anschließen, sie können aber aufgrund der kleinen Druckfläche bis maximal 10 x 15 cm nicht für Geschäftsbriefe verwendet werden.

Der Preis pro Ausdruck liegt bei allen Arten von Fotodruckern zum Teil deutlich höher als der für einen Abzug aus dem Labor. Die hohen Kosten werden vor allem durch die Verbrauchsmaterialien (Papier und Tinte) verursacht. Alle Druckerhersteller bieten Tinte bzw. Farbkartuschen und Papier vom einfachen Kopier- bis zum speziell beschichteten Fotopapier an, die auf die eigenen Geräte abgestimmt und in der Regel sehr teuer sind. Bei Tintenstrahldruckern kann es deshalb interessant sein, auf Verbrauchsmaterialien anderer Hersteller zurückzugreifen: Tinte und Papier können durchaus ähnlich gute Qualität bei erheblich günstigeren Preisen liefern. Welche Alternativprodukte für Ihren eigenen Drucker infrage kommen, sollten Sie den regelmäßig erscheinenden Tests der Fachzeitschriften für Foto und Computer entnehmen.

HINWEIS   **PictBridge**

Dieser Standard beschreibt, wie ein Drucker mit einem Endgerät (Digitalkamera, Handy) kommunizieren muss, um Ausdrucke auch ohne Computer zu ermöglichen.

Bild 4.23 So oder ähnlich sieht ein Index-Print aus, der alle auf einer Speicherkarte vorhandenen Bilder zeigt. Anhand der Bildnummern können gezielt einzelne Fotos zum Druck ausgewählt werden.

4.4.6 Digitalkamera und Drucker miteinander verbinden

Bild 4.24 WLAN-Module zur drahtlosen Funkübertragung von Digitalfotos auf einen Computer richten sich zurzeit noch fast ausschließlich an den Profi. Diese Geräte, die als Zusatzmodul an die Kamera angeschlossen werden, sind sehr teuer. Zurzeit werden allerdings auch die ersten Kompaktkameras mit integrierter WLAN-Verbindung eingeführt. (Foto: Canon)

Digitalkamera oder Foto-Handy können mit oder ohne Kabel an einen Direktdrucker angeschlossen werden. Besitzen Kamera und Drucker einen USB-Anschluss – moderne Geräte unterstützen die schnelle USB-Version 2.0 –, kann man beide mit einem USB-Kabel verbinden. Auf dem Display der Kamera werden die Fotos ausgewählt, die vom Drucker ausgegeben werden sollen. Die Auswahl wird genauso vorgenommen, wenn beide Geräte einen drahtlosen Übertragungsstandard wie Infrarot (IrDa), Bluetooth oder WLAN (Wireless LAN – kabelloses Netzwerk) unterstützen.

Foto-Handys sind entweder mit Infrarot oder dem schnelleren Bluetooth ausgerüstet und können so mit Druckern, die in der Nähe sind, kommunizieren. Bei Infrarotverbindungen ist eine direkte Sichtverbindung zwischen Kamera oder Handy und Drucker erforderlich. Bluetooth überbrückt zwar auch Hindernisse, funktioniert aber nur im Umkreis von einigen Metern. Die kabellose Netzwerktechnologie WLAN lässt sich zurzeit nur mit einigen wenigen Profikameras nutzen, die dafür mit speziellen WLAN-Modulen ausgestattet werden. Im Amateurbereich der Digitalfotografie spielt WLAN bisher noch keine maßgebliche Rolle.

4.4.7 Fotoabzüge online aus dem Internet bestellen

Bequem wird die Fotobestellung, wenn Sie ein Labor beauftragen, dem Sie Ihre Fotos online übermitteln können. In aller Ruhe lassen sich die Fotos sichten und auswählen, sobald sie von der Kamera oder der Speicherkarte auf den Computer überspielt wurden. Falls nötig, können Sie noch Retuschen und Korrekturen mit der Bildbearbeitungssoftware vornehmen, die korrigierten Bilder speichern und erst dann ans Labor übermitteln. Aber Vorsicht! Haben Sie bei Ihrem Online-Dienst, über den Sie sich ins Internet einwählen, keine

Flatrate gebucht, bei der lediglich eine Monatspauschale für alle Internetverbindungen anfällt, entstehen zusätzliche Kosten. Ein Beispiel: Eine Bilddatei mit der Größe von 1 MByte (= 1024 KByte oder 8192 KBit) benötigt über eine herkömmliche Modemverbindung (Geschwindigkeit 56 KBit/sek) etwa zweieinhalb Minuten. Verschicken Sie bei dieser Geschwindigkeit beispielsweise 30 Bilder ähnlicher Größe, müssen Sie die Verbindung rund 75 Minuten aufrechterhalten. Bei einem Minutenpreis von 1,5 Cent fallen also zusätzlich zu den Kosten für die Bilder 1,13 Euro Verbindungsgebühren an. Je schneller Ihre Internetverbindung ist, desto geringer sind die Zusatzkosten beim Bestellen von Fotos.

Bild 4.25 Drogeriemärkte bieten auf ihren Internetseiten häufig einen Bilderservice an. Man kann mit einer speziellen Bestellsoftware, die zunächst installiert werden muss, bestellen. Die Fotodateien lassen sich auch direkt per Internet-Upload an das Labor schicken.

Die Daten können auf unterschiedliche Weise an ein Labor übermittelt werden. Einige Online-Labors bieten Ihnen beim Bestellvorgang ein Dialogfenster an, mit dem Sie Bilder auf Ihrer Festplatte auswählen können. Die so ausgewählten Bilder werden zum Schluss dann automatisch von Ihrem Computer auf die Rechner des Labors übertragen. Bei dieser Form der Bestellung sollten Ihre Fotos bereits optimiert und in der richtigen Größe gespeichert sein. Nachteil dieser Methode: Sie sind während des gesamten Auswahl- und Bestellvorgangs online, was unnötig Gebühren für die Internetverbindungkostet.

Bild 4.26 Bei einigen Online-Labors kann man mithilfe der Bestellsoftware die Aufträge auch auf CD-ROM brennen. Die CD wird per Post ans Labor geschickt. Günstiger als die Online-Bestellung muss dies nicht sein.

4.4.8 Offline bearbeiten und online bestellen

Viele Online-Labors bieten eigene Programme zur Bilderauswahl an, die heruntergeladen und installiert werden müssen. Sie können danach offline, also ohne eine permanente Verbindung zum Internet, Ihre Auswahl zusammenstellen. Sind Sie damit fertig und haben angegeben, welche Bilder Sie wie oft und in welcher Größe bestellen möchten, wird bei aktivierter Internetverbindung der Upload-Vorgang gestartet, und die ausgewählten Fotos werden zum Labor übertragen. Nur während dieses Upload-Prozesses, der je nach Menge und Größe der Bilder sowie der Übertragungsgeschwindigkeit einige Zeit in Anspruch nehmen kann, muss Ihr Computer mit dem Internet verbunden sein.

Die Arbeit mit einer speziellen, vom Labor kostenlos zur Verfügung gestellten Bestellsoftware hat einige Vorteile: Sie verschwenden keine Online-Gebühren, weil nur der eigentliche Bilder-Upload eine Verbindung zum Internet erfordert. Die Bestellprogramme komprimieren Ihre Bilder automatisch entsprechend der gewünschten Größe der Abzüge. Sie müssen sich also keine Gedanken um zu große Bilddateien machen, die einen unnötig langen Upload nach sich ziehen würden.

TIPP Wenn Sie Ihre Abzüge bei Bestellungen auf CD-ROM möglichst schnell brauchen, sollte jede CD-ROM immer nur Fotos einer Bildgröße enthalten. Gemischte Aufträge brauchen zum Teil doppelt so lang im Labor.

In die Bestellprogramme sind fast immer auch einfache Hilfsmittel eingebaut, mit denen sich die Bilder beschneiden, aufhellen, im Kontrast verstärken oder mit kleinen Effekten wie Rahmen versehen lassen. Auch automatische Korrekturen von Helligkeit, Farben und Kontrast sind meistens einstellbar, falls Sie die Korrekturen nicht selbst vornehmen wollen.

Die dritte Möglichkeit, seine Bilder ans Online-Labor zu übermitteln, ist der Versand per E-Mail. Sie schreiben an die E-Mail-Adresse des Labors eine Nachricht und hängen die gewünschten Bilddateien als Anhang an die Mail. Im Nachrichtentext vermerken Sie, welche Größe und Anzahl an Abzügen Sie wünschen. Dieser Weg ist nur sinnvoll, wenn Sie wenige Bilder benötigen. Größere Bestellungen mit vielen MByte großen Bildpaketen können vom E-Mail-Empfänger abgelehnt werden.

TIPP Das Angebot an Online-Bilderdiensten ist unüberschaubar, da jede Fachzeitschrift, jedes Fotostudio, jeder Elektronikfachmarkt und viele weitere Anbieter auf ihren Internetseiten die Möglichkeit zur Bildbestellung eingerichtet haben. Im Internet finden Sie unter *http://www.digitalkamera.de* eine hervorragende und stets aktualisierte Liste an Online-Fotolaboren bzw. Firmen, die solch einen Service im Programm haben. Die umfangreiche Liste ist nach Kriterien wie Lieferzeit oder Preis für die gewünschte Bildgröße sortierbar.

4.5 Tipps für hochwertige Fotodrucke

Haben Sie erst einmal begonnen, digital zu fotografieren, werden Sie besonders gelungene Bilder sicher auch ausdrucken wollen. Denn sie sind für unzählige Anlässe nutzbar und als perfekter Ausdruck in entsprechender Größe an der Wand viel schöner als auf dem Monitor. Da Sie vermutlich neben Ihrem Computer auch einen Drucker besitzen, sollten Sie sich im Drucker-Handbuch informieren, ob er für wirklich hochwertige Fotoausdrucke geeignet ist. Wenn Sie wissen, ob und wie Sie mit Ihrem Drucker, der geeigneten Tinte und dem richtigen Papier tolle Fotos ausdrucken, können Sie sich so manche Bestellung im Labor oder beim Fachhändler ersparen. Denn ein Ausdruck mit einem für den Fotodruck geeigneten Tintenstrahldrucker auf entsprechendem Spezialpapier ist ebenso gut wie ein Abzug aus dem Labor.

Bild 4.27 Hier sieht man den mit vier einzelnen Tintenpatronen bestückten Druckkopf eines einfachen Office-Druckers. Hochwertige Fotodrucker können bis zu acht Druckfarben haben.

Bild 4.28 Der Fotoausdruck auf einem hochwertigen Office-Drucker kommt schon recht nah an den Laborprint heran. Die Bilder links zeigen die Scans von Laborprints. Die Bilder rechts sind Ausdrucke mit einem Vierfarbtintenstrahldrucker auf Fotopapier. Die Struktur eines Laborprints ist, wie man in der Ausschnittvergrößerung sieht, etwas feiner und die Farben sind ein wenig satter.

Je nach Ausstattung haben Tintenstrahldrucker vier bis acht Druckfarben – je mehr, desto besser für den Fotodruck. Dadurch wird die Anzahl druckbarer Farbabstufungen erweitert. Allerdings steigen mit höherer Qualität auch der Anschaffungspreis für den Drucker und die Kosten für Tinte und Papier.

Bild 4.29 Wenn es für Ihren Drucker Tinte alternativer Hersteller gibt, können Sie sich damit einige EURO sparen. Achten Sie allerdings auf die Hinweise des Druckerherstellers zum Thema Garantie.

4.5.1   Auf das richtige Papier kommt es an

Fotorealistische Ausdrucke mit einem Tintenstrahldrucker sind nur auf speziellem Papier möglich. Bei den Oberflächen von normalem Kopier- oder Briefpapier fließen die Farben ins Papier ein und verschwimmen. Spezielles Fotopapier dagegen nimmt die aus dem Druckkopf des Druckers herausspritzende Farbe so auf, dass einzelne Tintentröpfchen nicht ineinander fließen.

Hersteller von Druckern weisen darauf hin, dass es gerade die perfekte Abstimmung von Drucker, Tinte und Papier ist, welche die Preise für Verbrauchsmaterialien in die Höhe treibt. Allerdings ist diese Abstimmung für den Ausdruck von Fotos in bester Qualität auch nötig, wie Fachzeitschriften, die verschiedene Papiere, Drucker und Tinten miteinander testen, immer wieder berichten. Zwar halten auch die Tinten und Papiere von Fremdherstellern oft mit der Qualität der Originalmaterialien mit. Für den Laien ist es jedoch fast unmöglich herauszufinden, welcher Drucker mit welcher Tinte und welchem Papier die besten Ergebnisse bringt.

Falls Sie keine Lust auf teure Experimente haben, kaufen Sie also die Tinte und das Papier, welche der Hersteller Ihres Druckers empfiehlt. Damit erzielen Sie in den meisten Fällen die bestmöglichen Ergebnisse beim Fotodruck. Wenn Sie Ihren Drucker allerdings in erster Linie für Briefe und Grafiken, nur gelegentlich aber für Fotos nutzen, probieren Sie ruhig alternative Tinten und Papiere aus. Sie können so eine Menge Geld sparen.

TIPP   Papier ausprobieren

Manche Hersteller von Druckerpapier verschicken auf Wunsch Testpackungen mit verschiedenen Papieren. Probieren Sie am besten einige Papiere aus, bevor Sie ein bestimmtes kaufen und gleich eine größere Summe Geld dafür ausgeben.

TIPP **Auf die Seite kommt es an**

Viele hochwertige Papiere für den Fotodruck haben zwei unterschiedliche Seiten. Nur eine jedoch ist für die Fotowiedergabe optimiert. Prüfen Sie daher immer, welche Seite bedruckt werden muss. Außerdem nennen die Hersteller auf der Rückseite der Papierpackungen alle wichtigen Parameter, die zur Druckereinstellung sinnvoll sind. Diese sollten Sie auch verwenden. Dafür werden Sie mit qualitativ hochwertigen Fotodrucken entschädigt, die in einem Bilderrahmen kaum von Laborprints zu unterscheiden sind.

4.5.2 Fotos im Anschnitt ohne weißen Rand drucken

Fotos aus dem Labor werden – wenn man nicht extra darauf besteht – in der Regel ohne weißen Rand abgezogen. Mit immer mehr Tintenstrahldruckern lassen sich heute ebenfalls randlose Fotos produzieren. Sie müssen dazu den Druckertreiber entsprechend einstellen, also das Computerprogramm, welches den Drucker ansteuert und ihm sagt, was und wie er zu drucken hat.

Wenn Sie aus einem Programm wie PhotoImpact heraus ein Foto zum Ausdruck abschicken (Befehl *Datei/Drucken*), erscheint das Dialogfenster Drucken.

Klicken Sie mit der linken Maustaste auf die Schaltfläche *Drucker* und im nun erscheinenden Dialogfenster *Druckeinrichtung* auf *Eigenschaften*. Das Dialogfenster des Druckertreibers öffnet sich.

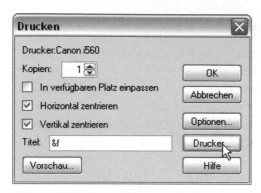

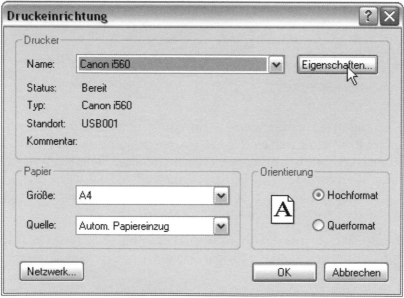

Das Dialogfenster sieht bei jedem Druckertyp anders aus. Bei dem hier abgebildeten Dialogfenster lässt sich im Register *Seite einrichten* festlegen, ob das Motiv randlos gedruckt werden soll. Nähere Informationen dazu finden Sie in Ihrem Drucker-Handbuch.

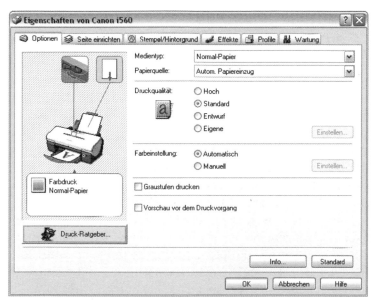

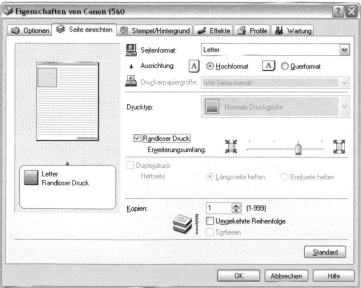

4.5.3 Farbräume verschiedener Geräte aufeinander abstimmen

Der Sensor einer Digitalkamera sieht, einfach ausgedrückt, nur die Farben Rot, Grün und Blau und setzt jedes Motiv aus diesen drei Grundfarben zusammen. Jede andere Farbe wird von der Kamerasoftware durch Mischung erzeugt. Im Prinzip funktioniert die Farbdarstellung auf einem Monitor ebenso. Auch hier werden Rot, Grün und Blau gemischt, sodass das gesamte Farbspektrum erzeugt werden kann. Allerdings kann jedes Gerät, das in irgendeiner Form mit digitalen Bilddaten arbeitet (Scanner, Digitalkamera, Monitor, Drucker), nur einen begrenzten Bereich aller sichtbaren Farben erfassen bzw. erzeugen. So haben beispielsweise einfache Tintenstrahldrucker meist große Probleme, wenn es um sehr sattes Rot, Grün und Blau geht. Dieses individuell darstellbare und damit vom jeweiligen Gerät abhängige Farbspektrum nennt man **Farbraum**.

HINWEIS **Farbraum**

Bezeichnet das Spektrum der Farben, mit dem ein Gerät zur Bilddarstellung oder -erfassung umgehen kann. Die Farbräume z. B. von Druckern oder Digitalkameras sind immer mehr oder weniger eingeschränkt. Nicht das gesamte sichtbare Farbspektrum ist darstellbar. Farbräume werden unterschiedlich bezeichnet. Der Name des Quasi-Standards bei Windows-Computern und Digitalfotos lautet sRGB-Farbraum (siehe unten). Dieser Farbraum ist ein kleinster gemeinsamer Nenner, der die konsistente Farbdarstellung von der Kamera über den Monitor bis zum Drucker garantieren soll.

Das Problem in der Praxis ist, die zum Teil deutlich unterschiedlichen Farbräume verschiedener Geräte aufeinander abzustimmen. Beispielsweise ist der Farbraum einer Digitalkamera deutlich größer als der Farbraum, der im professionellen Vierfarbdruck, bei dem mit den Druckfarben Cyan, Magenta, Gelb und Schwarz (**CMYK**) gedruckt wird, erzeugt werden kann. Auch die Farbräume von Tintenstrahldruckern sind relativ beschränkt. Deshalb statten die Hersteller spezielle Fotodrucker mit zusätzlichen Druckfarben (zusätzlich zu Cyan, Magenta, Gelb und Schwarz beispielsweise Hell-Cyan, Hell-Magenta, Rot, Grün) aus. Dadurch werden die Farbräume erweitert.

HINWEIS   **CMYK**

Steht für **C**yan (Blau), **M**agenta (Rot), **Y**ellow (Gelb) und **K**ey (Schlüsselfarbe) bzw. Kontrast (Schwarz). Das CMYK-Druckverfahren beruht auf dem subtraktiven Farbmodell. Die Darstellung von Farben mit den drei Farben Rot, Grün und Blau bezeichnet man als additives Verfahren .

Vermutlich haben Sie selbst schon festgestellt, dass die Farben eines Fotos auf dem Computermonitor von den Farben in Ihrer Erinnerung und auch von den Farben, die Ihr Drucker produziert, mehr oder weniger deutlich abweichen. Wegen des Problems unterschiedlicher Farbräume von Kamera, Monitor und Drucker wurde das so genannte Farbmanagement entwickelt.

HINWEIS **Additives Farbmodell**

Wenn die drei Wellenlängen des Lichts für Rot, Grün und Blau (RGB) überlagert (addiert) werden, können theoretisch damit sämtliche natürlichen Farben simuliert werden. Computermonitore, Kameradisplays und Fernseher arbeiten nach dieser Methode und verändern dazu die Leuchtkraft von eng beieinander liegenden Leuchtpunkten für die drei Grundfarben. Wird ein Punkt mit einer Kombination aus jeweils 100% Rot, Grün und Blau angestrahlt, ist er im additiven Farbmodell weiß. Umgekehrt ist der Punkt schwarz, wenn die Farbanteile jeweils 0% betragen.

Subtraktives Farbmodell

Wird aus weißem Licht eine der drei Farben Rot, Grün oder Blau komplett entfernt, entsteht dabei entweder Cyan (Rot zu 100% absorbiert), Magenta (Grün zu 100% absorbiert) oder Gelb (Blau zu 100% absorbiert). Diese Farben werden als subtraktive Primärfarben bezeichnet und bilden die Grundlage für den Vierfarbdruck.

4.5.4 Exakte Farbreproduktion nur im professionellen Druck

Um es deutlich zu sagen: Die absolut identische Farbdarstellung von Kamera, Monitor und Drucker ist mit normalen Mitteln nicht zu erreichen. Professionelle Druckereien betreiben einen hohen technischen und finanziellen Aufwand, um Farbaufnahmen von Produkten exakt für den Druck in Büchern, Zeitschriften etc. zu reproduzieren.

Dieser Aufwand ist für den Amateur und in den meisten Fällen auch für kleine Fotostudios nicht zu leisten. Sie sollten sich daher darauf einstellen, dass die Farben sowohl auf Ausdrucken mit Ihrem Tintenstrahl- oder Thermosublimationsdrucker als auch bei Laborabzügen nie absolut naturgetreu wiedergegeben werden können. Wenn Sie jedoch nachfolgende Ratschläge und Informationen beachten, halten sich die Abweichungen im Rahmen. Wichtig ist vor allem die korrekte Einstellung Ihres Monitors sowie Ihrer Digitalkamera.

4.5.5 Farbmanagement, Farbrechner und Farbprofile

Das Farbmanagement stützt sich in erster Linie auf zwei Dinge: den Farbrechner und die Farbprofile. Der Farbrechner ist ein automatisch mit dem Betriebssystem laufendes Programm, das sich um das Farbmanagement kümmert. In der Windows-Welt heißt dieses Programm ICM, auf Apple-Computern ColorSync. Um den Farbrechner müssen Sie sich in der Praxis nicht kümmern.

Wichtiger ist der Begriff des *Farbprofils*. Für jedes Bilder verarbeitende Gerät kann ein Farbprofil angelegt werden, das dem Farbrechner mitteilt, welchen Farbraum das Gerät zu verarbeiten in der Lage ist. Ein Beispiel: Eine Digitalkamera hat das vom Hersteller zugewiesene Farbprofil A, der Monitor das Farbprofil B und der Drucker das Farbprofil C. Aufgabe des Farbmanagements ist es, diese Farbprofile miteinander zu vergleichen und so aufeinander abzustimmen, dass der Monitor die gleichen Farben zeigt wie ein Ausdruck.

In der Windows-Welt hat sich inzwischen ein Farbraum als kleinster gemeinsamer Nenner als Quasi-Standard durchgesetzt. Er kann von allen Digitalkameras, Monitoren und Druckern gleichermaßen dargestellt werden: der **sRGB-Farbraum**. Sie sollten Ihre Digitalkamera möglichst auf diesen Farbraum einstellen. Ist die Auswahl des Farbraums in den Einstellmenüs der Kamera nicht vorgesehen, arbeitet das Gerät normalerweise automatisch mit sRGB. Jedes Foto, das Sie mit der Kamera schießen, wird dann in den Farben des sRGB-Farbraums gespeichert, wobei das dazugehörige Farbprofil mit in die Datei eingefügt wird. Sie bekommen davon im fotografischen Alltag normalerweise nichts mit, da der Umgang mit in Dateien eingebetteten Farbprofilen automatisch von Programmen zur Bildbearbeitung oder zum Drucken geregelt wird. Wird das Foto auf einem Windows-Computer geöffnet, erkennt der Farbrechner automatisch das Farbprofil und weiß, welchen Farbumfang das Foto hat.

HINWEIS   **sRGB-Farbraum**

Bezeichnung für einen Farbraum, der von den meisten Bilder verarbeitenden Geräten in der Computerwelt unterstützt wird. Er definiert ein Spektrum an erfassbaren bzw. darstellbaren Farben, das diese Geräte zu verarbeiten in der Lage sind. Alle modernen Digitalkameras und Drucker können den sRGB-Farbraum abbilden.

TIPP   **Tipps zum Kauf eines Tintenstrahldruckers**

Drucken Sie nur ab und zu ein Foto aus, genügt ein Tintenstrahldrucker mit den vier Druckfarben Cyan, Magenta, Gelb und Schwarz. Solche Drucker sind auch für den Büroalltag geeignet. Für höhere Ansprüche an den Fotoausdruck sollte der Tintenstrahler mit sechs oder mehr Farben drucken. Achten Sie darauf, dass sich die Farben in einzeln austauschbaren Tintentanks befinden. Ältere Modelle verwenden Tintenpatronen, in denen sämtliche Druckfarben außer Schwarz untergebracht sind. Ist eine Farbe leer, muss die gesamte Patrone ausgetauscht werden, und die übrigen Farben sind verloren.

4.5.6 Damit der Monitor die Farben korrekt anzeigt

Haben Sie Ihre Digitalkamera soweit möglich auf den sRGB-Farbraum eingestellt und werden die Fotos von der Digitalkamera beim Speichern mit einem entsprechenden Farbprofil versehen, müssen Sie noch dafür sorgen, dass Ihr Monitor die Farben korrekt anzeigt. Der Windows-Farbrechner, der das Farbmanagement automatisch übernimmt, benötigt Informationen über den Monitorfarbraum in Form eines speziellen Monitorfarbprofils.

Viele Monitore werden mit einer Software ausgeliefert, mit deren Hilfe man selbst ein Monitorprofil erstellen kann. Sehen Sie für weitere Informationen dazu im Handbuch Ihres Monitors nach. Bedenken Sie aber, dass eine so genannte Kalibrierung (Erzeugung eines Farbprofils) weitgehend identische Umgebungsbedingungen voraussetzt, also Raumhelligkeit oder Umgebungslicht etc. nicht schwanken dürfen. Liegt dem Monitor kein Programm zur Kalibrierung bei, legen Sie aber Wert darauf, dass die Farbdarstellung zwischen Digitalkamera, Monitor und Drucker möglichst konstant ist, sollten Sie über die Anschaffung eines Geräts zum Kalibrieren des Monitors nachdenken.

Diese Geräte (Sensoren) – Anschaffungskosten rund 100 Euro – werden am Monitor angebracht und vermessen die von einem beigelegten Programm erzeugten Farben. Die Farbwerte der erzeugten und tatsächlich gezeigten Farben werden miteinander verglichen. Aus den Differenzen wird ein individuelles Monitorfarbprofil angelegt. Das neue Farbprofil wird nach Abschluss des Kalibriervorgangs gespeichert und auf Wunsch automatisch aktiviert, sodass der Windows-Farbrechner darauf zugreifen kann. Er kann nun die Farbprofile von Digitalfoto (sRGB), Monitor, und Drucker miteinander vergleichen und Unterschiede ausgleichen.

Bild 4.30 Das Gerät zum Kalibrieren wird vor den Monitor gehängt, die Software macht den Rest. Die Kalibrierung dauert rund zehn Minuten und sollte einmal im Monat wiederholt werden, weil sich die Farbdarstellung von Monitoren mit der Zeit verändert.

4.5.7 Farbverwaltung mit PhotoImpact

Um auch bei der Arbeit mit PhotoImpact auf die Funktionen des Farbmanagements zurückgreifen zu können, müssen Sie die Farbverwaltung des Programms zunächst einschalten. Die Farbverwaltung ist nur dann sinnvoll, wenn für Ihren Monitor ein Farbprofil vorhanden ist. Dieses Profil kann entweder bei der Installation des Monitors bzw. seiner Software angelegt worden sein – sehen Sie im Handbuch nach, ob bei der Installation ein Farbprofil angelegt wurde –, oder Sie haben wie zuvor beschrieben den Monitor kalibriert und ein individuelles Farbprofil erstellt. Ohne Monitorfarbprofil fehlt der Farbverwaltung von PhotoImpact die Information darüber, welche Farben der Monitor darstellen kann.

Aktivieren Sie über das Menü *Datei/Voreinstellungen* den Befehl *Farbverwaltung*.

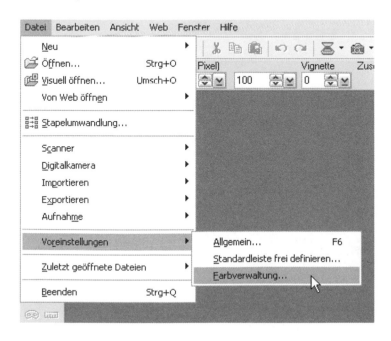

Markieren Sie im Dialogfenster das Kontrollkästchen *Farbverwaltung aktivieren* mit einem Klick der linken Maustaste. Die Option *Grundlegende Farbverwaltung* ist dann bereits aktiv und muss nicht verändert werden.

Im Ausklappmenü *Monitorprofile* werden die auf dem Computer gefundenen Profile für Ihren Monitor aufgelistet. In der Regel sollte hier nur ein Profil vorhanden sein. Das Beispielbild zeigt zwei Profile – eines, das bei der Installation des Displays angelegt wurde (*sm770tft*), und eines, das mit einem speziellen Messgerät individuell angefertigt wurde (*ColorPlus Profil*).

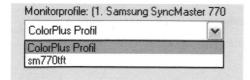

Bild 4.31 Wird in diesem Menü kein Farbprofil für den Monitor angezeigt, ist die Farbverwaltung in PhotoImpact nicht nutzbar. Sehen Sie im Handbuch Ihres Monitors nach, ob und wie ein Monitorfarbprofil angelegt werden kann. Die Alternative: Sie verwenden ein Gerät zur Kalibrierung des Monitors und erstellen ein individuelles Farbprofil.

Im Ausklappmenü *Druckerprofil* werden die Profile angezeigt, die bei der Installation der Druckersoftware (im abgebildeten Beispiel für den Tintenstrahldrucker Canon i560) auf den Computer kopiert wurden. Jedes dieser Profile bezieht sich auf eine andere Papiersorte. Sie müssen also in Ihrem Drucker-Handbuch nachsehen, welches Profil für das von Ihnen verwendete Papier geeignet ist. Dieses Profil wird im Menü ausgewählt. Falls Sie keines der Papiere verwenden, für das der Druckerhersteller seine Profile mitgeliefert hat, verändern Sie die Einstellung nicht.

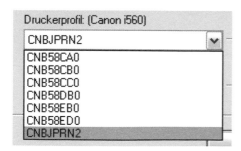

Für den Ausdruck von Fotos sollten Sie im Ausklappmenü *Wiedergabepriorität* den Eintrag *Bilder* anwählen. Mit den hier gezeigten Einstellungen ist das grundlegende Farbmanagement in PhotoImpact aktiviert.

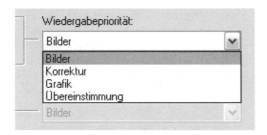

TIPP **Spezielle Farbprofile für Papier**

Die Anbieter von hochwertigem Fotopapier liefern zu ihren Papieren oft auch spezielle Farbprofile mit. Diese Farbprofile bestimmen, welcher Farbumfang auf dem Papier druckbar ist. Erkundigen Sie sich am besten auf den Internetseiten der bekannten Papieranbieter, ob es solche Profile von ihnen gibt. Die Verwendung ist dann ganz einfach und wird in der Regel in Hilfedateien, die den Profilen beiliegen, erklärt.

Kapitel 5 Inhalt

5 Fototipps für zu Hause und unterwegs

Manchmal braucht man gar keine ellenlange Abhandlung über ein bestimmtes Fotothema – man möchte nur mal schnell irgendwo nachlesen, wie man eine Situation am besten mit der Kamera meistert. Denn oft sind es lediglich kleine Tricks und Kniffe, die den Unterschied zwischen einem 08/15-Bild und einer gelungenen Aufnahme ausmachen. Und eben solche Tipps und Tricks finden Sie im folgenden Kapitel.

5.1   Makroaufnahmen

Fast nichts kann man so leicht in den Sand setzen wie ein schönes Makromotiv. Entweder stimmt der Schärfepunkt nicht, oder man verwackelt, oft ist die vorhandene Beleuchtung langweilig oder entspricht einfach nicht der Stimmung, die man mit seiner Aufnahme erzeugen möchte. Hier die Tipps, die Ihre Makromotive, von der Blüte über Insekten bis zu winzigen Strukturen, retten können:

1 Manuell fokussieren

Technisch bedingt ist die Schärfentiefe, also der Bereich vor und hinter dem fokussierten Punkt (Blickfang), bei Makroaufnahmen extrem klein. Wenn also der Punkt, auf den scharf gestellt werden soll, nicht hundertprozentig erwischt wird, ist der Blickfang schnell unscharf. Arbeiten Sie deshalb bei Makroaufnahmen nie mit dem Autofokus! Egal welche Kamera Sie auch nutzen – ein Umstellen auf manuelle Fokussierung sollte immer möglich sein, um den Schärfepunkt exakt zu treffen.

2   Kleine Blenden

Ganz wichtig für maximale Schärfentiefe: Arbeiten Sie mit kleinen Blenden von z. B. f11 oder f16. Dadurch wird der scharf wiedergegebene Bereich maximal ausgedehnt. Zwar bedeuten kleine Blenden auch eine Verlängerung der für korrekte Belichtungen nötigen Verschlusszeiten; da man Makrofotos aber ohnehin am besten mithilfe eines Stativs macht (siehe Tipp 4), spielt das nur eine untergeordnete Rolle.

3   Aufheller verwenden

Sehen Sie sich Ihr Makromotiv vor dem Fotografieren ganz genau an und analysieren Sie Lichteinfall und Schatten. Von wo kommt das Licht? Wie stark sind die Schatten ausgeprägt? Liegen manche Bereiche so sehr im Dunkeln, dass man auf den Fotos voraussichtlich keine Details mehr erkennen kann? Um das Licht besser – und kostengünstig – zu steuern, können Sie mit Aufhellern arbeiten. Das können weiße, silberne oder goldene Reflektoren aus dem Fachhandel sein, man kann sich aber auch mit einem Stück Styropor helfen oder einem Karton, der mit Alufolie beklebt wird. Platzieren Sie den Aufheller in jedem Fall gegenüber der Lichtquelle (Lampe, Sonne, Blitzlicht), um das Licht in die Schattenbereiche des Makromotivs zu reflektieren.

4   Stativ und Fernauslöser verwenden

Wegen der kurzen Entfernung zum Motiv ist die Makrofotografie sehr anfällig für Verwacklungen. Daher ist ein Stativ die wichtigste Grundvoraussetzung für gelungene Bilder. Achten Sie beim Kauf eines Stativs auf einfache Verstellmöglichkeiten, um die Kamera gut justieren zu können. Spezialisten verwenden zusätzlich Makroeinstellschlitten, um die Entfernung von Kamera zu Motiv millimetergenau festlegen zu können. Das beste Stativ nützt allerdings nichts, wenn Sie die Kamera beim Auslösen anfassen und dadurch verwackeln. Deshalb sollten Sie immer mit Fernauslöser (Infrarot, Funk, Kabel) arbeiten, damit die Kamera wirklich absolut erschütterungsfrei arbeiten kann.

5 Maximale Bildqualität einstellen

Gerade Makrofotos leben von der Bildqualität. Bildrauschen und Artefakte durch kräftige JPG-Komprimierung fallen sofort auf und verderben die Bilder. Stellen Sie deshalb an Ihrer Kamera auf jeden Fall die beste Bildqualität ein. Wie das geht, steht im Handbuch. Wer sich schon mit den tollen Möglichkeiten des RAW-Formats beschäftigt hat, sollte anstatt JPG- lieber RAW-Bilder schießen. Hiermit kitzelt man, wenn man sich auskennt, noch das letzte Quäntchen an Qualität aus den Daten heraus.

6 Niedrigen ISO-Wert verwenden

Noch ein Tipp für bessere Bildqualität: Arbeiten Sie immer mit dem niedrigsten ISO-Wert, den Ihre Kamera zu bieten hat. In der Regel sind das ISO 100 oder ISO 200. Denn mit höherem ISO-Wert (höherer Empfindlichkeit) steigt auch das gerade in der Makrofotografie äußerst störende Bildrauschen an. Vor allem in Schattenpartien wimmelt es mit z. B. ISO 800 dermaßen, dass auch die aufwendigste Bildretusche nicht mehr helfen kann.

AUFNAHMEDATEN	
Brennweite	200 mm
Belichtung	1/250 sek
Blende	f9
	Stativ

Bild 5.1   Man kann auch ohne spezielles Makroobjektiv oder Makrozube-
hör schöne Nahaufnahmen machen. Hier wurde ein normales
Zoomobjektiv (70–200 mm) an einer digitalen Spiegelreflexkamera verwendet.

AUFNAHMEDATEN	
Brennweite	70 mm
Belichtung	1/180 sek
Blende	f22
Blitz	Zusatzblitz
	Zwischenringe
	Stativ

Bild 5.2 Hier wurde ein Zusatzblitz per Kabel an die Kamera angeschlossen. Der Blitz war seitlich oben links positioniert. Der schwarze Hintergrund entstand durch einen unbeleuchteten Kelleraufgang.

AUFNAHMEDATEN	
Brennweite	135 mm
Belichtung	1/180 sek
Blende	f5,6
Blitz	Studioblitz
	Zwischenringe
	Stativ

Bild 5.3   Interessante Strukturen finden sich fast überall. Diese vertrockne-
te Rose sollte eigentlich in den Müll wandern.

AUFNAHMEDATEN	
Brennweite	50-mm-Makroobjektiv
Belichtung	1/180 sek
Blende	f16
Blitz	Kamerablitz
	Stativ

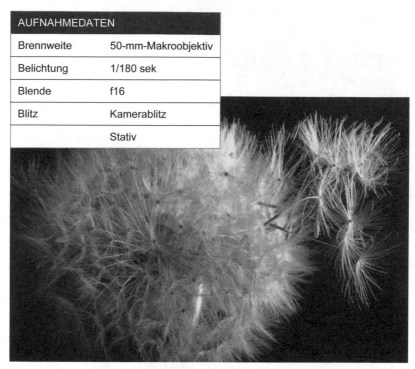

Bild 5.4   Für diese Makroaufnahme und die extrem vergrößerte Darstellung war ein spezielles Makroobjektiv nötig.

5.2   Porträts

Porträts sind fast immer eine anspruchsvolle Aufgabe. Denn einfach mal eben einen Menschen anvisieren und drauflosknipsen bringt in den meisten Fällen nichts. Schnappschüsse sind nur selten gute Porträts. Möchten Sie also einen Menschen porträtieren, sollten Sie und der/die Porträtierte sich vorher ein paar Gedanken machen und die nachfolgenden Tipps beherzigen.

1 Große Blenden für unscharfen Hintergrund

Um nicht vom Gesicht des Porträtierten abzulenken, ist es üblicherweise angebracht, den Hintergrund aus der Wahrnehmung des Betrachters so weit wie möglich auszuschließen. Das klappt auf verschiedene Weise. Man kann den Porträtierten vor einen einfarbigen Hintergrund wie in einem Studio stellen oder – für Porträts mitten im Leben – die Blende an der Kamera so groß wählen (z. B. f2,8 oder f4), dass der Hintergrund in Unschärfe verschwimmt. Denn wie immer gilt: Je größer die Blendenöffnung, desto kleiner die Schärfentiefe. Es wird also nur das Gesicht scharf abgebildet, und der Hintergrund wird unscharf.

2 Weg vom Hintergrund

Noch ein Tipp für einen unaufdringlichen Hintergrund. Platzieren Sie das Fotomodell so weit wie möglich vom Hintergrund entfernt. Das hilft dabei, den Hintergrund in Unschärfe verschwimmen zu lassen.

3 Telebrennweiten einsetzen

Und ein weiterer Tipp für kurze Schärfentiefe: Setzen Sie mittlere bis lange Brennweiten zwischen ca. 85 und 135 mm ein. Erstens wird dadurch die Schärfentiefe begrenzt (siehe oben), zweitens sorgt die leichte Telebrennweite für eine geringe Verdichtung der Perspektive. Das bedeutet, dass die Gesichtsproportionen viel vorteilhafter wiedergegeben werden als bei zu kurzen Brennweiten. Probieren Sie es aus und fotografieren Sie sich mal selbst mit Weitwinkel. Solche Bilder wirken immer ziemlich lächerlich.

4 Wenn möglich mit Blitz

Sonne bedeutet Leben. Licht bedeutet Leben. Banal, nicht wahr? Aber leider wird diese banale Weisheit in der (Porträt-)Fotografie immer wieder gern ignoriert. Sobald in den Augen einer porträtierten Person (oder eines Tieres!) ein kleiner Lichtfleck zu sehen ist, wirken die Augen und damit das gesamte Gesicht viel lebendiger und aufgeschlossener. So ein Lichtfleck kann durch die Sonne oder den hellen Himmel erzeugt werden, wenn Sie jedoch im Trüben bzw. in dunkler Umgebung fotografieren, sollten Sie den Kamerablitz einsetzen. Aber Achtung! Reduzieren Sie mithilfe der Blitzleistungskorrektur (siehe Kamerahandbuch) die Lichtleistung um bis zu zwei Stufen, damit das Blitzlicht nicht die natürliche Lichtstimmung überstrahlt.

5 Blitz für leuchtende Farben

Und noch einen Vorteil kann das Blitzlicht haben: Farben werden satter, je mehr Licht sie abbekommen. Vor allem an grauen Tagen mit bewölktem Himmel bringt ein wenig Blitzlicht (reduzierte Blitzleistung – siehe Tipp 4) die Farben zum Leuchten. Man nennt diese Technik des dezenten Blitzeinsatzes übrigens Aufhellblitzen.

6 Auch mal höhere ISO-Werte probieren

Haben Sie sich schon mal gute Schwarz-Weiß-Porträts angesehen und ist Ihnen dabei die teilweise grobe Körnung der Abzüge aufgefallen? Früher wurden stimmungsvolle Schwarz-Weiß-Aufnahmen häufig mit grobkörnigem, hochempfindlichem Schwarz-Weiß-Film gemacht. Diese besondere Stimmung lässt sich auch in der Digitalfotografie in gewissem Rahmen erzeugen, indem Sie die Empfindlichkeit (ISO) etwas heraufsetzen und z. B. mit ISO 400 oder 800 arbeiten. Ein zusätzlicher Vorteil: Durch die hohe Empfindlichkeit werden die Verschlusszeiten kürzer, und Sie können auch ohne Stativ aus der Hand fotografieren, ohne zu verwackeln.

7 Perspektiven wechseln

Die Perspektive macht's. Ob Sie jemanden von oben, von vorn oder von unten fotografieren – die Wirkung kann dramatisch anders sein. Im Bereich der Porträtfotografie geht man allerdings selten in extreme Frosch- oder Vogelperspektiven. Hier geht es vielmehr darum, die Perspektive ganz subtil zu nutzen. Ein leicht erhöhter Kamerastandpunkt zeigt einen Menschen eher schwach und zerbrechlich, steht die Kamera dagegen etwas unterhalb der Augenhöhe des Porträtierten, kann der Eindruck von Stärke, Überlegenheit und sogar Überheblichkeit entstehen.

AUFNAHMEDATEN	
Brennweite	45 mm
Belichtung	1/250 sek
Blende	f5,6
Blitz	Studioblitz
Weißabgleich	Kunstlicht

Bild 5.5 Bei diesem Porträt wurden vor allem zwei Dinge beachtet: der hohe Kamerastandpunkt und der eigentlich falsche Weißabgleich, der zu einem kräftigen Blaustich geführt hat.

AUFNAHMEDATEN	
Brennweite	35 mm
Belichtung	1/250 sek
Blende	f11
Blitz	Studioblitz mit Softbox

Bild 5.6 Wer ein wenig fit in der Bildbearbeitung ist, kann solche Effekte wie hier (Bewegungsunschärfe, Weichzeichner) relativ schnell und einfach selbst herstellen. Die Kunst besteht darin, es nicht zu übertreiben.

AUFNAHMEDATEN	
Brennweite	100 mm
Belichtung	1/350 sek
Blende	f4

Bild 5.7   Wichtig bei Spontanporträts wie hier im Fasching: Stellen Sie eine große Blendenöffnung ein. Dadurch werden die Verschlusszeiten kürzer (kein Verwackeln), und der Hintergrund verschwimmt in Unschärfe.

5.3 Kinderfotos

Das Lieblingsmotiv junger Eltern und von Oma und Opa: Kinder respektive Enkelkinder. Kinder »schön« zu inszenieren bedeutet meistens: Blick in die Kamera, leicht erhöhter Kamerastandpunkt, weiches Licht, vielleicht ein Haustier im Arm, Kind beim Schlafen. Das sollte eigentlich kein Problem sein – wenn man ein paar Tipps beherzigt.

1 Sportprogramm für schnelle Bewegungen

Wenn Sie Kinder beim Toben fotografieren möchten, sollten Sie an der Kamera das Programm für Sportaufnahmen einstellen. Dann wählt die Kamera eine möglichst kurze Verschlusszeit, damit die Bewegungen eingefroren werden. Trotzdem sollten Sie bei bewegten Fotos auf jeden Fall zusätzlich auf viel Umgebungslicht achten.

2 Perspektiven ausprobieren

Babys fotografiert man nicht einfach von oben. Das wäre langweilig, weil diese Perspektive die übliche eines Erwachsenen ist. Gehen Sie lieber auf Augenhöhe mit dem kleinen Fratz, um eine nicht alltägliche Sichtweise zu dokumentieren.

3 Blick in die Kamera

Wenn Sie Porträts machen, bewegen Sie die Kinder dazu, in die Kamera zu sehen. Das schafft Vertrautheit und Nähe. Ein leicht erhöhter Kamerastandpunkt sorgt dafür, dass das Kind – je nach Blick – sanft, zerbrechlich, vielleicht auch frech und lustig wirkt.

4 Kuscheln für die Stimmung

Hat Ihr Kind ein Lieblingskuscheltier? Lassen Sie es das Plüschtier in den Arm nehmen. Jede Oma sieht es gern, wenn ein Kind etwas in den Armen hält, weil das den Eindruck vermittelt, das Kind wolle den Betrachter in den Arm nehmen.

5 Kinder neugierig machen

Wenn Ihr Kind Angst vor der Kamera hat, können Sie es eventuell mit Neugierde versuchen. Machen Sie ein paar ungezwungene und vielleicht sogar unbemerkte Schnappschüsse vom Kind und zeigen Sie ihm oder ihr die Fotos sofort auf dem Display der Kamera. Manche Kinder lassen sich so schnell für das Fotografieren begeistern.

6 Keine harten Lichtquellen

Üblicherweise sollten Sie Kinder in weichem Licht fotografieren; verwenden Sie also keine harten Lichtquellen wie Strahler oder die Mittagssonne, weil dadurch harte Schatten entstehen. Besser ist indirektes Licht oder das diffuse Sonnenlicht an der Nordseite eines Gebäudes.

7 Weichzeichner für harmonische Stimmung

Sind Sie fit in der Bildbearbeitung? Dann können Sie am Computer Ihre Kinderfotos vielleicht mit Weichzeichnereffekt versehen. Entsprechende Filter gibt es im Internet. Suchen Sie einfach nach »Weichzeichner« und dem Namen Ihres Bildbearbeitungsprogramms.

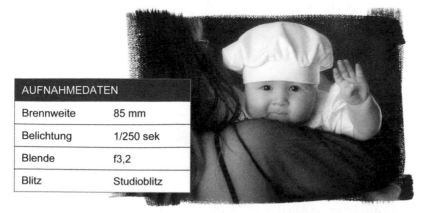

AUFNAHMEDATEN	
Brennweite	85 mm
Belichtung	1/250 sek
Blende	f3,2
Blitz	Studioblitz

Bild 5.8 Hier heißt es schnell zu reagieren. Achten Sie beim Fotografieren von Säuglingen und Kleinkindern auf spontane Gemütsregungen und Bewegungen.

AUFNAHMEDATEN	
Brennweite	200 mm
Belichtung	1/640 sek
Blende	f2,8
ISO	200

Bild 5.9   Kinder und Tiere – die ideale Kombination.

AUFNAHMEDATEN	
Brennweite	90 mm
Belichtung	1/250 sek
Blende	f2,8
ISO	640

Bild 5.10 Kinder in Aktion sind immer tolle Motive. Dieses Bild wird auch in 20 Jahren noch ein Hingucker sein, weil es eine Geschichte erzählt.

AUFNAHMEDATEN	
Brennweite	90 mm
Belichtung	1/320 sek
Blende	f5

Bild 5.11 Rennende Kinder fotografiert man am besten mit dem Aufnahmeprogramm für Sportfotos.

5.4 Blitzen

Beim Blitzen kann man viel falsch machen. Aber auch viel richtig. Falsch, oder zumindest unschön, wäre es, wenn Sie z. B. für ein stimmungsvolles Porträt den Kamerablitz mit voller Leistung mitten ins Gesicht des Porträtierten abfeuern würden. Solche Bilder werden flach, und man sieht harte Schatten hinter dem Kopf. Hier einige Tipps für bessere Blitzfotos.

1 Aufhellblitzen

Setzen Sie den Blitz auch draußen in der hellen Sonne ein! Was zunächst unsinnig klingt, machen Profis immer. Denn der Blitz (Aufhellblitz) hellt die durch hartes Sonnenlicht verursachten Schatten auf und bringt Struktur und Farbe in Schattenpartien. Regeln Sie für diese Technik die Blitzleistung um ein bis zwei Stufen herunter, damit der Blitz nicht zu dominant wird. Sollten die Verschlusszeiten kürzer als die Blitzsynchronzeit (ca. 1/250 sek) sein, muss der Blitz die High-Speed-Synchronisation beherrschen. Was das ist und ob Ihr Blitz hier mitspielt, erfahren Sie im Kamera- oder Blitzhandbuch.

2 Wenn möglich, indirekt blitzen

Wenn Sie in Innenräumen blitzen, sollten Sie für weichere Ausleuchtung einen Aufsteckblitz verwenden, den man schwenken oder hochklappen kann. So lässt sich indirekt gegen eine Wand oder die nicht zu hohe (weiße!) Decke blitzen, um das ansonsten harte Blitzlicht zu streuen und die Lichtstimmung weicher zu gestalten.

3 Lange Verschlusszeit für mehr Umgebungslicht

Können Sie Verschlusszeit und Blende Ihrer Kamera manuell einstellen, fotografieren Sie in dunklen Räumen mit einer längeren Verschlusszeit von z. B. 1/30 sek. Dadurch wird die Mischung aus Blitzlicht und vorhandenem Licht ausgewogener, und die Fotos wirken natürlicher. Falls Sie mit noch kürzeren Verschlusszeiten arbeiten möchten, um das vorhandene Licht weiter zu betonen, benötigen Sie ein Stativ, und das Motiv darf sich nicht bewegen, damit die Bilder nicht verwackeln.

4 Mit Blitz weiter weg

Fotografieren Sie in schlecht beleuchteten Innenräumen nie in unmittelbarer Nähe zum Motiv mit Blitz. Das Motiv würde vom Blitz kräftig ausgeleuchtet, während schon der unmittelbare Hintergrund im Dunkeln verschwindet. Man spricht hier vom Tunneleffekt. Vermeiden lässt sich der Effekt, wenn Sie in paar Schritte zurückgehen und mit etwas längerer Brennweite fotografieren.

5 Wärmeres Blitzlicht

Die Lichtfarbe von Blitzgeräten ist üblicherweise ziemlich kühl. Verwenden Sie einen Aufsteckblitz, lässt sich das Licht etwas wärmer gestalten, wenn Sie eine transparente orangefarbene Filterfolie vor das Blitzgerät kleben. Im Fachhandel gibt es für die meisten Blitzgeräte auch Filter zum Aufstecken, die das Licht wärmer machen.

Bild 5.12 Hier wurde mit relativ langer Verschlusszeit für den Verwischeffekt fotografiert. Der Blitz hat die Karussellfahrzeuge zusätzlich scharf abgebildet.

AUFNAHMEDATEN	
Brennweite	40 mm
Belichtung	1/125 sek
Blende	f5,6
ISO	800
Blitz	Kamerablitz

Bild 5.13 Hier wurde die Blitzleistung reduziert, um eine ausgewogene Kombination aus natürlicher und Blitzbeleuchtung zu erzielen. Hätte der Blitz mit voller Leistung abgestrahlt, wäre eine flache Aufnahme entstanden.

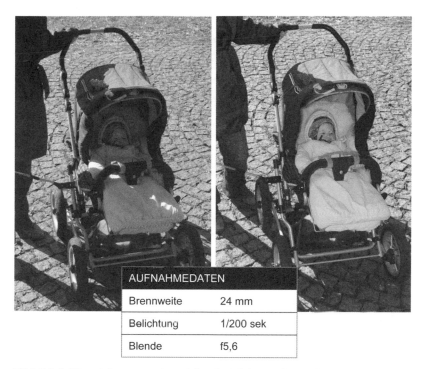

AUFNAHMEDATEN	
Brennweite	24 mm
Belichtung	1/200 sek
Blende	f5,6

Bild 5.14 Hier sieht man sehr schön die Wirkung des Aufhellblitzes am Tag. Die erste Aufnahme wurde ohne Blitz gemacht, die zweite mit aktiviertem Blitz. Das Tageslicht ist im Vergleich zum Blitzlicht noch immer dominant.

5.5 Sportaufnahmen

Schnelle Bewegungen sind nicht einfach zu fotografieren. Und da man in den seltensten Fällen nah genug an ein sich bewegendes Motiv herankommt, muss man außerdem noch mit Telebrennweiten fotografieren, was die Probleme beim Fokussieren und Verwackeln nochmals steigert. Leider ist es eine Tatsache, dass mit steigendem Preis der Kameraausrüstung auch die Ausbeute an guten Sport- und Actionfotos steigt. Möchten Sie nur ab und zu mal Ihre Kinder beim Fußball oder Reiten fotografieren, müssen Sie sich deshalb nicht gleich eine Profikamera mit Mordsobjektiv kaufen. Mithilfe einiger Tricks gelingen auch mit einer einfachen Kompaktkamera ordentliche Actionfotos.

1 Nachführender Autofokus

Nutzen Sie, wenn Ihre Kamera das unterstützt, den nachführenden Autofokus. Hierbei verfolgt der Autofokus das anvisierte Motiv und stellt die Entfernung ständig neu ein. Die Ausbeute an korrekt fokussierten Bildern steigt dadurch deutlich an.

2 Serienaufnahmen = mehr Ausbeute

Machen Sie Serienaufnahmen. Halten Sie, sobald die Kamera für Serienaufnahmen eingestellt ist (siehe Handbuch), einfach den Auslöser gedrückt. Denn immerhin leben wir im digitalen Zeitalter, und selbst eine Serie von hundert Bildern verursacht keine Kosten.

3 Sportprogramm nutzen

Stellen Sie als Aufnahmeprogramm das Sportprogramm ein. Hierbei stellt die Kamera automatisch so kurze Verschlusszeiten wie möglich ein, um Bewegungen einzufrieren.

4 Große Blende für kurze Verschlusszeiten

Wenn Sie mit dem Programm Zeitautomatik (T oder Tv) arbeiten, können Sie manuell die größtmögliche Blendenöffnung (z. B. f2,8 oder f4) auswählen. Dadurch werden die Verschlusszeiten so kurz wie möglich.

5 Hohe Empfindlichkeit für kurze Verschlusszeiten

Fotografieren Sie, um die Verschlusszeiten noch weiter zu verringern, mit höherer Empfindlichkeit von z. B. ISO 800 oder mehr. Dann sind die Bilder zwar etwas verrauscht, dafür aber nicht verwackelt. Bildrauschen kann man am Computer bis zu einem gewissen Grad retuschieren, Verwacklungen jedoch sind der Tod jeder Aufnahme.

6 Kurze Brennweiten gegen Verwackeln

Gehen Sie so nah wie möglich an die bewegten Motive heran und verkürzen Sie die Brennweite. Denn eine lange Brennweite führt unweigerlich zu größerer Verwacklungsgefahr. Je kürzer die Brennweite, desto besser.

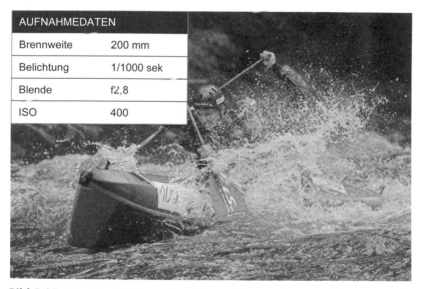

AUFNAHMEDATEN	
Brennweite	200 mm
Belichtung	1/1000 sek
Blende	f2,8
ISO	400

Bild 5.15 Um mit ultrakurzer Verschlusszeit fotografieren zu können, wurde die Empfindlichkeit auf ISO 400 erhöht und gleichzeitig die Blende maximal auf f2,8 geöffnet.

AUFNAHMEDATEN	
Brennweite	40 mm
Belichtung	1/45 sek
Blende	f11
ISO	400

Bild 5.16 Wenn es möglich ist, gehen Sie nah an das Geschehen heran und probieren Fotos mit Weitwinkelbrennweite aus. Objekte in der Nähe sind dann deutlich unschärfer (dynamischer) als Objekte, die sich weiter entfernt befinden.

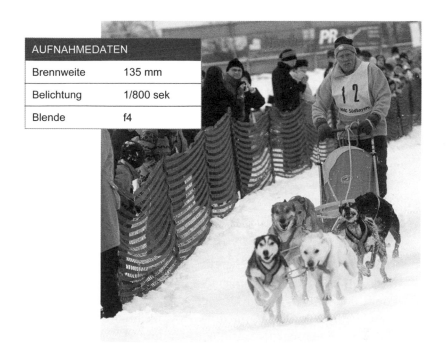

AUFNAHMEDATEN	
Brennweite	135 mm
Belichtung	1/800 sek
Blende	f4

Bild 5.17 Wegen der großen Blende f4 ist die Schärfentiefe relativ begrenzt. Daher ist nur der Schlittenführer, nicht aber sein Hundegespann scharf abgebildet. Hier wäre es besser gewesen, den ISO-Wert deutlich zu erhöhen, um mit kleinerer Blende (z. B. f8 oder f11) fotografieren zu können.

5.6 Architektur

Drei Dinge sind es, die professionelle Architekturfotografen vor allem beachten: den Kamerastandpunkt, das Licht und den Bildausschnitt. Wenn Sie unterwegs sind und Bauwerke fotografieren möchten, sollten Sie sich Zeit nehmen. Denn in den seltensten Fällen kommen gute Bilder dabei heraus, wenn man für ein Gebäude nur zwei Minuten Zeit hat. Hier ein paar Tipps für gute Fotos, auch wenn die Zeit mal knapp ist.

1 Stürzende Linien vermeiden

Versuchen Sie, stürzende Linien und vermeintlich nach hinten kippende Gebäude, hervorgerufen durch einen niedrigen Kamerastandpunkt, zu vermeiden. Fotografieren Sie mit Weitwinkel von unten, scheinen Gebäude auf den Bildern nach hinten zu kippen, weil die eigentlich parallelen Häuserkanten nach oben hin zusammenlaufen. Hier hilft nur, sich weiter vom Gebäude zu entfernen, mit längerer Brennweite zu arbeiten und eventuell den eigenen Standpunkt zu erhöhen.

2 Extreme Perspektiven ausprobieren

Wenn sich stürzende Linien nicht vermeiden lassen, versuchen Sie es doch mit extremen Perspektiven! Gehen Sie nah an das Gebäude heran, stellen Sie die minimale Weitwinkelbrennweite ein und wählen Sie einen sehr tiefen Kamerastandpunkt. Das führt oft zu extrem dynamischen und ungewöhnlichen Ansichten.

3 Auf Details achten

Fotografieren Sie nicht nur Gesamtansichten, sondern suchen Sie auch nach markanten Details. Das können Fassadenteile sein, eine Haustür, eine spiegelnde Fensterreihe, eine alte Lampe oder ein Wasserspeier. Fast alles kommt für Detailaufnahmen infrage.

4 Grauverlaufsfilter für hellen Himmel

Falls der Himmel mal nicht passt, weil er dunstig oder viel zu hell für korrekte Belichtungen ist, können Sie sich mit einem Grauverlaufsfilter behelfen. Der Filter wird vor das Objektiv geschraubt und so gedreht, dass die grau getönte Seite oben ist. Dadurch wird der zu helle Himmel abgedunkelt, ohne das Motiv darunter allzu sehr zu beeinflussen.

5 Licht am Morgen und Abend

Warten Sie, wenn es die Zeit erlaubt, auf den späten Nachmittag. Dann ist das Licht für Architekturaufnahmen ideal, weil Sie die Dreidimensionalität eines Bauwerks durch Licht-Schatten-Kontraste besser einfangen können. Gleiches gilt übrigens auch für die frühe Morgensonne.

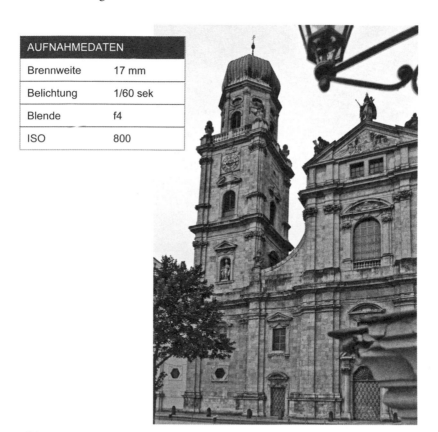

AUFNAHMEDATEN	
Brennweite	17 mm
Belichtung	1/60 sek
Blende	f4
ISO	800

Bild 5.18 Architektur wirkt oft in Schwarz-Weiß am interessantesten, da Farben nur von den Formen und Strukturen ablenken würden. Der Passauer Dom ist hellgrau, also wären Farben sowieso nicht so wichtig.

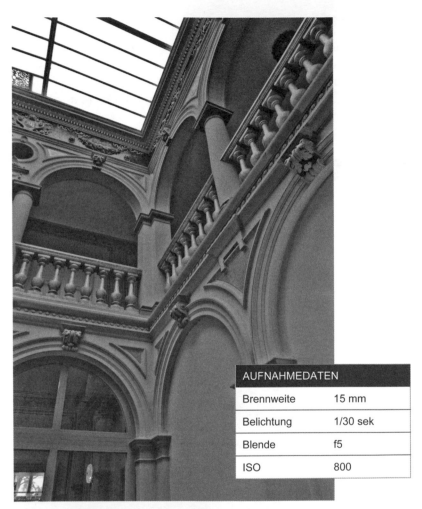

AUFNAHMEDATEN	
Brennweite	15 mm
Belichtung	1/30 sek
Blende	f5
ISO	800

Bild 5.19 Der Blick nach oben eröffnet manchmal ganz interessante Perspektiven. Das Bild wurde am PC nachbearbeitet, um die Kontraste extrem zu verstärken und einen »gemalten« Look zu erzeugen.

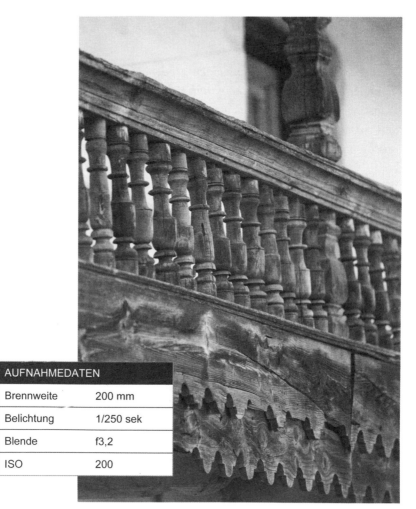

AUFNAHMEDATEN	
Brennweite	200 mm
Belichtung	1/250 sek
Blende	f3,2
ISO	200

Bild 5.20 Details sind in jeder Präsentation wichtig. Deshalb ist es ganz nützlich, wenn Ihre Kamera mit einem Zoomobjektiv ausgestattet ist, das auch längere Brennweiten bietet. Dann kann man solche Details wie das Balkongeländer nah heranholen.

5.7 Landschaften

Landschaften haben meistens einen großen Vorteil: Sie bewegen sich nicht. Also könnte man meinen, man nehme einfach die Kamera in die Hand, visiere die Landschaft bzw. einen Ausschnitt an und drücke auf den Auslöser. Tja, leider läuft es so nicht, wenn Sie vernünftige Bilder möchten und keine 08/15-Massenware. Ein paar Tipps gefällig?

1 Ein Auge zudrücken

Wenn Sie vor einer atemberaubenden Landschaft stehen und sich kaum noch zurückhalten können, ein paar Fotos zu schießen, atmen Sie erst einmal tief durch. Halten Sie sich dann ein Auge zu. Das ist kein Witz! Denn während so manche Landschaft für die dreidimensionale menschliche Wahrnehmung (mit zwei Augen) toll aussieht, wirkt sie zweidimensional (mit nur einem Auge bzw. auf einem Foto) plötzlich flach, langweilig oder diffus. Suchen Sie deshalb mit nur einem Auge den Blickfang, der Sie an der landschaftlichen Ansicht gefesselt hat.

2 Brennweiten variieren

Fotografieren Sie Landschaften nicht nur mit Weitwinkelbrennweiten. Denn eine ausschweifende Ansicht bedeutet auch meistens, dass viele störende Details, die Ihnen erst auf den zweiten Blick auffallen werden, im Bild sind. Reduzieren Sie den Blickwinkel also auch mal mit mittlerer oder langer Brennweite.

3 Morgenstund hat Gold im ...

Warten Sie wenn möglich auf das passende Licht. In der Landschaftsfotografie sind das meist die frühen Morgenstunden und der späte Nachmittag. Dann fällt das Sonnenlicht schräg auf die Welt und erzeugt durch viele Schatten Plastizität und Tiefe.

4 **Immer mit Stativ**

Arbeiten Sie mit Stativ. Denn wenn Sie eine Landschaft mit markantem Vordergrund von vorn bis hinten scharf abbilden möchten, muss die Blende möglichst klein sein (z. B. f11 oder f16). Das führt dazu, dass die Belichtungszeit ziemlich lang werden kann und verwacklungsfreie Fotos aus der Hand nicht mehr möglich sind. Noch besser: Verwenden Sie ein Stativ und einen Fernauslöser, um die Kamera beim Auslösen nicht zu berühren.

5 **Markantes im Blickfeld**

Suchen Sie sich ein markantes Vordergrundmotiv. Denn ein seitlich positioniertes, auch noch so banales Vordergrundmotiv, das scharf abgebildet ist, führt den Blick des Betrachters ganz automatisch ins Bild und macht die Aufnahme dadurch viel interessanter. Als Vordergrundmotiv kommt so ziemlich alles infrage: Blumen, Felsen, Denkmäler, Menschen oder ein Baum.

6 **Grauverlaufsfilter gegen ausgebleichten Himmel**

Ist der Himmel zu hell, verwenden Sie einen Grauverlaufsfilter. Der Filter wird vor das Objektiv geschraubt und so gedreht, dass die graue Tönung oben sitzt. Dann bleicht der Himmel nicht aus, und man sieht auf den Bildern sogar noch ein paar Wolken (falls vorhanden).

7 **Knackige Farben mit Polfilter**

Knackig blau wird der Himmel von professionellen Landschaftsaufnahmen immer mit einem ganz besonderen Trick: dem Polarisationsfilter oder kurz Polfilter. Auch dieser Filter wird vor das Objektiv geschraubt und kann gedreht werden. Probieren Sie es, wenn Sie sich einen solchen Filter zulegen (nur zirkulare Polfilter funktionieren an digitalen Spiegelreflexkameras reibungslos), einfach aus. Sie werden schon beim Blick durch den Sucher den Effekt sehen. Kleiner Tipp: Die Wirkung ist dann am intensivsten, wenn die Sonne im 90°-Winkel zur Blickrichtung der Kamera steht.

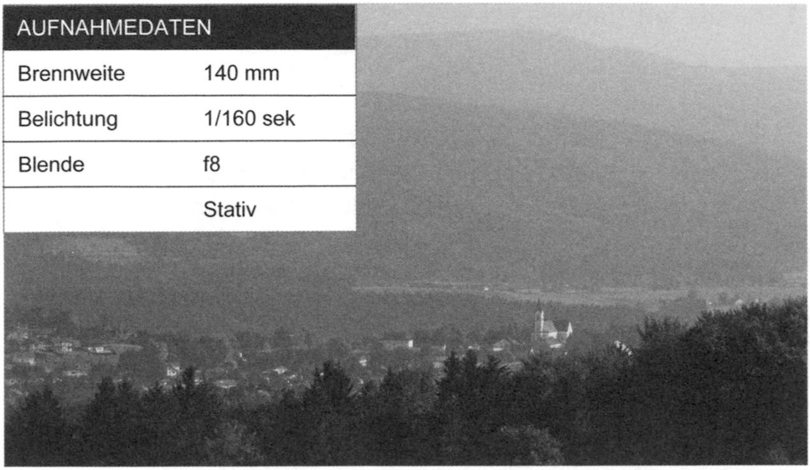

AUFNAHMEDATEN	
Brennweite	140 mm
Belichtung	1/160 sek
Blende	f8
	Stativ

Bild 5.21 Landschaften kann man auch mit Telebrennweiten aufnehmen. Das verdichtet die Perspektive und zieht hohe Distanzen im Bild zusammen.

AUFNAHMEDATEN	
Brennweite	28 mm
Belichtung	1/3200 sek
Blende	f4

Bild 5.22 Wenn kein vernünftiges Vordergrundmotiv da ist, kann man sich auch mit etwas Gestrüpp behelfen, das völlig unscharf als unterer Rahmen und optische Begrenzung dient.

AUFNAHMEDATEN	
Brennweite	100 mm
Belichtung	1/2000 sek
Blende	f5,6

Bild 5.23 Möchten Sie vertikale Strukturen wie hier die hoch aufragenden Bäume betonen, schwenken Sie die Kamera ins Hochformat. Denn wer sagt, dass Landschaften immer im Querformat fotografiert werden müssen?

5.8 Nachtaufnahmen

*Wer in der Nacht fotografiert, sollte wissen, was er tut. Denn das Foto-
grafieren im Dunkeln führt nicht selten zu verwackelten, verrauschten,
farbstichigen oder vom Blitz unnatürlich grell ausgeleuchteten Bildern.
Doch keine Sorge, mit ein wenig Zubehör, einer Handvoll Praxistipps
und etwas Disziplin kriegen Sie auch gute Nachtaufnahmen hin.*

1　Stativ ist Pflicht

Sind Sie nachts zum Fotografieren unterwegs, ist ein Stativ eigentlich immer Pflicht. Denn wenn Sie nicht gerade Menschen in der
Nähe der Kamera mit Blitz fotografieren, sind die Verschlusszeiten
praktisch immer so lang, dass die Bilder unweigerlich verwackeln.
Also – stets mit Stativ arbeiten.

2　Individueller Weißabgleich

Nächtliche Lichter und Lampen erzeugen zum Teil völlig unterschiedliche Lichtfarben. Das heißt, der automatische Weißabgleich
Ihrer Kamera hat wirklich zu kämpfen. Besser wäre es, wenn Sie
ein paar Probeaufnahmen mit unterschiedlichem Weißabgleich
machten (siehe Kamerahandbuch) und sich dann für die stim-
mungsvollste Variante entschieden.

3　Vordergrund anblitzen

Manchmal kann es kann hübsch aussehen, wenn Sie ein markantes Vordergrundmotiv mit dem Blitz ausleuchten. Allerdings sollten Sie dann mit langer Verschlusszeit (am besten im Modus A
oder Av – Blendenvorwahl) fotografieren, damit der Hintergrund
nicht einfach völlig schwarz wird. Stellen Sie als Blende z. B. 4 ein,
die Kamera wählt dann die Verschlusszeit automatisch. Auch hier
gilt wieder: immer mit Stativ arbeiten, weil die Verschlusszeit lang
ist und die Bilder sonst verwackeln.

4 Blitzen auf den 2. Verschlussvorhang

Wenn Sie Fahrzeuge in der Nacht fotografieren, erzeugen die Scheinwerfer Lichtspuren. Blitzen Sie die Fahrzeuge zusätzlich an, um sie sichtbar zu machen, muss der Blitzmodus »Blitzen auf den 2. Verschlussvorhang« eingestellt sein (siehe Kamerahandbuch). Dann leuchtet der Blitz erst am Schluss der Belichtungszeit auf, und die Leuchtspur ist im Bild hinter dem Fahrzeug zu sehen.

5 Vorsicht, Bildstabilisator!

Viele Kameras haben heute einen Bildstabilisator eingebaut, um auch mit längeren Verschlusszeiten unverwackelte Fotos aus der Hand machen zu können. Erwarten Sie jedoch keine Wunder, auch so ein Bildstabilisator hat sein Grenzen. Eine Verschlusszeit von 1/4 sek und mehr gleicht kein Stabilisator zuverlässig aus.

6 Besser mit Weitwinkelbrennweite

Weitwinkelaufnahmen sind nicht so anfällig für das Verwackeln wie Teleaufnahmen. Wenn möglich, arbeiten Sie daher mit Weitwinkelbrennweiten.

Bild 5.24 Lichtspuren von fahrenden Autos nimmt man mit Stativ, Fernauslöser und langer Verschlusszeit auf. Machen Sie am besten viele Versuche mit unterschiedlich langen Verschlusszeiten, um auch den statischen Hintergrund korrekt zu belichten.

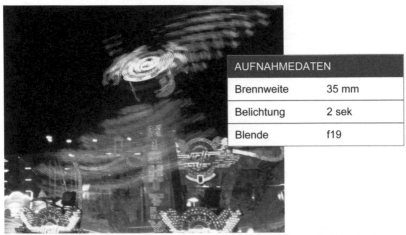

AUFNAHMEDATEN	
Brennweite	35 mm
Belichtung	2 sek
Blende	f19

Bild 5.25 Wegen der kleinen Blendenöffnung von f19 ergab sich eine lange Verschlusszeit (2 sek). Dadurch konnte die Bewegung des Karussells perfekt eingefangen werden.

AUFNAHMEDATEN	
Brennweite	16 mm
Belichtung	1/45 sek
Blende	f5,6
ISO	800

Bild 5.26 Hier hat man gleich mit mehreren Problemen zu kämpfen. Der Weißabgleich funktioniert wegen der verschiedenfarbigen Lichtquellen nicht zuverlässig, die Helligkeit des Motivs verändert sich ständig, der Hintergrund ist schlecht ausgeleuchtet. Hier hilft nur ausprobieren.

5.9   Gegenlicht

Jetzt wird's wirklich anspruchsvoll – Gegenlichtaufnahmen! Befindet sich die Hauptlichtquelle (Sonne, Strahler, heller Himmel, Sonnenuntergang) hinter dem Motiv, können Sie jeden automatischen Belichtungsmesser jeder Digitalkamera vergessen. Denn das ins Objektiv fallende Licht verhindert korrekte Messungen. Also, keine Chance für perfekte Aufnahmen im Automatikmodus. Jetzt können Sie zeigen, ob Sie's draufhaben und Ihre Kamera beherrschen. Hier die Tipps der Profis:

1   Belichtungsmessung optimieren

Wie gesagt, die automatische Standardbelichtungsmessung (Mehrfeldmessung, Matrixmessung – je nach Kameramodell unterschiedlich) wird bei Gegenlichtbildern viel zu dunkle Aufnahmen produzieren und das Hauptmotiv in Schwärze versinken lassen. Hier hilft nur die Spotmessung, bei der die Kamera lediglich einen winzigen Teil (ca. 1 %) der Bildfläche ausmisst. Stellen Sie also die Spotmessung oder eine andere eng begrenzte Messmethode ein (siehe Kamerahandbuch) und richten Sie die Kamera exakt auf das Hauptmotiv, das im Idealfall mittlere Helligkeit hat (Haut, Asphalt, grüne Wiese). Wichtig ist, dass hierbei kein Gegenlicht im Spotmessbereich zu sehen ist. Dann wird die Kamera korrekte Werte für das Hauptmotiv ermitteln.

2   Mit Gegenlichtblende arbeiten

Wenn das Gegenlicht von der Sonne erzeugt wird und die Sonne relativ hoch am Himmel steht, kann es passieren, dass sie direkt ins Objektiv scheint. Das führt zu Blendenflecken, Reflexionen und Geisterbildern. Nutzen Sie deshalb immer eine Gegenlichtblende, die am Objektiv angebracht wird, um das Objektiv vor der Sonne abzuschatten.

3 Hohe Kontraste ausgleichen

Gegenlicht erzeugt normalerweise hohe Kontraste. Um diese Kontraste, die manchmal zu extrem ausfallen, zu mildern, können Sie an den meisten Digitalkameras den Bildkontrast über ein Kameramenü reduzieren. Sehen Sie im Kamerahandbuch nach, ob das bei Ihrer Kamera möglich ist.

4 Blitzlicht für Personen

Fotografieren Sie Personen im Gegenlicht, sollten Sie es auf jeden Fall auch mit Blitzlicht und normaler Belichtungsmessung probieren. Denn der Blitz hellt die ansonsten zu dunkle Person im Vordergrund auf, und Sie bekommen eine ausgewogenere Belichtung über die gesamte Bildfläche.

5 Belichtungsreihen helfen

Wenn Sie sich beim Einstellen von Blende, Verschlusszeit und Belichtungsmessmethode nicht sicher sind, können Sie auch versuchen, über eine Belichtungsreihe zumindest eine gute Aufnahme zu erhalten. Machen Sie bei Gegenlichtaufnahmen am besten eine Belichtungsreihe, deren Einzelbilder mindestens eine, vielleicht sogar zwei Belichtungsstufen auseinanderliegen. Dann können Sie ziemlich sicher sein, wenigstens eine korrekt belichtete Aufnahme zu bekommen. Und wenn Sie fit in der Bildbearbeitung sind, können Sie die unterschiedlich belichteten Fotos sogar übereinandermontieren und die jeweils zu dunklen und zu hellen Bereiche löschen.

AUFNAHMEDATEN	
Brennweite	170 mm
Belichtung	1/400 sek
Blende	f5,6

Bild 5.27 Gegenlicht kann man immer dazu verwenden, Bilder wie Schattenrisse zu erzeugen. Die Belichtung ist knifflig, am besten manuell ausprobieren.

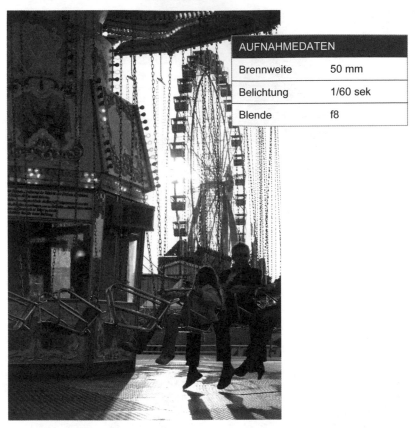

AUFNAHMEDATEN	
Brennweite	50 mm
Belichtung	1/60 sek
Blende	f8

Bild 5.28 Strukturen, die vor der Sonne (oder einer anderen Lichtquelle) auftauchen, werden leicht völlig schwarz wiedergegeben. Dieses Bild ist das beste aus einer Belichtungsreihe von drei verschiedenen Aufnahmen.

AUFNAHMEDATEN	
Brennweite	40 mm
Belichtung	1/1250 sek
Blende	f16

Bild 5.29 Um den Gegenlichteffekt ein wenig abzumildern und die Kontraste nicht völlig aus dem Ruder laufen zu lassen, kann man versuchen, die Sonne hinter etwas zu verstecken. Hier lugt sie hinter den Ästen hervor.

5.10 Sonnenauf- und -untergänge

Beliebtes und häufig fotografiertes Urlaubsmotiv, leider beinahe ebenso oft langweilig inszeniert oder einfach falsch belichtet – der Sonnenuntergang. Das muss nicht sein. Wirklich. Denn so schwer sind Sonnenauf- und -untergänge nun auch nicht zu fotografieren. Blättern Sie zurück und lesen Sie sich noch mal die Tipps zur Gegenlichtaufnahme durch. Das sind schon mal die Grundlagen. Dann blättern Sie wieder hierher zurück und schauen sich die speziellen Wie-fotografiere-ich-einen-Sonnenuntergang-Tipps an.

1 Belichtungsreihen

Knifflig ist beim Sonnenuntergang aus technischer Sicht die Belichtung. Daher mein Rat: Machen Sie Belichtungsreihen mit Intervallen von ein bis zwei Belichtungsstufen. Denn bei einer Reihe von drei Bildern mit unterschiedlicher Belichtung können Sie relativ sicher sein, zumindest eine gute Aufnahme im Kasten zu haben.

2 Manuelle Belichtung

Sie wissen, wie man Blende und Verschlusszeit manuell einstellt? Dann verzichten Sie auf Belichtungsreihen und probieren einfach verschiedene Werte aus, bis Sie mit dem Ergebnis zufrieden sind.

3 Weißabgleich variieren

Die Weißabgleichsautomatik einer Digitalkamera versucht immer, farblich neutrale Bilder zu produzieren. Das ist bei einem gelb-roten Sonnenuntergang natürlich nicht gewollt. Probieren Sie deshalb lieber die Weißabgleichsvoreinstellungen z. B. für Schatten oder bewölkten Himmel aus, um das Rot des Sonnenuntergangs zu erhalten.

4 Nicht nur Sonne

Ein Sonnenuntergang ohne Umgebung ist ziemlich öde. Beziehen Sie die Landschaft bzw. den Vordergrund in die Bildgestaltung mit ein. Denn wenn Sie den Sonnenuntergang nicht in den Kontext einbinden, den Sie beim Fotografieren sehen und erleben, werden die Fotos sicher keine Stimmung transportieren. Und schließlich geht es doch genau darum – Stimmung.

5 Mittlere und lange Brennweiten einsetzen

Wenn Sie die Umgebung samt unter- oder aufgehender Sonne in einem Foto perspektivisch verdichten möchten, müssen Sie mit mittlerer oder langer Brennweite arbeiten. Fotografieren Sie dagegen mit Weitwinkel, wird die Sonne nur sehr klein im Bild erscheinen. Wählen Sie mit einer längeren Brennweite lieber einen knappen Bildausschnitt und beschränken Sie sich auf das Wesentliche.

6 Nicht direkt in die Sonne sehen

Gerade beim Fotografieren mit langen Brennweiten (200 mm und mehr) sollten Sie sehr vorsichtig beim Ausrichten der Kamera sein. Beim Blick durch den Sucher (bei Spiegelreflexkameras) wird das Sonnenlicht gebündelt und kann, wenn die Sonne noch höher am Himmel steht, Ihre Augen schädigen. Deshalb bitte niemals mit langer Brennweite direkt in die Sonne sehen!

AUFNAHMEDATEN	
Brennweite	300 mm
Belichtung	1/30 sek
Blende	f8

Bild 5.30 Glück gehabt. Die Sonnenfinsternis vom Mai 2003 wurde durch ein paar attraktive Wolken verschönert. Wäre der Himmel vollkommen strukturlos gewesen, wäre das Foto sicher langweilig.

Stichwortverzeichnis